Sofort nach dem Ausbruch des Corona-Virus reist der Bürgerjournalist Kcriss in das Epizentrum der Katastrophe. »Weil er keine Angst vor Gespenstern hat«, so die Stellenanzeige, sucht er einen Job im Krematorium. Schnell begreift er, dass die offiziellen Opferzahlen nicht stimmen. Doch der kurze Augenblick, in dem er glaubt, die Wahrheit sagen zu können, vergeht über Nacht: Er wird entdeckt und dokumentiert im Internet live seine Verfolgung.

Gleichzeitig reist der Historiker Ai Ding zum chinesischen Neujahrsfest nach Hause. Als er in Berlin, wo er ein Auslandsjahr absolviert, in das Flugzeug steigt, ist die Welt noch in Ordnung, aber als er in Peking landet, ist seine Familie in Wuhan im Lockdown gefangen. Wochenlang wird er sich durch isolierte Provinzen und über gesperrte Straßen zu seiner Familie durchschlagen – nur, um zu erleben, dass er schon lange observiert und überwacht wird. Das Virus wird zum Vorwand, das System aus Überwachung und Unterdrückung, Misstrauen und Angst auf eine neue Stufe zu führen.

Liao Yiwu ist einer der entschiedensten Kritiker Chinas. 1958 in der Provinz Sichuan geboren, wuchs er als Kind in großer Armut auf. 1989 verfasste er ein Gedicht über das Massaker auf dem Platz des Himmlischen Friedens, wofür er inhaftiert und misshandelt wurde. 2009 gelang ihm die Flucht, die er in »Drei wertlose Visa und ein toter Reisepass« erzählt. Berühmt wurde er für seine Reportagen vom Bodensatz der chinesischen Gesellschaft wie »Fräulein Hallo und der Bauernkaiser«. Zuletzt erschien 2023 sein Roman »Die Liebe in Zeiten Mao Zedongs«. Für sein Werk wurde er mit dem Geschwister-Scholl-Preis und dem Friedenspreis des Deutschen Buchhandels ausgezeichnet. Heute lebt er in Berlin.

Weitere Informationen finden Sie auf www.fischerverlage.de

Liao Yiwu
Wuhan

Dokumentarroman

Aus dem Chinesischen
von Brigitte Höhenrieder
und Hans Peter Hoffmann

FISCHER Taschenbuch

Aus Verantwortung für die Umwelt hat sich der S. Fischer Verlag zu einer nachhaltigen Buchproduktion verpflichtet. Der bewusste Umgang mit unseren Ressourcen, der Schutz unseres Klimas und der Natur gehören zu unseren obersten Unternehmenszielen.

Gemeinsam mit unseren Partnern und Lieferanten setzen wir uns für eine klimaneutrale Buchproduktion ein, die den Erwerb von Klimazertifikaten zur Kompensation des CO_2-Ausstoßes einschließt.

Weitere Informationen finden Sie unter: www.klimaneutralerverlag.de

Erschienen bei FISCHER Taschenbuch
Frankfurt am Main, August 2023

Die Originalausgabe erschien 2020
in Taiwan unter dem Titel 當武漢病毒來臨
(Dang Wuhan bingdu lailin. When the Wuhan Virus comes)
bei Yunchen Wenhua / Asian Culture
© 廖亦武 (Liao Yiwu) 2020, 2021

Für die deutschsprachige Ausgabe:
© 2021 S. Fischer Verlag GmbH,
Hedderichstr. 114, D-60596 Frankfurt am Main

Satz: Dörlemann Satz, Lemförde
Druck und Bindung: GGP Media GmbH, Pößneck
Printed in Germany
ISBN 978-3-596-70937-3

INHALT

Vorspiel: Der Draufgänger   7

1   Eine zwangsgeschlossene Stadt   57
2   Mit dem französischen Virengefängnis fing alles an   74
3   Wer isst Fledermäuse?   88
4   Die Wahrheit starb mit Li Wenliang   108
5   Alltag in der Isolation   117
6   Der Infizierte ohne Symptome   133
7   Durch menschenleere Gegenden   147
8   Auf beiden Seiten der »Landesgrenze«   167
9   Das Virus verlässt das Land   191
10 Wissenschaftler gegen »Verschwörungstheorien«   203
11 *Unrestricted War*   225
12 Seine Hoheit der Kaiser war da   239
13 Illegal nach Hause   253
14 Die Volksrepublik China verschwindet   276

Epilog: Die Wuhan-Elegie   292

ANHANG
An die Leser   298
Spucke ist meine einzige Waffe. Ballade   300
Ein Jahr später. Nachtrag   315
Die Seelen zahlloser Opfer
eröffnen und beschließen dieses Buch   318
Letztes Nachwort   328
Wir erwarten die Nachricht von ihrem Tod   333

Anmerkungen der Übersetzer   339

VORSPIEL

Der Draufgänger

Am 26. Februar 2020 war der fünfundzwanzig Jahre alte Kcriss schon sehr früh auf den Beinen, packte sich wie üblich in die Rüstung seiner Schutzkleidung, legte den Mundschutz an, setzte die Schutzbrille auf und sah aus der Ferne aus wie ein Astronaut auf dem Mond.

Auf Zehenspitzen stieg er die Treppe hinunter, fuhr mit dem Auto los, atmete einmal tief durch und ermahnte sich selbst, besonders vorsichtig zu sein, denn heute wollte er zum äußerst sensiblen P4-Labor* und versuchen, das Rätsel um die Frage zu lösen, ob das Virus hier hatte entweichen können.

Gedacht, getan, er machte sich auf den Weg, ohne allzu viele Gedanken darüber, welche Gefahren dort lauern könnten. Wuhan war seit über einem Monat im Lockdown, unterwegs strahlte die Sonne, die Luft war frisch, doch alles war vollkommen ausgestorben; die Ampeln waren noch in Betrieb, aber Verkehrspolizisten gab es keine. Eine Weile raste er dahin, bis er das Gebiet um den »Zhengdian-Park des Wuhan-Forschungsinstituts der Chinesischen Akademie der Wissenschaften« im Bezirk Jiangxia erreichte, einen Technologie-Park, in dem sich auch das P4-Labor befand. Wenig überraschend war ab hier bereits militärisches Sperrgebiet, ein Großteil des Areals war mit Eisentonnen abgesperrt. Er wurde von zwei blauen Schatten mit Gewehren aufgefordert

---

* Anmerkungen der Übersetzer am Ende des Bandes

anzuhalten, glücklicherweise hatte er sämtliche Papiere dabei und seine Körpertemperatur war normal, er sagte, er sei nur so vorbeigekommen, und drehte wie befohlen auf der Stelle um – das Wort »P4« wagte er nicht auszusprechen.

Kcriss war ein wenig enttäuscht, wollte jedoch nicht klein beigeben und fuhr um die Absperrung aus gewaltigen Eisentonnen herum, dabei streckte er immer mal wieder den Kopf aus dem Fenster, als ob er sich verfahren hätte, wobei er in Wahrheit auf eine Chance wartete. Doch er hatte kein Glück: Das Wetter war herrlich, die Sicht ausgezeichnet, und doch war alles, ohne das geringste Anzeichen von Leben, ausgesprochen trostlos. Der Winter war noch nicht vorbei, ein paar schüttere Baumreihen sahen aus wie eine von Fingernägeln zerkratzte Schuppenflechte der Erde, zwischen kahlen Zweigen und gefallenem Laub waren Menschen, Hunde, Katzen und Vögel wer weiß wo geblieben. Kcriss hielt den Wagen in einer kurzen Gasse an, hinter sich die Kreuzung zur Autobahn. Und vor sich kein Gebäude höher als zwei Stockwerke, nur das in Sichtweite liegende, aber unerreichbare P4-Labor – ein Zylinder und ein langes Rechteck – ragte eindrucksvoll in die Luft und erinnerte an Tschernobyl: Das Äußere des geborstenen Kernreaktors bestand ebenfalls aus einem langen Rechteck und einem Zylinder, dessen Radioaktivität, wie es hieß, innerhalb von ein paar Monaten auf dem gesamten europäischen Festland nicht mehr einen Grashalm hätte stehen lassen können, so dass Zehntausende ohne Rücksicht auf Leib und Leben in einem Wettlauf mit der Zeit einen gewaltigen Deckel gossen, der die Ruine des Reaktors für alle Zeiten versiegeln sollte, als wolle man die Büchse der Pandora wieder schließen. Doch dieses Mal war alles anders: Das Virus aus Wuhan war längst über die Grenzen des Landes hinaus vorgedrungen und hatte jeden Winkel in der Welt kontaminiert, auf Tausenden von Kilometern stieg die Zahl der Toten täglich – würde man die Büchse der Pandora noch einmal schließen können?

Kcriss konnte nichts tun, als nur im Wagen herumzusitzen, also schaute er sich auf YouTube Chai Jings* Umweltdokumentation *Unter der Glocke* an. Er hatte sie schon viele Male gesehen, fand sie aber immer noch ausgezeichnet. Die Zeit verging unmerklich, er fing an zu vergessen, wo er sich befand, und vergaß auch, dass das ein Polizeistaat war.

Dutzende Meter entfernt starrten Polizisten von der Inneren Sicherheit von einem Fenster im zweiten Stock fortwährend herüber. Am Anfang dachten sie noch, das sei ein Treffpunkt, an dem verdeckte Spezialagenten auftauchen und Kcriss einen Packen Informationen überreichen könnten, aber das Drama, auf das sie hofften, fand nicht statt. Zhao, Hauptmann der Inneren Sicherheit, murmelte: »Schon zwei, drei Stunden jetzt, und er ist immer noch nicht weg, will der hier übernachten?« Sprach's, winkte Li heran und befahl ihm, einen Computer heranzuschaffen – und so genossen sie, wie in einem Film, auf dem Bildschirm jede Bewegung von Kcriss.

Zhao sagte: »Hol ihn ein bisschen näher. He, der tut echt so, als wäre da was, so ein langer Bericht über Smog, den kann man doch überall anschauen, ausgerechnet am P4 hält er dafür an, da steckt doch bestimmt was dahinter.«

Skynet* überzog schon seit einigen Jahren das ganze Land mit Videoüberwachung, Li drückte auf die Maus, und die versteckten Kameras an den Gebäuden zu beiden Seiten der Wagenfenster drehten sich, auf dem Bildschirm erschienen zwei oder vier Einstellungen, das linke Ohr und Auge von Kcriss, das rechte Ohr und Auge, die Nase, der Mund, jeweils in Großaufnahme. Selbst die Poren wurden vergrößert.

Li sagte: »Bläschen im Mundwinkel, der steht wahnsinnig unter Druck. So ein hübscher Bengel und niemand bei ihm, der ist garantiert schwul.«

»Du verstehst einen Scheiß«, sagte Zhao. Anschließend beorderte er weitere Leute aus dem Gebäude her. Sieben Köpfe steckten über dem Bildschirm zusammen. »Hauptmann Zhao, das geht jetzt schon recht lang«, gab der dicke Zhou seine Meinung zum Besten, »zieh'n wir ihn doch aus dem Verkehr!«

»Ja, genau, dann hierher zurück, dann sehen wir weiter«, stimmte Li zu.

»Einen Scheiß werden wir sehen«, runzelte Zhao die Augenbrauen, »hältst du den etwa für einen wie unseren Fang Bin*? Festsetzen, freilassen, und das ganze Tohuwabohu im Netz, und dann geht es uns nichts an, oder was?«

»Was soll das heißen?«

»Schaut euch doch das Equipment an, ein Geländewagen von VW, Topschutzkleidung, Handybildschirm in Sondergröße und eine hochauflösende Kamera, jede seiner Bewegungen, damit kann sich doch ein Tölpel wie Fang Bin nicht messen! Das da richtet sich gegen das Zentralkomitee der Partei, einer von hier würde auf ein kaputtes Fahrrad steigen, der Bürgerrechtsanwalt Chen Qiushi* fährt ein Schrottmoped, und sie machen keine Videos draußen ...«

»Doch. Fang Bin hat draußen Videos gemacht, von Krankenhäusern, mit Einstellungen steif wie eine Leiche, und er hat bestimmt achtmal den Satz ›Acht sind gestorben‹ gesagt.«

»Genau deshalb ja, dieser Kcriss hat Einfluss, der war Nachrichtensprecher bei Phönix, dem Satellitensender, und beim Zentralfernsehen, und dann kündigt er auf einmal, so was sieht ganz nach einem verwöhnten Spross der zweiten, dritten, x-ten Generation von roten Kadern aus. Wenn ...«

»Wenn der irgendwas Höheres ist, liebe Güte, die Fraktion oder jene Fraktion, das kriegen wir dann eh nicht mehr klar, sind zu viele Tote diesmal, so viele waren es noch nie, dafür will keiner die Verantwortung ...«

»Red keinen Unsinn. Wir sind hier die Innere Sicherheit,

wir sind also für die absolute Sicherheit des P4 da, komme, was wolle, und wenn jemand da reinwill, können wir ihn sofort festnehmen. Um das hübsche Jüngelchen da soll sich mal die Nationale Sicherheit kümmern.«

Zhao wählte die Nummer des Leiters der lokalen Staatssicherheit und legte ihm die Sache möglichst einfach dar. Der sagte, er habe nicht genug Leute, außerdem bilde die Staatssicherheit eine »geheime Front«, man werde den Grad der Gefährlichkeit von Kcriss evaluieren und seinen Hintergrund durchleuchten, »wir tun, was wir können, aber nach der üblichen Arbeitsteilung müssen unverdeckte Angelegenheiten ja von der Inneren Sicherheit übernommen werden«.

Zhao entgegnete energisch, das gehe so nicht, »er ist aus eurem Umfeld«, auch die »geheime Front« müsse sichtbar werden.

Die Innere Sicherheit, das waren Experten für Verhaftungen, das ging bei ihnen blitzschnell. Von den beiden »Bürgerjournalisten« vor Kcriss, Chen Qiushi und Fang Bin, die über eigene Medien von der Pandemielage in Wuhan berichtet hatten, schaffte es der Erste nicht, rechtzeitig Beweise vorzulegen, und war »vom Erdboden verschwunden«, was seine betagte Mutter dazu verurteilte, ebenfalls Tag für Tag die Firewall zu überwinden und per Twitter »Suchmeldungen« zu posten; der andere schrie gerade noch durch Eisengitter und Eisentür: »Ich habe kein Fieber, ihr müsst mich nicht isolieren«, als die Tür mit einem Knall aufgestoßen und der Kerl augenblicklich zu Boden gedrückt wurde – natürlich war derart grobe Arbeit etwas unter der Würde der hochgebildeten Nationalen Sicherheit, deren Stärke vor allem auf dem Gebiet von Hightech oder in der »Infiltration des Feindes« lag – weshalb der Leiter der Nationalen Sicherheit, als er seinem Untergebenen Ding Jian den Befehl gab, mit zwei Leuten in offiziellem Auftrag etwas zu erledigen, ihn gleichzeitig mehrfach ermahnte, auf keinen Fall einen Polizeiwagen mit dem Logo der Nationalen Sicherheit zu benutzen.

Ding Jian zögerte kurz, bevor er mit seinen zwei Leuten in die Garage hinunterging und einen weißen Geländewagen fand, den er höchstselbst hinausfuhr. Zu diesem Zeitpunkt quälte sich Kcriss schon ein paar Stunden in seinem Auto, sein Wasservorrat war zu Ende, ihm klebte die Zunge am Gaumen, und weil es um ihn herum nichts gab, wollte er das P4-Gelände verlassen, um Wasser zu kaufen. Doch just als er mit seinem Wagen aus der Gasse bog, kam Ding Jians Wagen in der Einbahnstraße frontal auf ihn zu. Er dachte noch, wenn jemand so die Verkehrsregeln missachtete, dann sicher, um eine Abkürzung zu fahren. Auf einmal aber stellte sich der andere quietschend quer über die Straße.

Kcriss trat und zog mit Händen und Füßen an allen verfügbaren Bremsen, von den Reifen stiegen zwei blaue Rauchfahnen auf, einen Zusammenstoß konnte er so verhindern. Dann reagierte er verdammt schnell, fuhr mit heulendem Motor die Gasse rückwärts, um über das andere Ende zu entkommen – das hatte die Nationale Sicherheit übersehen, hätte die Innere Sicherheit das erledigt, wäre längst ein anderer Wagen am anderen Ende quergestanden – Kcriss, wenn auch zu Tode erschrocken, war also nicht in einem Flaschenhals gefangen und fuhr ein ganzes Stück gegen die Fahrtrichtung, und das mit mindestens zweihundert Sachen, direkt auf die Hauptstraße, der andere Wagen immer dicht hinter ihm, und ob er es nun hören konnte oder nicht, es kam ständig die Lautsprecherdurchsage. »Sofort anhalten, wir befehlen Ihnen, sofort anzuhalten!«

Von der wilden Verfolgungsjagd jedoch einmal abgesehen war auf dieser Straße, die in eine andere Welt zu führen schien, so weit das Auge reichte, keine Menschenseele zu sehen. Die Abendsonne ging gemächlich unter, das Auf und Ab der Häuser war wie Wellen tiefer See, die durch Gottes Hände flossen und brandeten. Es war noch nicht lange her, da war die Ebene des ganzen Distrikts Jianghan mit mehreren hundert Kilometern Fläche gestopft voll gewesen mit Autos und Menschen, Schiffen und Waren. Wuhan war berühmt, eine historische Stadt, und im Wandel der Zeiten einer der wichtigsten Verkehrsknotenpunkte zu Land und zu Wasser: Ein Blick auf die Landkarte zeigt, dass dieses Herz von Cathay genau in dessen Mitte lag, Verkehrsverbindungen verzweigten sich in alle Richtungen wie feine Adern, pulsierten ineinander verflochten, während die Eisenbahnstrecke Peking–Kanton und der Strom des Yangtse wie zwei Schlagadern den Betrieb dieses diktatorischen Imperiums täglich in Gang hielten. Bevor das dreiundsiebzig Jahre alte Monster Mao Zedong 1966 den Staatspräsidenten Liu Shaoqi in den Tod trieb und nebenbei die Kulturrevolution auslöste, eine Katastrophe für 800 Millionen Chinesen, war seine erste Wahl Wuhan, um sich dort einige Kilometer den Yangtse hinuntertreiben zu lassen* und am Ufer folgende Zeilen zu verfassen: »Just getrunken vom Wasser Changshas, und gegessen vom Fisch in Wuhan.« »Wer an sich glaubt, lebt zweihundert Jahre und sein Schlag stäubt das Wasser 3000 Meilen.«* Damit löste er ein geistiges Erdbeben der Stärke 8 aus, in der lokalen *Kriegszeitung der Roten Garden* wurden Gerüchte über Gerüchte verbreitet, nach denen die Resultate neuester wissenschaftlicher Erkenntnisse gezeigt hätten, dass der gegenwärtige Gesundheitszustand des großen Vorsitzenden Mao, der rötesten roten Sonne im Mittelpunkt der gesamten Weltbevölkerung, wenigstens noch 150–200 Jahre gewährleistet werden könne …

Heute waren derartige Mythen in Wuhan vom Winde verweht, gegenteilige, realistischere Mythen kursierten unter den Menschen wie während der Kulturrevolution »die Nachrichten über die kleinen Kanäle«, die noch nicht verifiziert waren: Durch Kältebehandlung und einen »Zwischenwirt«

sei aus den SARS-Viren, die das P4-Team den Fledermäusen entnommen habe, ein neues Coronavirus entstanden, dem seine Erfinder künstliche Intelligenz verliehen hätten, Fähigkeiten, sich zu verbergen und zu verstellen, worin die chinesischen Kommunisten in ihrer Frühzeit ausgesprochen gut gewesen seien – wer sich infiziere, habe zu Beginn weder Fieber noch Husten, dann komme ein leichtes Fieber und Husten, bis man am Ende nicht mehr atmen könne – und erst jetzt komme ein Auf und Ab wie bei Seegang, wo man von einem Augenblick auf den anderen in das Tal des Todes stürzen konnte – in den chinesischen Netzen im Ausland gingen Gerüchte um, das »Virus aus Wuhan« sei die »ultimative biologische Waffe« der Diktatur im Kampf gegen die Demokratie, eigentlich sei das erste Angriffsziel das nicht unterzukriegende Hongkong gewesen, doch dann sei das Ganze aufgrund von Lücken im bürokratischen System wie beim Supergau von Tschernobyl auf einmal außer Kontrolle geraten und habe sich ausgebreitet; anschließend habe man dann aus Staatsräson und um »Gerüchte« zu unterdrücken, die Öffentlichkeit betrogen, habe den Zeitpunkt verpasst, die »Büchse der Pandora« wieder zu schließen, und das nach Plan abgeriegelte und unter Militärverwaltung gestellte Hongkong hieß auf einmal Wuhan.

Auch Kcriss, das neugeborene Kälbchen, hatte auf der Straße alle möglichen Gerüchte um das P4 gehört. Da Wuhan im Lockdown war, war das in der Mitte gelegene P4-Labor jedem Bürger von Wuhan im Innersten ein Begriff, doch niemand wagte, dieses politische Tabu in den Mund zu nehmen – Kcriss achtete nicht auf Leib und Leben, so wie über dreißig Jahre zuvor am Morgen des 4. Juni 1989 ein Dichter namens Liao Yiwu vor dem Hintergrund der Schüsse und der Schreie auf dem Tian'anmen sein *Großes Massaker* gelesen hatte ... und auf dem Fuß verhaftet und unweigerlich ins Gefängnis geworfen wurde, aber, verdammt nochmal, wie sollte man das verletzte Gerechtigkeitsempfinden der Jugend unterdrücken. Bei seinem über 30-sekündigen Videonotruf hatte Kcriss das Gefühl, sein Wagen fliege und das Lenkrad gehorche ihm bald nicht mehr: »Ich bin auf der Straße, die Staatssicherheit ist hinter mir her, in einem Zivilfahrzeug ... ich bin in Wuhan, ich fahre schnell, sehr schnell, sie sind hinter mir her, sie wollen mich sicher isolieren ...«

Am Ende raste er auf die Kreuzung einer Hochstraße, wurde etwas langsamer, der Wagen hinter ihm holte auf, streifte seine Karosserie und überholte ihn. Wie in einem Spionagethriller riss er das Lenkrad herum, nach links, es krachte, der andere wich zurück. Ihm war alles egal, und er trat das Gaspedal bis zum Anschlag durch.

***

Schließlich entkam er in die Tiefgarage seines Hochhauses, das elektrische Gatter hatte sich gerade noch hinter seinem Heck geschlossen, als der Wagen der Nationalen Sicherheit eintraf. Die Innere Sicherheit an ihrer Stelle wäre durch das Gatter durchgebrochen, aber die Nationale Sicherheit, die etwas auf sich hielt, stoppte, wo das Leben am seidenen Faden hing, dann doch den Wagen und rief die Innere an. Hier war eine gehobene Wohngegend, die Tiefgarage war sehr groß, aufgrund des strikten Lockdown-Befehls war allerdings innen seit Tagen der Strom abgestellt. Man konnte die Hand nicht vor Augen sehen, Kcriss wagte trotzdem nicht, die Scheinwerfer anzumachen, und verließ sich auf sein Gedächtnis – er war schon viele Male hier ein- und ausgefahren – und auf sein Urteilsvermögen. Er fuhr einen großen Halbkreis und suchte zwischen den Wagen, die aufgereiht waren wie im Winter Bienen in ihren Waben, eine Parklücke. Nach einem Augenblick völliger Dunkelheit kam die Staatssicherheit mit schwankenden Scheinwerfern, er rutschte mit seinem Körper nach unten und hielt den Atem an, der Wagen der Staatssicherheit kam langsam herunter, die Scheinwerfer suchten zwischen den Parknischen, streiften auch sein Fenster, suchten aber weiter, er glitt wie ein Gespensterschatten aus dem Auto, huschte wieselflink zum Eingang des Fahrstuhls und öffnete mit der Sensorkarte am Schlüssel die Tür. Als im Aufzug das Licht anging, kamen sie sofort angestürzt.

Der Nationalen Sicherheit ein paar Minuten voraus, ging Kcriss oben in seine Wohnung und verschloss die recht solide Tür. Wie eine Maus, die von den scharfen Krallen einer Katze in ihr Loch gezwungen wird, wagte er weder Licht anzumachen noch seine rüstungsartige Schutzkleidung abzulegen – und das, obwohl er am ganzen Körper triefend nass war. Aus einem professionellen Instinkt heraus machte er den Computer an und richtete die Kamera auf die Tür, es war stockfinster, und in dieser Finsternis, die jeden Augenblick explodieren konnte, begann sein Livestream ...

Bumbumbum, bumbumbum, wieder und wieder wird gegen die Tür geschlagen. Kcriss steht eine Weile an der Tür, geht auf Zehenspitzen ans andere Ende des Raums, bumbumbum, bumbumbum, das Hämmern an der Tür ist hartnäckig, Kcriss geht in das mittlere Zimmer und kauert sich in die Ecke wie eine verlorene Seele. Zu dieser Zeit haben über 800 Internetnutzer aus dem Inland, die man im Netz auch »Zaungäste« nennt, bereits die Firewall Richtung Ausland überwunden und sich von dort aus wieder ihm und seinem dunklen Bildschirm auf YouTube zugewandt, den sie ununterbrochen kommentierten:

Tür auf, ich muss das Wasser ablesen!
Wie fühlst du dich? Auch ohne Licht wissen sie, dass du da bist.
Es macht keinen Sinn, das Licht auszulassen, die haben

einen Haufen Sicherheitskameras, die sehen dich, egal wo du dich versteckst!
Jetzt hat jeder gesehen, wie mutig du bist!!! Du kannst noch viele mehr aus der Generation der 80er und 90er zum Aufstand bringen!

Mach Licht an, es hat keinen Sinn, so im Dunkeln zu sitzen, sie wissen, dass du zu Hause bist, es ist vollkommen egal, ob Licht an ist, besser Licht anmachen und was sagen, damit noch mehr auf dich aufmerksam werden. Der hier sendet, ist ein junger Kerl der 90er, ein Medienspezialist, er war mal Moderator im Unterhaltungsprogramm des Chinesischen Zentralfernsehens, hatte die allerbesten Aussichten, aber jetzt ganz allein über die wahre Lage in Wuhan zu berichten, dem schwer getroffenen Epidemiegebiet, alle Achtung! Lasst uns gut auf ihn aufpassen und ihn unterstützen!

Mach den Bildschirm an, stell das Objektiv etwas weiter, wenn dich jemand packt, dann bekommst du ihn ins Bild, und iss was, Brot oder so, damit du nicht schlappmachst. Das ist das Himmlische Imperium.
Vom CCTV kommst du? Fuck.
Sind die Kakerlaken noch vor der Tür? Und wenn überall in den Straßen Leichen liegen, komm in Zukunft nicht mehr hier rauf.

Die Wahrheit ist, du musst dich auf alles vorbereiten, aber im Grunde ist es doch zumindest so, wenn du davonkommst, wirst du auf YouTube berühmt, wenn nicht, wirst du es auch, nur in den ausländischen Medien. Habe erst heute in den japanischen Medien ein Video von Chen Qiushi gesehen. Egal wie man es dreht, zur Hälfte weil diese Sache hier stone *ist, wird er dich morgen unter-*

stützen, wenn er dich nicht erwähnt, wäre mir das echt unangenehm! Mit 270 000 Fans weltweit hast du schließlich weit mehr Möglichkeiten als mit uns paar tausend Hanseln. Schlaf erst mal 'ne Runde, und dann mach dich auf ein Begeisterungsfeuer gefasst. Ich hoffe, du wirst nur auf YouTube berühmt, das wäre gut.
Führ sie an der Nase herum, mobilisier die öffentliche Meinung, mach dich selbst zu einer wichtigen Persönlichkeit! Würde sich die Staatssicherheit dann noch an dir vergreifen? Mach sie dir zunutze! Gestern haben sie dich verfolgt, heute festgenommen, was für ein Drama gibt es morgen?
Ist das nicht voll krass? Wovor hast du Angst? Zeig dich und mach was draus, bis jetzt ist das doch reichlich selbstgefällig, im Grunde auch ein Feigling, was? Was soll denn die Schutzmaske?? Wovor hast du denn Angst?
Geh heim und nerv nicht rum. Du Rindvieh hast wohl keine Ahnung, was für ein Tod dich erwartet.
Verpisst euch und mischt euch nicht ein!
Bitte, ist doch nichts passiert, die werden höchstens mit dir reden wollen, sei nicht so misstrauisch, ja?
Sag doch, Junge, ist es das wert, hier ist so viel Abschaum.

Sicherheit ist wichtig, hör mit der Übertragung auf.
Ich bin auch von den Medien, wenn ich nicht Frau und Kind hätte, ich wäre bei dir, vielleicht. Schäme mich.
Sei kein Narr ... überleg dir, wie du aus diesem Wespennest rauskommst.
Keine Angst, die werden dich schon nicht mitnehmen.
Bruder, reiß dich zusammen, bleib dir treu, sag, was du sagen willst.
Sicherheit zuerst, Bruder, Schluss mit der Übertragung.
Kein Grund zur Panik, dein Video hat keinen sensiblen

Inhalt, höchstens ein Tee bei den Bullen, und sie verwarnen dich, weil du illegal über die Firewall bist.
Lass dich nicht kleinkriegen, Junge.
Mach, dass du wegkommst, und komm nie nach China zurück.
Da du eh nicht fortkannst, setzt dich doch her und red mit uns – willst du für deine Inszenierung hier irgendwo politisches Asyl?
Hört mit dem zynischen Gerede auf! Nehmt lieber schnellstmöglich Kontakt mit irgendwelchen hohen Tieren auf.
Unbedingt Ruhe bewahren, sonst sperren sie dich in einen Kranken-Container, dort steckst du dich an und dann Gute Nacht, die Leute dort werden dich nicht retten …

Die haben es jetzt nicht mehr eilig und warten auf Anweisung von oben, außerdem schauen sie sich den Livestream sicher auch an, deshalb werden sie vorerst nicht stürmen, sobald sie stürmen, schalten sie auf alle Fälle Internet und Strom ab, weshalb du dir im Voraus unbedingt einen guten Plan zurechtlegen solltest, so viel fürs Erste, hoffe, du siehst es ein. Mach also schnell einen Plan, überlege dir gut, wie reagieren, ansonsten kann man den Rückzug auch zum Angriff machen und die Zeit nutzen, in der sie noch keine genauen Befehle erhalten haben, das Material löschen, die Initiative ergreifen, die Tür aufmachen und sie fragen, was sie da treiben! In jedem Fall wird sowieso alles kontrolliert, ganz offen kontrolliert, wenn Strom und Internet erst abgeschaltet sind, am besten mucksmäuschenstill sein…
Chen Qiushi, Fang Bin, Kcriss … keine Ahnung, wer als Nächster isoliert wird! Wenn scharfe Kritik komplett verschwindet, dann wird sanfte Kritik in die Ohren stechen;

wenn auch sanfte Kritik nicht mehr erlaubt ist, dann wird ihnen Schweigen vorkommen wie böse Absicht, und wenn Schweigen nicht mehr erlaubt ist, dann wird es ein Verbrechen sein, wenn Lobhudeleien nicht mit entsprechender Verve kommen; wenn nur noch eine Stimme erlaubt ist, dann ist diese einzige Stimme Lüge.

Kcriss browste sich schnell durch die fortlaufenden Kommentare und wurde vollkommen konfus. Dazu vibrierte sein Handy unentwegt, er hielt es sich ans Ohr, am anderen Ende war ein Freund aus der Gegend, der ihm geholfen hatte und inzwischen der Nationalen Sicherheit in die Hände gefallen war: »Sie wissen, dass du da drin bist, du kommst nicht weg, mach die Tür auf!«

Er seufzte, drückte ihn aber nicht weg, sondern legte das Handy zur Seite. Er nahm die Maske ab, pellte sich aus der knarzenden Schutzkleidung, legte sich ein paar Minuten hin und setzte sich dann wieder vor den dunklen Bildschirm. Die Vergangenheit stieg wolkig vor ihm auf, unwillkürlich liefen ihm Tränen aus den Augen.

Er wusste nicht, dass im zehntausend Meilen entfernten Berlin zum gleichen Zeitpunkt ein Exilschriftsteller namens Zhuang Zigui ebenfalls kein Auge von dem dunklen Bildschirm wandte und sich, genau wie alle anderen »Zaungäste«, einen Kommentar nicht verkneifen konnte:

Die Geschichte von Kcriss ist traurig und ermutigend zugleich für dieses Vaterland. Diese unentwegt in unseren alten Büchern beschworene und die Generation unserer Väter so berauschende Heimat gehört nicht der Kommunistischen Partei, nicht Mao Zedong und nicht Xi Jinping, diesen atheistischen Bauerntölpeln.
Kcriss, ein 25-Jähriger, hat den Mut, sich als Ei gegen das

sture Gestein der Diktatur zu werfen, welchen Grund hätten wir da zu verzweifeln?
Wir müssen zurück, zurück in die Heimat und in das Vaterland, das jeder von uns in sich trägt, wir müssen uns alles zurückholen, unsere ganz alltägliche und normale Wut, unser Mitleid, unsere Liebe, zurückholen unsere ganz alltägliche Menschlichkeit und unseren gesunden Menschenverstand, zurückholen unser vielfältiges und so aufwühlendes Schönheitsgefühl, so wie der Eremit Tao Yuanming[*] *einst in einem Gedicht den Attentäter Jing Ke*[*] *besungen hat: »Der Edle geht für den Freund in den Tod, so nahm er das Schwert und verließ Yanjing.«* [*]
Ich danke dem 1995 geborenen Kcriss, du bist die Zukunft Chinas!

Zhuang Zigui sendete auf der einen Seite, googelte auf der anderen nach »Kcriss« und war überrascht – es stellte sich heraus, dass dieser smarte Junge, Jahrgang 95, sich nach seinem Abschluss an der Chinesischen Medien-Hochschule mit günstigem Rückenwind beim Chinesischen Zentralfernsehen (CCTV) beworben und als Moderator der Sendung »Trend-Drehscheibe« und angesagter Star Follower hatte, die in die Millionen gingen. Kcriss war ständig im ganzen Land unterwegs, hielt Ausschau nach touristischen und kulinarischen Trends, zum Beispiel Grillen in der Wüste oder auf einem Boot: »Wow, ich habe zum ersten Mal einen so großen Fisch im Arm!« »Wow, gegrilltes Huhn mit Wassermelone, ich probiere erst einmal die Brühe ...«

Zhuang Zigui hatte das Gefühl, mit so einem »Draufgänger« wenig anfangen zu können, übersprang das und schaute sich an, was er nach seinem Abschied vom Zentralfernsehen gemacht hatte: *TV des Ungehorsams*, auf YouTube, der ganze Sinn war »Ungehorsam gegenüber dem CCTV, dem Chinesischen Central TV« – die Einleitung zum ersten VLOG-Video war schlicht: »Na! Hallo allerseits, mein Name ist Kcriss Li, ihr könnt mich Kcriss nennen, Renyi Gege ist mein Smurf-Name*, mit dem ich durch die Lande ziehe, der erste Blogger Chinas, das wird in Zukunft ein wichtiger Name sein ...« Anschließend zeigte er so einiges vor der Kamera: Rap, Breakdance, Salto rückwärts, bis zur Reise um die Welt auf einer schweren Lok. Dabei trug er eine schwarze Sonnenbrille und imitierte sein Idol Casey Neistat*, hinter ihm an der Wand waren der amerikanische Sänger Bruno Mars zu sehen und ein Poster von Apple-Gründer Steve Jobs ...

***

Eine Nachricht veränderte das Leben von Kcriss. Am chinesischen Silvester verfolgte er wie Hunderte Millionen andere Chinesen den seit Jahrzehnten unverändert gebliebenen Unterhaltungsabend im Chinesischen Zentralfernsehen, diesjähriges Thema war: »Unser Wall fällt nie, gemeinsam gegen Pneumonie«. Dann vibrierte sein Handy:

Die Ärzteschaft der Jinyintan-Klinik hat seit einem Tag nichts mehr zu essen bekommen und bittet unseren Verein jetzt schon um Spenden. Kannst du das glauben? Ich kann es eigentlich nicht, aber was bleibt mir übrig. Ich wusste nur, dass die Ärzte keine neue Schutzkleidung mehr haben und den ganzen Tag nichts essen, weil sie Angst haben, die Schutzkleidung abzulegen, denn wenn sie das tun, haben sie keine andere mehr. Im Augenblick hat unser Verein Kontakt zum Krankenhaus und bereitet alles dafür vor, ihnen so Fertiggerichte zu schicken – die richtige Atmosphäre für das Silvesterprogramm! Die Leute draußen können im Grunde gar nicht verstehen, wie verzweifelt die Lage in Wuhan derzeit ist, die Kranken liegen auf dem Boden und sterben einen schnellen

Tod, behandelt werden sie nicht, weil sie mit nichts mehr hinterherkommen. Wenn man die Parolen sieht, die sie da in den Fernsehnachrichten herumposaunen, dann kommt einem das tief drinnen nur noch lächerlich vor. Man kann sich folglich nur noch auf sich selbst verlassen! Muss es! Ein so großes Land könnte auch einmal eine Silvesterparty mobilisieren ...

Ganz unwillkürlich fing er an, sich zu schämen, und beschloss auf der Stelle, in Wuhan dem Ganzen auf den Grund zu gehen. Auf der Suche nach Unterstützung telefonierte er zunächst mit seinem Vater, vergeblich. Daraufhin lud er im Netz ein paar Kommilitonen von der Chinesischen Medien-Hochschule ein, schlug vor, eine Gruppe zur Untersuchung der Lage zu organisieren, aber es gab kaum Reaktionen. Am Ende machten zwei Leute mit. Aber wie Konfuzius sagt: »Wenn drei zusammen sind, kann man immer etwas lernen.« Kcriss freute sich insgeheim.

Doch ein paar Tage bevor es losgehen sollte, wurde einer seiner Mitstreiter von den stets wachsamen Eltern im Schlafzimmer eines gut 20-stöckigen Hochhauses eingeschlossen, sie hielten abwechselnd Wache und waren nicht bereit, mit sich reden zu lassen; auch der Zweite schickte eine Nachricht, er sei, gerade von einer Reise nach Indonesien zurück, nach Kontakten zu Leuten aus Wuhan im Ausland befragt und sofort isoliert worden – Rückschläge, die Kcriss innerhalb von zwei Tagen verdauen musste, und von der Enttäuschung abgesehen war er nun bei dem kommenden Abenteuer ganz auf sich gestellt.

Auch wenn die Stimmung in Peking relativ angespannt war, die Regierung Zusammenkünfte jeder Art streng untersagte, alle Versammlungsorte schloss und man eine »Genehmigung« mit Zeit- und Personenbeschränkung brauchte, wenn man irgendein kleines Wohngebiet verlassen oder betreten wollte, konnte Kcriss vor seiner Abfahrt noch einen älteren Herrn aus Wuhan interviewen. Die beiden trafen sich am Haupteingang, Kcriss wurde die Temperatur gemessen, er wurde mit Desinfektionsmittel eingenebelt, danach geleitete sie die Sicherheit zum Aufzug. Sie fuhren in den 24. Stock, nahmen in der Wohnung die Masken ab und wuschen sich noch einmal mit Desinfektionsmittel die Hände. Die Frau des älteren Herrn machte Tee, und sie nahmen Platz. Der Mann kam direkt zum Punkt: »In meinen Augen ist es sehr gefährlich, wenn Sie jetzt gehen, außerdem macht es nicht viel Sinn.«

»Warum?«

»Es wird nicht lange dauern, und Peking wird zu einem zweiten Wuhan werden, alle Städte in China werden wie Wuhan werden, die Art und Weise, wie die Städte geschlossen werden, wird sich gleichen wie ein Ei dem anderen, bleiben Sie besser hier, was Sie in Wuhan tun können, können Sie auch in Peking tun.«

»Aber Peking ist nicht der Ausgangspunkt, Wuhan schon.«

»Wuhan ist genauso wenig der Ausgangspunkt wie Peking, das ist wie beim Yangtse, der entspringt irgendwo auf dem Qinghai-Tibet-Plateau, in der Gegend um den verschneiten Gipfel des Kolha Dardong, aber der wirkliche Ursprung, das ist irgendein kleiner Tümpel. Wollen Sie so einen kleinen Tümpel suchen?«

»Das käme auf einen Versuch an. Das vorliegende Material zeigt, dass die ersten Erkrankungen bei Ständen mit lebenden Tieren auf dem Meeresfrüchtegroßmarkt von Hua'nan aufgetreten sind.«

»Der ist zu und komplett gesäubert worden. Dort wird man nicht mehr das kleinste Stäubchen finden.«

»Auch das käme auf einen Versuch an.«

»Lassen Sie es besser!«, entgegnete ihm der ältere Herr nun sehr resolut. »Wenn Sie unbedingt hinwollen, dann gehen Sie als ein ganz gewöhnlicher ehrenamtlicher Helfer, der sich für andere einsetzen möchte, nebenbei machen Sie ein paar nicht zu riskante Videos, so schützen sie einmal sich selbst und bringen zum anderen auch sonst niemanden in Schwierigkeiten.«

Kcriss schwieg, doch innerlich brannte er. Er musste an den tschechischen Schriftsteller Milan Kundera denken, der in seiner *Unerträglichen Leichtigkeit des Seins* beschreibt, wie Tomáš, der Protagonist, nach der Unterdrückung des Prager Frühlings durch sowjetische Panzer nach Zürich ins Exil geht, während seine Freundin Teresa in Prag bleibt, dann ungeachtet der Mahnungen seiner Freunde zu Teresa zurückkehrt und für immer seine Freiheit verliert – Kcriss war gerade in so einem Romanalter, in dem man sich um nichts und niemanden schert, seine Teresa war die Wahrheit und die leidende Stadt Wuhan sein Prag.

Der ältere Herr durchschaute ihn und seufzte: »Wuhan ist viel schlimmer, als Sie sich das vorstellen. Die Diagnose- und Opferzahlen, die offiziell herausgegeben werden, bilden nur einen Bruchteil ab. Viele Menschen haben sich infiziert, aber keine Möglichkeit, sich testen zu lassen, und wo es nicht einmal einen konkreten Verdacht gibt, da kann von einer Behandlung schon gar nicht die Rede sein. Die Krankenhäuser sind überfüllt, auf ein Bett kann man nicht warten, und selbst wenn man eines bekommt, gibt es keine wirksamen Medikamente, wie soll ein Arzt da behandeln? Wenn es an allem fehlt, womit soll er heilen? Deshalb, bei Regierungsstellen, Nichtregierungsstellen, alles eine einzige Fehlkalkulation, bei jedem, der an dir vorbeigeht, besteht der Verdacht, dass er infiziert ist, dass er sogar schon eine entsprechende Diagnose hat, es ist überaus gefährlich! Deshalb, wenn Sie gehen wollen, müssen Sie so viel wie möglich Abstand halten; für den Fall, dass Sie sich anstecken, auf einmal schwer Luft bekommen, brauchen Sie einen Notfallplan. Sie müssen auf alle Fälle von allem genug dabei haben, Schutzkleidung und Schutzbrillen bis hin zu einem Helm, das alles werden Sie sich in Wuhan nicht unbedingt beschaffen können, dann noch reinen Alkohol, Desinfektionsmittel, Gesichtsmasken, das alles ist grundlegend. Und nicht zuletzt: Wie kommen Sie überhaupt nach Wuhan hinein? Sie brauchen jemanden, der Ihnen hilft, sonst tappen Sie im Dunkeln, es gibt keinerlei Verkehrsmittel, und Sie wissen nicht, wo Sie wohnen können ...«

Es war bereits gegen Abend, als er die Wohnung des älteren Herrn verließ, feuerrote Wolken bedeckten den halben Himmel. Kcriss fuhr nicht mehr nach Hause, sondern direkt auf die Autobahn nach Süden, Tag und Nacht ging es durch halb China bis nach Changsha. Während er an der Straße auf einen Freund aus der Gegend wartete, überwand er die Firewall und sah ein Statement von Zhou Xianwang, dem Bürgermeister von Wuhan: »Als lokaler Regierungsvertreter konnte ich mich erst nach dem Erhalt von Informationen und ihrer Autorisierung an die Öffentlichkeit wenden, ein Punkt, den viele damals nicht verstanden haben.« Seine Worte bedeuteten, dass die Zentrale ihn nicht autorisiert hatte, also musste vertuscht werden, obwohl die Opferzahlen weiter stiegen, musste der Ausbruch der Epidemie vertuscht werden. Im Folgenden kam der Bürgermeister auf die aktuelle Situation zu sprechen: »Warum war Papa Xi* noch nicht in Wuhan?« Die Antwort war, Cai Qi, Sekretär des Pekinger Stadtkomitees und Xis Vertrauter, hatte bei einer Inspektion des Gesundheitsministeriums im Weststadt-Distrikt von Peking das Pech gehabt, sich mit der neuen Coronapneumonie zu infizieren, und der leicht fiebrige Cai Qi hatte anschließend dem Papa einen Arbeitsbericht abgeliefert, woraufhin auch der gegenwärtige Kaiser zu den Verdachtsfällen gehörte und im Regierungsviertel Zhongnanhai isoliert wurde ... Kcriss musste laut lachen, und seine Müdigkeit von der Fahrt war auf einen Schlag verschwunden.

Der Freund aus Changsha kam, die Nachricht, die er mitbrachte: Alle Straßen nach Wuhan waren gesperrt. Heute, das war der 12. Februar 2020, waren auch die Zugverbindungen dichtgemacht worden. Außerdem bestand für sämtliche Fahrzeuge ein Einfahrverbot nach Wuhan, selbst die offiziellen Medien bildeten keine Ausnahme. Kcriss fragte, was er nun tun könne? Sein Freund sagte, wie es der Zufall wolle, komme der letzte Schnellzug heute Nachmittag hier vorbei. Kcriss brach sofort zum Südbahnhof von Changsha auf, sein Freund riet ihm, eine Fahrkarte für den ersten Bahnhof hinter Wuhan zu kaufen, um keine Aufmerksamkeit auf sich zu ziehen.

Kcriss vertraute dem Freund den Wagen an und bestieg mit einem Rucksack auf dem Rücken und einem Reisekoffer in der Hand den Schnellzug, wo in den Abteilen nur ein paar vereinzelte Reisende saßen. Er drehte sein erstes Video, auf dem er erzählte, er habe seit einem Besuch in Nordkorea, wo es am helllichten Tag spukte, jede Menge Videos gedreht, offene und verdeckte, aber im fremden Land habe wohl das Firmenlogo des Chinesischen Zentralfernsehens ihn gedeckt, und die Untertanen dieses Dickwansts Plim Plum-Un* ließen ihn in Ruhe, doch dies hier sei etwas anderes.

Als es dunkel wurde, erreichte er den Bahnhof von Wuhan, querte den Durchgang und die große Halle, wo es früher nur so gewimmelt hatte und heute vollkommen leer war; Kcriss lief im Rücken von zwei Reisenden aus der Gegend und neckte dabei im Wuhan-Dialekt deren kleinen Nachwuchs. Der Freund, der ihn hier abholte, wartete vor dem Bahnhof, sie stiegen in einen Kleinbus, die Frau des Freundes gab ihm ein paar der vor Ort so rar gewordenen Masken und Desinfektionsmittel. Er war sehr gerührt und fragte bei der Gelegenheit, ob man auch die Sachen, die überall im Land gespendet würden, bekommen könne.

Der Freund fragte, von welchen Sachen er spreche. Während der Epidemie seien die Preise explodiert, und umsonst gebe es überhaupt nichts.

Er sagte, das sollte eigentlich nicht so sein, das chinesische Rote Kreuz bekomme jeden Tag Unmengen von Material für die medizinische und die alltägliche Versorgung, die geordnet und kostenlos an die Bewohner der verschiedenen Wohngebiete verteilt werden müssten.

Der Freund sagte, seit SARS 2003 und dem Erdbeben in Sichuan 2008 gebe es keine öffentliche Institution, die nicht die Hand aufhalte. Was immer beim Roten Kreuz ankomme, zirkuliere erst einmal, wobei die Preise sich vervielfachten: »Man rupft die Wildgans, sobald sie vorüberzieht, verstehst du?«

Er verstehe, sagte Kcriss, das heiße, sobald man eine Wildgans vorüberfliegen sehe, müsse man selbst ebenfalls in die Luft steigen, laut Wegezoll verlangen, und wenn die Wildgans nicht einverstanden sei, reiße man ihr in der Luft die Federn aus und mache aus ihr Suppe.

Der Freund lachte und sagte, das sei ein sehr lebendiges Bild, dann könne er ihm bestimmt auch sagen, warum der Generalsekretär der Weltgesundheitsorganisation auf Chinesisch »Tan Desai« heiße.

Kcriss sagte, die Schriftzeichen seien so gewählt, dass der Name mit Anklängen und Nebenbedeutungen in etwa heiße: »Gärt der Himmel im Schnapsfass, erstickt das Ehrgefühl.«

Der Freund lachte diesmal laut los und sagte, der afrikanische Suffkopp habe in der Tat kein Ehrgefühl, eine Weltgesundheitsorganisation mit so jemandem an der Spitze und das chinesische Rote Kreuz, das sei das richtige Gespann, sie seien beide voll bis zum Stehkragen, so wie dieser von Papa Xi eingesetzte Parteizellensekretär Tag für Tag vom exzellenten Umgang der Regierung mit der Epidemie schwadroniere, vor allem vom Wunder »Shuanghuanglian«*, dass eine Rezeptur der chinesischen Medizin aus Geißblatt, Fragmites

Japonica und Forsythien gegen das Virus helfe. Vorgestern sei es wohl gewesen, dass dieser Tan Desai von Papa Xi heranzitiert wurde, die Geldbeutel und die Eier plötzlich immer dicker geworden seien und man am Ende die Maxime des alten Mao »Ein Funke kann einen Steppenbrand entfachen« als eine Beschreibung der Ausbreitung des Virus aus Wuhan im Ausland habe verstehen können, die alle Welt dazu bringen solle, weiter Geld nach China zu schicken ...

Jeder weiß, dass derlei Humor nichts ist als ein Pfeifen im Wald, das gibt es auch bei anderen Völkern, wie zum Beispiel einmal ein Deutscher einen heimatlosen irakischen Sänger im Exil bat, ein Lied zu singen, woraufhin der Iraker den Rachen auftat und sang, der Deutsche sich das anhörte und am Ende mit einem unsicheren Gesichtsausdruck meinte: »Ich hatte Sie gebeten zu singen, warum weinen Sie die ganze Zeit?«

***

Das befreundete Paar brachte Kcriss zu einem Hochhaus, das sich selbst »Hotel« nannte, wo er sich registrierte und eincheckte, und verabschiedete sich. Hier war alles komplett leer, er tappte ein paar Schritte durch den Korridor, und das Echo trug sehr weit. Chen Qiushi, sein Vorgänger als »Bürgerjournalist«, hatte, als er in Wuhan war, in einem Gebäude ganz in der Nähe gewohnt, dort noch am Abend vor seiner Verhaftung von seinem Zimmer aus gesendet und zu guter Letzt geschluchzt: »Ich habe keine Angst vor dem Tod, da soll ich Angst haben vor euch Kommunisten?« – »Karma«, der erste Livestream von Kcriss, hatte als Hintergrund draußen die Gegend um die Hochgeschwindigkeitstrasse, die Stadtmauer, einen hell-dunklen Himmel und ein von der Bezirksverwaltung für die Isolation von leichten Pneumoniefällen zwangsenteignetes Schulgebäude, die Ausbildungsstätte eines Software-Engineering-Unternehmens, wo sich Schultaschen und Lehrbücher stapelten – doch sein Hauptsenderaum war, wie bei Chen Qiushi auch, sein Schlafzimmer, er saß einfach auf dem Bett und las seinen Bericht. Aber seine Einstellungen, Tiefenschärfe und Ton waren ziemlich professionell:

> *Im Zeitalter des Internets wird die Übermittlung von Nachrichten im Grunde nicht mehr durch Raum und Zeit eingeschränkt, im Gefolge des Ausbruchs der Epidemie gab es auch eine Explosion der Nachrichten, doch viele Dinge waren für die Menschen schwer zu fassen, die offiziellen Verlautbarungen über Wuhan haben uns immer weiter von der Wahrheit entfernt.*
> *Ich will mit meinen eigenen Augen und Ohren sehen und hören, was vor sich geht, um mir ein Urteil zu bilden. Bevor ich hierherkam, sagte ein Freund von einem Mainstream-Medium zu mir, alle Journalisten der Staatsmedien seien von der Regierung in ein Hotel in der Nähe des Bahnhofs von Wuchang dirigiert worden, um sie alle beisammenzuhaben und die Berichte zu kontrollieren. Ohne die Staatsmedien im Rücken sei es sehr schwierig, in dieser Festung von einer Stadt seiner Medienarbeit nachzugehen, außerdem sei es recht gefährlich – denn jede schlechte Nachricht über die epidemische Lage werde von der Zentrale in die Einheitsberichterstattung zurückgeführt ...*

Er kam gerade so richtig in Fahrt, als er einen Anruf erhielt, es war der Manager des Gebäudes, der ihn in gehetzten Worten aufforderte, sofort herunterzukommen. Mit dem Handyvideo in beiden Händen ging er hinunter, die Schwägerin des Managers führte ihn vor die Tür, wo er auf eine Polizistin der lokalen Wache mit Maske traf. Kcriss setzte sofort auf sein gutes Aussehen, von wegen »schöne Frau« hier und »schöne

Frau« da, und das so laut, dass es der Polizistin ganz unangenehm war und sie in weichem Ton sagte: »Das ist eine Mitteilung von oben, Sie dürfen hier nicht wohnen.«

Er sagte: »Aber schöne Frau, ich bin gerade angekommen, schauen Sie doch, es ist stockfinster, wo soll ich denn hin?«

Die Polizistin sagte: »Bin ja nicht ich, die Sie hier nicht wohnen lassen will.«

Er sagte: »Was machen wir dann jetzt?« und drehte sich mitleidheischend zur Schwägerin hin.

Die sagte: »Ich für meinen Teil kümmere mich nur um die Schlüssel, mein Mitleid hilft Ihnen gar nichts.«

Nach einer Weile kam noch ein Polizist, und Kcriss sprach auch ihn mit »werter Freund« an. Woraufhin der werte Freund und die werte Frau Blicke tauschten und übereinkamen, ihn für eine Nacht hier wohnen zu lassen, morgen aber müsse er weg.

Wieder auf seinem Zimmer, sendete Kcriss weiter, er war jetzt aufgewühlt und erzählte, Chen Qiushi habe hier über eine Woche gewohnt, bis zu seinem spurlosen Verschwinden, doch er selbst könne nur eine Nacht bleiben. Anschließend stellte er sein Handy auf Freisprechen, und alle Videozuschauer konnten hören, wie die Schwägerin des Managers sagte: »Bruder, es ist wirklich nichts zu machen, ich habe es überall versucht, per Telefon, per WeChat, aber niemand hat den Mut, Sie aufzunehmen. Zurzeit ist die Regierungsgewalt von der Stadt zu den Bezirken und von den Bezirken wieder zu den Wohnarealen in kleinste Stückchen runtergebrochen. Und alles ist abgeschottet und dichtgemacht, pro Familie, pro Haushalt darf innerhalb von drei Tagen nicht mehr als eine Person hinaus, mit ›Passierschein‹, um das Nötigste einzukaufen. In manchen kleineren Wohnarealen darf man, wie man hört, nicht einmal mehr das, das Management kauft nach einer einheitlichen Liste ein, setzt einheitlich die Preise fest, und du musst essen, was sie liefern, wie im Gefängnis …

deshalb, ja, wohin sollen Sie als Auswärtiger? Aber die Polizei hat auch gesagt, wenn Sie morgen nicht verschwinden, werden sie ein Zimmer nach dem anderen durchsuchen, ich kann Sie nicht verstecken ...«

Ein Sprichwort sagt: »Reisen acht Unsterbliche übers Meer, zaubert jeder auf seine Art.«* Kcriss hatte den Mut gehabt, beim Zentralfernsehen zu kündigen, und war trotz der Gefahr hierhergekommen, auch er zauberte auf seine Art. Mit der Hilfe unsichtbarer Freunde hatte er zunächst als freiwilliger Helfer Zugang zu einem Wohnareal bekommen und nach ein paar Tagen den Ort gewechselt. Außerdem hatte er sich einen privaten VW-SUV beschafft, dazu sein Pekinger Tonfall, die reguläre Schutzkleidung – wenn die Polizisten an den Kontrollstellen dieses verwöhnte Söhnchen reicher Eltern vor sich sahen, waren sie gleich um einiges konzilianter. Das Licht, die Luft der stillen Boulevards und Gassen waren für den Neuling Kcriss unglaublich schön und unglaublich tückisch ...

Zunächst ging er daran, mit den Quellen der Meldungen auf WeChat und auf Weibo* Kontakt aufzunehmen. Es gab auch eine ganze Reihe von Zusagen, doch viele zogen dann doch wieder zurück, und er hatte nicht die Möglichkeit, einfach in irgendeine ortsansässige Familie einzudringen. Am 15. Februar fuhr er zum Baibuyating-Areal im Jianghan-Distrikt, wo zum chinesischen Neujahrsfest das »Gastmahl der zehntausend Familien« gefeiert worden war, und das nach dem Meeresfrüchtegroßhandel in Hua'nan die Infektionsquelle war, die am meisten Aufmerksamkeit auf sich zog: Eine junge Frau hatte enthüllt, viele hätten sich dort angesteckt, weil aber entsprechende Nukleinsäuretests Mangelware gewesen seien, hätten sie keine Diagnose bekommen können und die unteren Verwaltungsebenen hätten Angst gehabt, die Zahl der Toten nach oben weiterzugeben, und sie deshalb geheim gehalten.

Und so eilte Kcriss zu diesem mit über zweihundert Hochhäusern und über einhunderttausend Einwohnern überdimensionierten Wohngebiet. Die umliegenden Geschäfte waren geschlossen, am Eingangstor Nr. 2 ging ein auswärtiger Staatsmedienreporter auf und ab, und die beiden probten gemeinsam den Aufstand, wurden jedoch immer wieder von der Torwache abgefangen; daraufhin wichen sie auf eine andere Zufahrt aus und waren, sich gegenseitig deckend, kaum hineingehuscht, als Sicherheitskräfte von verschiedenen Zufahrten herbeieilten. Kcriss, der sich auskannte, rief immer wieder: »Kommen Sie nicht näher! Halten Sie Abstand! Das ist sehr gefährlich, das verstehen Sie, ja? Was wollen Sie machen, wenn ich nicht mit Ihnen komme?« Die Sicherheitsleute waren konsterniert, ein Einwohner in einem Gebäude mit über zehn Stockwerken hatte ihn gehört, öffnete sofort ein Fenster und kam ihm zu Hilfe: »Warum jagt ihr Journalisten? Wir sitzen hier schon eine Ewigkeit fest, um Hygiene und Desinfektion kümmert sich kein Mensch ...«

Kcriss wandte sich um und fragte, ob das stimme. Ein Mann, so etwas wie ein kleiner Beamter, antwortete ins Blaue hinein, sie hätten eine Liste für Putzdienst und Desinfektion. Da stürzten ein paar Hausfrauen aus dem Haus, um ihm diese Frage höchstpersönlich zu beantworten. Eine sagte: »Sie mit Ihrem Kehren und Desinfizieren, jeden Tag wird die Liste vor der Flurtür gecheckt, aber passieren tut im Grunde nichts, da riecht es nie nach Desinfektionsmittel, die Schalter am Aufzug sind voll mit Spinnweben. Früher sind wir alle drei Tage zum Markt am Haupttor und haben gekauft, was man zum Leben so braucht, dann sind die Leute gestorben wie die Fliegen, und wir haben uns nicht mehr hinausgetraut.«

Daraufhin fragte Kcriss, was sie über Kranke und Fieber in ihrem kleinen Wohnareal wüssten.

Die Frauen sagten, darüber wüssten sie nichts, sie könnten sich auch nur über WeChat untereinander informieren und schauen, an welchen Gebäuden ein Zettel »Fieberbereich« klebe, welche Familien in diesem »Fieberbereich« allerdings unter Beobachtung stünden, eine Diagnose erhalten hätten, ob jemand gestorben oder weggebracht worden sei zu einem der Behandlungscontainer, ins Krankenhaus oder ins Krematorium, das wüssten sie alles nicht. Die Regierung würde nie etwas bekanntgeben ...

Mittlerweile waren es immer mehr Sicherheitsleute geworden, am Ende kam auch noch der Leiter der Gebäudeverwaltung herbeigeradelt und bestätigte, dass es bei den Tests Engpässe gebe, die Fieberfälle noch einmal zugenommen hätten und man ebenfalls auf Mitteilung von oben warten müsse – heute zum Beispiel seien für die über tausend Haushalte nur zwei Tests zugewiesen worden, morgen wäre es womöglich nur einer und übermorgen gebe es womöglich nicht einmal mehr den. Aber was wolle man machen? Man könne nur zu Hause in Quarantäne bleiben. Man sei auf sich allein gestellt, der Vorsitzende Mao habe ja gesagt, man solle ganz auf die Massen vertrauen.

Auf diese Weise zog nun Kcriss seine Kreise durch die Straßen und Gassen der umzingelten Festung, ohne in irgendeiner Weise behindert zu werden. Er stellte täglich Kurzvideos auf Twitter, in denen sich Tragödie und Absurdität mischten: So saß zum Beispiel ein Wachmann vor seinem Computer und sackte plötzlich seitlich weg, ging zu Boden, zuckte sekundenlang und regte sich nicht mehr; oder ein positiv getesteter Patient, den das Krankenhaus ausgesperrt hatte, beschmierte in einem Anfall von Wahnsinn einen kompletten Aufzug, spuckte um sich und brüllte, er werde sich rächen und noch mehr Menschen anstecken; ein alter Mann im Rollstuhl gab, nachdem er drei Tage und drei Nächte vor einem

Krankenhaus in der Schlange gewartet hatte, ermattet auf und zog ab; und dann waren da noch das kleine Mädchen, das hinter einem Leichenwagen herlief, und der alte Mann in seinen Neunzigern, der vorwurfsvoll alle Welt anklagte, bevor er von einem Hochhaus sprang ... Die letzte Konsequenz der häuslichen Isolation war nicht selten, dass eine Person positiv getestet wurde und die anderen ihr nicht ausweichen konnten. Ganze Familien wurden so ausgelöscht, entsprechende Nachrichten überschlugen sich, als kreisten schwarze Geier über der Stadt, und die Bewohner von Hunderten von Hochhäusern löschten gleichzeitig das Licht, öffneten die Fenster und heulten wie Wölfe: Huuhuu! Huuhuu!!

Die vierköpfige Familie Chang Kais, des Leiters der Film- und Fernsehabteilung und Regisseurs der Filmfabrik von Hubei, steckte sich innerhalb von 17 Tagen gegenseitig an, und am Ende war die gesamte Familie verschieden. Er hat einen Abschiedsbrief hinterlassen:

In der Silvesternacht bin ich auf Geheiß der Regierung von der Liste des Neujahrsempfangs in einem Luxusrestaurant zurückgetreten. Versuchte, das Beste daraus zu machen und mit den betagten Eltern und meiner Frau einen fröhlichen Familienabend zu verbringen.
Niemand konnte ahnen, dass der Albtraum so nah war, am Neujahrstag hatte unser alter Herr Husten und Fieber, das Atmen fiel ihm schwer, in allen Krankenhäusern hieß es gleichermaßen, es seien keine Betten frei, an welcher Stelle wir auch Hilfe suchten, es war kein Bett zu bekommen.
Wir gaben schließlich auf, gingen nach Hause und versuchten, uns selbst zu helfen; wir taten am Krankenbett, was wir konnten, nach ein paar Tagen war die Lage jedoch hoffnungslos, und unser alter Vater hat in tiefer Trauer das Zeitliche gesegnet, unsere gute Mutter

ist nach all den aussichtslosen Versuchen physisch und geistig zusammengebrochen, ihre Widerstandskräfte waren aufgezehrt, auch sie war schwerinfiziert und folgte unserem alten Vater.

Und nach den Tagen der Krankenpflege hat das Coronavirus gnadenlos auch meine geliebte Frau und meinen Körper verschlungen. Wir haben in so vielen Krankenhäusern buchstäblich um Hilfe gebettelt und gefleht, doch hast du nichts, bist du nichts, es gab keine Betten, es gab keine Hoffnung auf Heilung mehr, die Chance auf Behandlung war verpasst – mit schwerem Atem wende ich mich an meine Verwandten, meine Freunde und meinen Jungen im fernen Großbritannien: Ich war ein guter Sohn, ein verantwortungsvoller Vater, ein liebender Ehemann und ein ehrlicher Mann – mein Leben lang! Das ist ein Abschied auf immer! An die, die ich liebe, und die, die mich lieben.

***

Am Abend des 19. Februar poppte auf Kcriss' Handy auf einmal eine Internetanzeige auf, in der es hieß: »Leichenträger gesucht«:

Bestattungsinstitut in Wuhan sucht für heute Abend dringend 20 Leichenträger.
Arbeitsanforderungen: Bewerber beiderlei Geschlechts, im Alter von 16–50 Jahren, keine Angst vor Geistern, unerschrocken und körperlich robust.
Arbeitszeiten: null bis vier Uhr morgens, kurze Pausen.
Bezahlung: 4000 Yuan[*] für vier Stunden, Imbiss.
Treffpunkt: heute Abend 23.00 Uhr, Linie 2 an der U-Bahnstation Yangjiawan.

Was für ein Ansatzpunkt für eine Recherche! Sofort fuhr er mit dem Wagen los. Der Vorhang der Nacht senkte sich unbeachtet herab, bis zur anderen Seite von Wuhan war es recht weit, und so fuhr er sehr schnell Richtung Qingshan-Bestattungsunternehmen. Ganz wie in den Geistergeschichten von Pu Songling* war die Straße zur Pforte der Hölle stockfinster, ein seltsamer Wind wehte, von Ferne sah er die Lichtkästen über der Tür, kam langsam näher, hielt und ging zur Tür. Eine Frauenstimme schwebte aus dem Dunkel heran: »Was wollen Sie?«

»In der Internetanzeige steht, Sie suchen Leichenträger, 4000 für vier Stunden.«

»Was?«

»In der Anzeige im Netz ...«

»Nein.«

Er schien schon festzustecken, als plötzlich ein Wagen bis zu seinem Heck an ihn heranfuhr. Der Fahrer stieg nicht aus, sondern öffnete das Fenster, steckte den Kopf heraus und fragte: »Die Leichenträger suche ich, wollen Sie den Job?«

»Ich bin hergekommen, um nachzufragen!«

»Wollen Sie es machen?«

»In meiner WeChat-Gruppe gibt es welche, die wollen.«

»Sind Sie freiwilliger Helfer?«

»Ich helfe Freunden in meiner Gruppe, einen Job zu finden.«

»Dann merken Sie sich meine Telefonnummer: 13437282.«

»Ist das Distrikt Qingshan oder Hankou?«

»Qingshan. Und machen Sie noch mein WeChat dazu.«

»Gut, habe alles.«

»Sind Ihre Freunde jung? Sind auch Ältere darunter?«

»Ja.«

»Wie alt?«

»Um die dreißig.«

»Vom Land?«

»Klar.«

»Haben sie Mumm?«

»Wenn es Geld gibt ... ach ja, wie viel zahlen Sie eigentlich?«

»Es sieht folgendermaßen aus: Wenn das heute nichts mehr wird, dann gibt es kein Geld; wenn doch, dann geht es bei fünfhundert Renminbi los ... die erste Leiche fünfhundert, die zweite noch mal zweihundert, die dritte noch mal und mit der vierten sind es dann elfhundert, nach oben offen, zehn, hundert, warum nicht, wenn es nur gemacht wird.«

»Haben Sie schon wen?«

»Im Augenblick habe ich noch zwei Leute, vorher waren es mehr.«

»Wie viel kann man am Tag verdienen?«

»Über tausend. Bei fünfhundert fängt es an und steigert sich dann jeweils um zweihundert, so weit man es eben an einem Tag schafft.«

»Wie viele Leute werden gebraucht?«

»Zwei pro Schicht, es gehen aber auch mehr.«

»Wann ist Arbeitsbeginn?«

»Ich rufe an, schnell verdientes Geld.«

»Ich finde, das ist noch etwas wenig – für das Schleppen von Leichen.«

»Von wegen wenig, ein normaler Arbeiter hat nicht mehr als dreitausend – im Monat!«

»In der Anzeige, die ich gesehen habe, war von viertausend die Rede. Im Augenblick ist die Nachfrage groß.«

»Hat nachgelassen in den letzten Tagen. Die Nachfrage ist nicht mehr größer als das Angebot. Viertausend geht nicht. Das kann ich nicht zahlen. Sämtliche Leichen aus dem Bezirk Qingshan werden von mir versorgt, ich bekomme von den Angehörigen nicht mehr als dreitausendfünfhundert pro Leiche, wie soll ich da viertausend zahlen? Im Normalfall kann man bei mir über tausend machen – am Tag!«

»Lungenkranke oder Normale?«

»Alles. Ist ein bisschen gefährlich, aber ich stelle eine komplette Ausrüstung.«

»Gut. Alles klar.«

Nachdem man sich mündlich einig geworden war, fuhr der Subunternehmer für Leichentransporte wieder davon. Kcriss schaute zum Himmel, sah in der Ferne die Mondsichel zwischen den dunklen Wolken aufblitzen und stellte sich vor, sie sei ein Fährboot, ein Fährboot voller Seelen, den Seelen der Toten der Epidemie. Er fühlte sich zwei Minuten sehr bedrückt, atmete acht Minuten tief durch und vergewisserte sich, dass er noch kein Verdachtsfall war, bevor er durch eine düstere Leere dumpfen Geräuschen nachging und sich der Seite mit den Brennöfen näherte. Auf zwei Treppenabsätzen waren zwei gläserne Flügeltüren mit der Aufschrift »Betriebsgelände – Unbefugten Zutritt verboten«, und an der Seite stand in kleinen Zeichen: »Identifizierung und Unterschrift, Angehörige bitte eintreten.« Er versteckte sich in einer dunklen Ecke, barg das Kameraobjektiv unter der Jacke und drang, als wäre er selbst unsichtbar, in den grauweißen Korridor vor, bis er auf die innerste Mauer prallte. Den Korridor nach links war eine Reihe geschlossener Türen, hinter denen sich die Brennöfen verbargen. Er ging tiefer hinein. Als ihm Wolken von Desinfektionsmittel und eine betäubende Symphonie von der Leichenverbrennung entgegenschlugen, machte er wie eine aufgescheuchte Katze einen Satz zurück.

Und zeichnete auf:

Aufnahme 10.00 Uhr abends, 11.00 Uhr den Ort verlassen, die Öfen arbeiten noch immer, es ist extrem laut. Zum Abschlussdatum am 19. Februar beläuft sich die Zahl der an der neuen Corona-Pneumonie verstorbenen Personen im Stadtgebiet von Wuhan nach einer Ver-

lautbarung der Behörden auf 1497, das bedeutet für die 38 Tage seit der ersten bestätigten Diagnose eine durchschnittliche Sterberate von 40 Personen am Tag.

Nach den offiziellen Zahlen der Homepage der Stadtverwaltung Wuhan hatte die Stadt 2018 eine Einwohnerzahl von 8,8373 Millionen, normale Todesfälle waren 47 900 zu verzeichnen, das macht eine Sterberate von 5,52 % oder 137 Personen am Tag.

Die Stadt Wuhan hat insgesamt sieben Bestattungsunternehmen mit insgesamt 79 Verbrennungsöfen, nach Bezirken: 30 in Hankou, 15 in Wuchang, 5 in Qingshan, 10 in Caidian, 7 in Jiangxia, 7 in Huangpi, 5 in Xinzhou, und die Einäscherung einer Leiche dauert 60 Minuten – wenn man nun die sterblichen Überreste von 137 Personen gleichmäßig verteilt, fallen pro Tag und Anlage 1,74 Leichen an.

Im Bestattungsunternehmen von Hankou, das sich auf die Einäscherung von Corona-Leichen spezialisiert hat, können mit 30 Öfen an einem normalen Arbeitstag von acht Stunden also etwa 240 Einäscherungen vorgenommen werden, die offizielle Zahl von nur 40 Corona-Toten plus die 52 Personen, die eines natürlichen Todes gestorben sind, ergibt 92 Einäscherungen.

Stellt sich also die Frage: Warum müssen so viele Überstunden gefahren werden?

Vor dieser simplen Rechnung, ergänzt um die Vor-Ort-Recherche, fielen die von den Mächtigen ausgeheckten staatlichen Lügen wie ein Kartenhaus in sich zusammen, auch die Behauptung, die Türen zwischen den Verbrennungsöfen und der Außenwelt stünden jedermann offen. Die Menschen haben seit Jahrtausenden für gerade diese »offene Tür« immer wieder einen bitteren Preis gezahlt.

Ohne es zu wissen, hatte Kcriss die Art und Weise übernommen, wie man seit Sokrates, Konfuzius und Laozi nach der Wahrheit suchte, nämlich durch »Einsatz des gesunden Menschenverstandes«. Sokrates hat durch diesen Einsatz des gesunden Menschenverstandes die Unsterblichkeit der Seele bewiesen, dafür haben die Behörden ihn wegen Verführung der Jugend zum Tode verurteilt. Am Ende nutzte er die Stunden, bevor er den amtlichen Giftbecher leerte, um in seiner Zelle über die Unsterblichkeit der Seele zu diskutieren und ruhig und freundlich auf alle Fragen und Zweifel einzugehen; seine Diskussionsführung war scharf, doch seine Opponenten spürten die Tiefe seines Mitgefühls und seines Gewissens und konnten sich seiner Überzeugungskraft nicht entziehen – später entwickelte sich dieses Schauspiel zum ersten Eckpfeiler demokratischer Politik und zur exzellentesten Erläuterung der »Omnipräsenz Gottes« – und es gleicht in seiner gedanklichen Bedeutung den täglichen Gesprächen zwischen dem ins Exil gezwungenen Konfuzius und seinen Schülern, von denen Sima Qian* berichtet, und selbst dem Treffen zwischen Konfuzius und dem seinen politischen Ansichten ganz konträren Laozi, das in den bewundernden, die geistige Übereinstimmung spiegelnden Worten von Konfuzius über Laozi gipfelte: »Ich habe einen Drachen gesehen.« Laozi entgegnete umgehend: »Wenn du und ich längst verfault sind, wird unser Gespräch den Menschen noch immer in den Ohren klingen.«

In diesem Sinne ermahnte sich Kcriss, weiter Zurückhaltung zu üben, nur Zurückhaltung würde es ihm erlauben, länger in Wuhan zu bleiben und nach und nach immer mehr von der Wahrheit ans Licht zu bringen. Daher steht am Ende seines Livestreams allein der in sanftem Tonfall vorgetragene Satz: »Stellt sich also die Frage: Warum müssen so viele Überstunden gefahren werden?«

Und er blieb bei diesem »sanften« Tonfall. In den folgenden Tagen fuhr er mehrfach mit dem Wagen zum streng abgesperrten Meeresfrüchtegroßmarkt von Hua'nan, an den Ort, an dem, wie jeder wusste, das Virus in Wuhan zum ersten Mal aufgetreten war – er hatte vor, weiter auf die »offene Tür« zu pochen und sich dem P4-Labor, das 32 Kilometer von hier entfernt war, zu nähern. – Nach einem Bericht von *Radio France Internationale* hatte Generalmajor Chen Wei, Chinas Chefspezialist für die Abwehr biologischer Waffen, dieses mit französischer Unterstützung gebaute und höchstrangige chinesische Virenlabor am 25. Januar 2020, also zwei Tage nachdem die chinesische Regierung die Schließung von Wuhan verkündet hatte, bereits von Soldaten übernehmen und hermetisch abriegeln lassen.

***

Am 26. Februar 2020 um Mitternacht war der gerade vom P4 in seine Unterkunft zurückgeflohene Kcriss auf seinem ansonsten schwarzen Livestream-Bildschirm nur vage zu sehen, der dunkle Schemen eines Kopfs mit Schutzbrille, wie ein Skelett mit leeren Augenhöhlen. Er schnaufte heftig, versuchte aber mit aller Macht, seinen Atem unter Kontrolle zu halten, dann klopfte die Sicherheit an die Tür, er rührte sich nicht, doch das Knarzen seiner Sicherheitskleidung war selbst über den dunklen Bildschirm zu vernehmen – er zitterte unbewusst! Zaungäste aus dem In- und Ausland lehnten über der Firewall und ließen unentwegt im Chat irgendwelche Ideen vom Stapel, zweimal richtete er den Screen seines Handys an alle, dort stand: »Sie brechen die Tür auf!« Plötzlich piepte das Handy zweimal, und er drückte rasch den Ton weg. Niemand konnte etwas sehen, doch man konnte spüren, dass er dort in seiner Dunkelheit weinte.

Er hatte nichts getan, als in der Nähe eines militärischen Sperrgebiets den Film *Unter der Glocke* anzusehen, er hatte in keinster Weise Verbote verletzt. Ein paar Stunden lang in seinem Wagen alles um sich herum vergessen. Und schon war es zu spät gewesen.

Das Leben vieler Menschen war wie dieser eine Tag von Kcriss, am Anfang vergisst man mal schnell alles, wenn man älter geworden ist und zurückschaut, bricht einem der kalte Schweiß aus, aber dann ist alles zu spät.

»Das ist gerade ein ausgesprochen unwirkliches Gefühl«, hatte er gesagt, »bisher ging es, wenn ich die Webcam angemacht habe, immer um andere, heute und an diesem Punkt kann ich nur noch über mich selbst sprechen. Natürlich habe ich keine Ahnung, wie viele oder wenige Zuschauer da im abgedunkelten Zuschauerraum sitzen, das kann ich von der Bühne aus nicht sehen.

Was habe ich falsch gemacht? Ich weiß es nicht. Dort war alles absolut dicht, ich hatte keine Möglichkeit reinzukommen. Dann waren sie die ganze Fahrt über wie die Furien hinter mir her, ich habe fast abgehoben ... jetzt ist alles langsamer, ich habe keine Angst mehr, was könnte Angst schon ausrichten? Um die Wahrheit zu sagen, als Journalist bin ich kein Idealist wie Chai Jing, meine Redegewandtheit ist nur mittelmäßig, vor dieser Sache hier habe ich die Videos von Chen Qiushi gesehen, die fand ich super, er ist überall hin, zu den Krankenhäusern, den Containern, den Wohngebäuden, er hat viel mehr Leute interviewt als ich, er hat sogar mit den Angehörigen von Opfern der Wuhan-Pneumonie eine Sendung gemacht, er war auch im Krankenhaus, um zu untersuchen, ob etwas an dem online kursierenden Gerücht von den ›drei Leichen im Korridor‹ dran war, am Ende gab eine Krankenschwester zu: ›Es stimmt, aber man darf uns nicht die Schuld geben, wir mussten auch auf die Leichenwagen warten, und an dem Tag hatten die einfach zu viel zu tun ...‹

Ich weiß nicht, in welcher Verfassung Chen Qiushi war, als sie ihn mitnahmen. War er verletzt? Und wie geht es ihm jetzt? Als ich nach Wuhan bin, habe ich erwartet, dass so was kommen würde, ich habe aber nicht erwartet, dass es so schnell kommt ...«

Dann kamen ein paar unzusammenhängende Worte, er schaltete den Computer ab und stand auf. Sein Schatten schwankte im schwarzen Bildschirm: »Im Augenblick habe ich einen gigantischen Adrenalinausstoß, meine Stimmung schlägt Purzelbäume, ich habe meine Temperatur gemessen, sehr hoch, aber kein Verdachtsfall, nur die Aufregung.«

Geräuschfetzen, immer wieder Geräuschfetzen, viele Zaungäste ertrugen das nicht länger und klinkten sich aus. Eine junge Frau aus Taiwan sagte später: »Ich bin eine Weile drangeblieben und habe gedacht, das Bild ist wegen des schlechten Signals unterbrochen, ich hatte ja keine Ahnung, dass er sich echt mit so krasser Dunkelheit rumschlug.«

Zhuang Zigui, der Exilant in Berlin, schrieb ein paar Chats, schickte sie aber nicht ab, er blieb nur ununterbrochen an Kcriss in seinem versiegelten Pulverfass dran, und erst nach unerträglichen zwei Stunden und 25 Minuten sah er, dass der Licht machte, er nahm die Schutzmaske ab und sagte mit unterdrückter Stimme: »Ich bin gerade vom Wohnzimmer rüber (ins Schlafzimmer), ich trage dieses Zeug (die Schutzkleidung), aber das macht zu viel Geräusch. Ich weiß nicht, was sie vorhaben, also behalte ich weiter die Tür im Auge.«

Er stand auf, ging zum Bettende, streifte die knarzende Kleidung ab und machte auf Zehenspitzen das Licht wieder aus – nach drei Stunden und acht Minuten erschien dann erneut ein Bild, das Telefon hörte nicht auf zu klingeln, es war einer seiner Freunde aus der Gegend, das Sicherheitsbüro hatte ihn festgenommen. Kcriss verbrachte insgesamt drei Stunden, 54 Minuten und 22 Sekunden wie ein gefangenes Tier, nur gelegentlich machte er Licht an und zeigte sein Gesicht, um etwas zu diesen »dunkelsten Augenblicken« zu sagen.

Zhuang Zigui musste an die vielen Male denken, die er selbst vor Jahren festgenommen worden war – von einem Augenblick auf den anderen, handstreichartig, davon gab es keine Videos, nur die Erinnerung, wie rasch sich Dinge verändern; einmal hatten sie ihn aufgespürt und gegen seine Tür gehämmert wegen eines Interviews mit einer aus der Nervenheilanstalt entflohenen Falun-Gong-Anhängerin. Zhuang Zigui konnte vom 6. Stock über das Flachdach des Gebäudes und durch den Eingang einer anderen Einheit entkommen; ein andermal, es war tiefster Winter, ein Hämmern an der Tür riss ihn aus den Träumen, er machte einen Satz aus dem Bett, ist falsch rum in seine Hose, aber dann hatten sie ihn doch mitgenommen.

Er musste auch daran denken, wie sein Freund Liu Xiaobo widerstandslos auf seine Verhaftung wartete. Von dieser fatalen Verhaftung im Winter 2008 gibt es, von ein paar wenigen Erinnerungsbruchstücken abgesehen, bis heute weder schriftliche Dokumente noch Aufnahmen – der spätere Tod des Nobelpreisträgers stand unter umfassender Kontrolle, ein merkwürdiges Feuer in einem Gefängnistrakt jedoch hat sämtliche Spuren und damit Zweifel vernichtet.

Schließlich musste er ebenfalls an die Aufzeichnungen Wang Yis denken, seines alten Mitbürgers aus Chengdu: »Ich wusste nicht, wer im nächsten Augenblick vor der Tür steht, ein Freund oder ein Schakal.« – Er suchte nebenbei nach dem Video von Wangs Verhaftung am Vorabend des 10. Jahrestags des großen Erdbebens in Sichuan am 12. Mai 2008 – vermutlich hatte es seine Frau Jiang Rong gedreht –, von seiner jüngsten Verhaftung und Verurteilung zu neun Jahren hingegen sind ebenfalls weder Aufnahmen noch schriftliche Dokumente aufgetaucht.

Des Weiteren fielen ihm die vielen Verhaftungsszenen im Anfangskapitel des *Archipel Gulag* ein, wo ein gutes Dutzend Verhaftungsvarianten beschrieben werden. Solschenizyn sagte: »Für jemanden, der nicht dort war, erscheint der Gulag wie die Gestirne, so fern, so unermesslich, dass niemand weiß, wie man dorthin gelangt. Bis eines Tages die Katastrophe da ist, dann wird klar, dass der einzige Weg dorthin über eine Verhaftung geht. Ob man und wann man zurückkehrt, kann niemand sagen ...«

Kcriss hat als Kind des Internetzeitalters eine Aufzeichnung seiner Verhaftung hinterlassen, sehr viele unvergessliche Eindrücke und verhältnismäßig vollständig, da er sie parallel auf YouTube hochlud, wo sie unzählige Male weitergeleitet und kopiert wurde, so dass sie das Imperium nicht mehr ausradieren konnte. Das ist in der Geschichte der Verhaftungen durch diktatorische Regime in und außerhalb Chinas ziemlich einzigartig.

Der Mensch war dazu verurteilt, spurlos zu verschwinden, aber die Fakten würden bleiben, das war es, was Kcriss wollte. Deshalb trat er vor seinen luftdichten »Eisernen Vorhang«, legte die Hand auf die Türklinke und gab vor laufender Kamera eine »Erklärung zur Verhaftung« ab:

Gut, ich mache gleich auf. Darf ich noch etwas sagen?
Zunächst, ich bewundere euch, jeden meiner Verfolger, zutiefst – bewundere zutiefst, wie ihr mit diversen Mitteln so problemlos und am helllichten Tag meine genaue Position ausgemacht und einen meiner Freunde hinter Gitter gebracht habt!
Zweitens, seit ich in Wuhan bin, standen mein Verhalten und meine Handlungen immer im Einklang mit der Verfassung der Volksrepublik China und allen Paragraphen ihrer Gesetze. Wenn ich als prekär eingestufte Orte aufsuchte, war ich vollständig mit dem erforderlichen Schutz ausgestattet, Schutzkleidung, Schutzbrille, Einweghandschuhe, Desinfektionsmittel. Davon habe ich

viel, sehr viel. Und Unmengen an Nachschub. 3M-Atemschutzmasken hat mir ein Freund besorgt. Deshalb ist bei mir alles vollkommen in Ordnung, ich bin vollkommen gesund, sollte ich haben, was man erhöhte Temperatur nennt, kann das nur daran liegen, dass der Schutzanzug mich zu sehr eingeengt hat und der gewaltige Adrenalinschub meine Körpertemperatur hochjagt.
Und natürlich, drittens, ich bin an einem Punkt, wo es nicht mehr sehr wahrscheinlich ist, dass ich nicht weggebracht, dass ich nicht isoliert werde. Deshalb möchte ich Folgendes klarstellen: Ich habe ein reines Gewissen, vor mir, meinen Eltern, meiner ganzen Familie und der Chinesischen Medien-Hochschule, an der ich meinen Abschluss gemacht habe, ich habe mich der Medien, die ich studiert habe, als würdig erwiesen! Ich habe mich auch dieses Landes als würdig erwiesen, ich habe nichts getan, was dem Land schaden könnte! Ich, Kcriss, fünfundzwanzig Jahre alt, wollte Stellung beziehen wie Chai Jing: in einer Atmosphäre wie 2004 einen Film wie **Peking kämpft gegen SARS** *zu machen oder 2016* **Unter der Glocke** *herauszubringen und dafür im ganzen Netz gesperrt zu werden, das ist meiner Meinung nach gar nicht hoch genug einzuschätzen!*
Ihr groben Klötze da vor der Tür, falls ihr die Mittelschule besucht habt – natürlich habt ihr sie besucht –, falls also euer Gedächtnis euch nicht verlassen hat, könnt ihr euch sicher noch an einen Text erinnern von Lu Xun, der heißt Hat China sein Selbstvertrauen verloren? *– Eine Stelle dort ist immer mein Leitfaden gewesen: »In China hat es von Anfang an Menschen gegeben, die für das Volk eintraten, die an die Grenzen gingen und ihr Leben opferten für die Wahrheit ... das war und ist Chinas Rückgrat.«*
Ich will keine Kreide fressen, und ich will nicht Augen

und Ohren verschließen! Man kann nicht sagen, dass es für mich nicht die Möglichkeit eines guten Lebens gegeben hätte, mit Frau und Kindern und einem warmen Bett, diese Möglichkeit hätte ich natürlich gehabt – warum also musste ich beim Zentralfernsehen aufhören? Damit in China vielleicht mehr junge Menschen, viel mehr junge Menschen wie ich, aufstehen können, das war mein Grund!
Und das nicht, um etwas Bestimmtes zu erreichen, nicht, um einen Aufstand anzustoßen, so ist das nicht gemeint. Es ist ja nicht so, dass jedes Wort von uns schon ein Angriff auf die Partei wäre. Ich weiß, dass jede Form von Idealismus im Frühsommer 89 damals zerstört worden ist, friedliche Sit-ins entfalten heute keine Wirkung mehr. Die jungen Leute heute treiben sich auf Bili *und bei Tik-Tok herum, und wer täglich in allen möglichen sozialen Medien unterwegs ist, weiß womöglich gar nicht mehr, was früher einmal war, vielleicht denken sie ja, was sie heute als Resultat der Geschichte haben, ist eben das, was man haben soll.*
Wir alle leben, wie ich glaube, in einer Truman Show, *sobald jemand die seltsamen Studiosignale bemerkt, sobald er die Tür nach draußen entdeckt, geht er hinaus und wird unter keinen Umständen mehr zurückkehren. Jeder, der* Naruto *kennt, weiß … Ich muss zum Ende kommen, tut mir leid …*
Um es kurz zu machen, wir verstehen euch da draußen nur zu gut, ich verstehe, dass ihr eure Befehle habt, aber ihr tut mir auch leid, denn die grausamen Befehle, die ihr mit unbedingtem Gehorsam ausführt, diese Befehle werden eines Tages auf euch zurückfallen!
O. k., es ist so weit, ich mache jetzt auf.

Kcriss öffnete die Tür, zwei menschliche Schatten, den Kopf abgeschnitten, huschten herein, er sagte: »Das sind meine Freunde ...«, und damit wurde die Kamera schlagartig gestoppt. Einzig eine Schrift blieb auf immer stehen: »Ich werde durchsucht!!! Ich werde durchsucht!!!«

Von der Durchsuchung gibt es keine Bilder. Aber wer schon einmal verhaftet worden ist, weiß, dass anschließend eine gründliche Durchsuchung folgte, von der Leibesvisitation über die Ausrüstung bis zur gesamten Wohnung, Wasserspülung und Fenstersimse eingeschlossen – wie bei der Minensuche durch Pioniere wird Zoll für Zoll alles durchsiebt. Zunächst nehmen sie Computer und Handy an sich, kappen das Internet, Spezialisten der Spionageabwehr wenden alles nach links, und es dauert keine halbe Stunde und sie kennen jeden Winkel des Computers und des Handys wie ihre Westentasche, alle gelöschten Spuren werden wiederhergestellt. Dann kommt die Leibesvisitation, Hemd und Hose werden einem heruntergerissen. Am 16. März 1990 war Zhuang Zigui wegen der Verbreitung von Tonbandkassetten mit seinem Gedicht *Das große Massaker* verhaftet worden, ihm hat man nicht nur Hemd und Hose heruntergerissen und ihn wiederholt geschüttelt und gekniffen, man hat auch mit Stäbchen in seinem Anus herumgestochert – die lange Liste von Strafverfahren dieses Imperiums beweist, dass so was notwendig ist – der Anus ist der einzige Ort am menschlichen Körper, an dem man ein Corpus Delicti verstecken kann, Drogen oder einen USB-Stick mit irgendwelchen geistigen Topdrogen kann man durch den Ringmuskel ins Rektum schieben.

Wie sie Kcriss behandelt haben, weiß niemand. Darin, einen Menschen zu brechen, sind sie bei der Nationalen Sicherheit jedoch Experten. Die Nationale Sicherheit ist die »verborgene Front«, im Allgemeinen trat sie nicht in Erscheinung, es wurde dort lediglich das Objekt ihrer Überwachung und Kontrolle analysiert und kategorisiert in »normal«, »wehrhaft«, »gefährlich« und »sehr gefährlich«, anschließend gaben sie entsprechende Empfehlungen, die von der Inneren Sicherheit konkret umgesetzt wurden.

Doch dieses Mal waren sie aus ihrer Deckung gekommen.

Ding Jian, bei der Nationalen Sicherheit Leiter des Teams für das Auslegen und Einholen der Netze, trat ein, zeigte seinen Ausweis und erklärte: »Nach Artikel 75 der Strafprozessordnung und den Bestimmungen von Paragraph 108 der ›Bestimmung für den Umgang öffentlicher Sicherheitsorgane mit Kriminalfällen‹ wird gegen den vorübergehend im Bezirk Sowieso der Stadt Wuhan wohnhaften auswärtigen Bürger Kcriss die Anordnung eines auf sechs Monate begrenzten Hausarrestes in Kraft gesetzt. Wenn es die Umstände erfordern, sind die Untersuchungsorgane befugt, den Zeitrahmen angemessen zu verlängern.«

Damit wurde Kcriss in einen Polizeiwagen gesteckt und mitgenommen. Mit Handschellen und einer schwarzen Kapuze über dem Kopf, niemand wusste, wo der von ihnen »angeordnete« Hausarrest stattfinden und wie lange er allein und isoliert sein würde. Natürlich durfte er auch seine Angehörigen nicht informieren. Viele Tage später sickerte durch, dass auch Chen Qiushi unter »Hausarrest« gestellt worden war, ob beide am gleichen Ort waren? Nur durch eine Wand getrennt und doch ohne die geringste Chance, einander je zu Gesicht zu bekommen?

***

Der schwarze Bildschirm blieb stumm, die Zaungäste auf beiden Seiten der Firewall zerstreuten sich, nur Zhuang Zigui blieb, wo er war, regungslos. Die Zeit verging, ohne dass er es wahrnahm, er saß da wie ein Stück Holz, bis das Fenster ganz weiß wurde. Seine Frau stand auf, und seine fünf Jahre alte Tochter, die kleine Ameise, krabbelte vor ihn hin und rief: »Papa!«

Er nickte, löste aber den Blick noch nicht vom Computer, der sich bereits selbst abgestellt hatte. Auch seine Frau kam und drängte ihn, endlich schlafen zu gehen. Als er sich in Kleidern niederlegte, ging ihm die »Erklärung zur Verhaftung« von Kcriss noch im Kopf herum, und da vor allem die Erwähnung von Lu Xun* – in den zwanziger und dreißiger Jahren hätte der vielleicht sein Lehrer sein können wie von Liu Hezhen und Rou Shi, die damals von Kriegsherren ermordet worden waren. *Liu Hezhen zum Gedenken* und *Gegen das Vergessen* sind Lu Xuns bekannteste Trauertexte, in denen er des einen wie des anderen dieser beiden heißblütigen jungen Menschen gedachte, die ebenso unreif waren wie Kcriss und beide viel zu früh starben – Kcriss, fast neunzig Jahre später, ist ihre Projektion.

In *Liu Hezhen zum Gedenken* gibt es einen berühmten Satz: »Nun verstehe ich, warum Völker so lautlos sterben. In tiefem Schweigen, tiefem Schweigen! Auf die Ruhe folgt kein Sturm, auf die Ruhe folgt die Vernichtung.«

Während Lu Xun in *Gegen das Vergessen* schreibt: »In tiefer Nacht stand ich im Hof einer Pension, um mich herum stapelten sich Schutt und Abfall; die Menschen schliefen, darunter meine Frau und mein Kind. Ich hatte das tiefe Empfinden, gute Freunde verloren zu haben und China ausgezeichnete junge Menschen ...«

Zhuang Zigui befand sich in einer ähnlichen Situation wie Lu Xun, er hatte das Gefühl, er sollte etwas schreiben, weil »China einen ausgezeichneten jungen Menschen verloren hat«. Als er jedoch den Stift aufs Papier setzte, wurde ihm klar, dass es sehr viel schwieriger war, über Kcriss zu schreiben. Liu Hezhen und Rou Shi wurden in Lu Xuns Zeilen wiedergeboren: Den einen hatte ein Kriegsherr auf einer Straßendemonstration ermorden lassen, der andere war wegen der

Publikation einer Untergrundzeitschrift inhaftiert und anschließend bei einer Massenexekution hingerichtet worden, beide Fälle waren einfach und klar und hatten mit Staatsgeheimnissen nichts zu tun; Kcriss hingegen hatte nichts weiter getan als sich in der Nähe des P4 aufgehalten und war verhaftet worden. Zhuang Zigui machte sich im Netz auf die Suche nach allen möglichen Informationen. Spekulationen zum P4-Labor schossen bereits ins Kraut: »Kcriss fuhr mit dem Wagen in die Gegend des P4 und wurde von bewaffnetem Militär, das vom Kopf bis zu den Füßen in Schutzanzügen gegen biochemische Waffen steckte, abgefangen und lief Gefahr, verhaftet zu werden, er hatte keine Chance und musste wohl oder übel aufgeben ...«

Zhuang Zigui beugte sich über seinen Schreibtisch und notierte, vom Abend des nächsten Tages erneut bis spät in die Nacht, schließlich beendete er sein Manuskript. Er schickte es per Mail an den *Focus*, zwei Tage später klingelte sein Festnetztelefon, es war Johannes von der Redaktion der Zeitschrift.

»Hallo, Herr Zhuang, ich habe Ihr Manuskript schon gelesen, können wir kurz reden?«

»Gerne.«

»Vierter Abschnitt, zweite Zeile: Ein plötzlich zu Boden gegangener Infizierter schreit: ›Volltreffer!‹ Das klingt wie ›mich hat eine Kugel erwischt‹. Haben Sie sich diese martialische Sprache ausgedacht?«

»Das war nicht ich. Viele Menschen in Wuhan bezeichnen die endgültige Diagnose so.«

»Verstehe, danke. Dann zweiter Abschnitt von unten: ›Kcriss, dieser verwegene ›Eindringling‹, erinnerte an Leute wie Valery Legasov, die die Wahrheit über Tschernobyl publik gemacht haben: Im April 1988 hat Legasov den Druck nicht mehr ertragen und sich das Leben genommen – Kcriss hingegen wurde von der Staatssicherheit gejagt wie von Furien und hat zuletzt einen Hilferuf abgesetzt ...‹ Glauben Sie, dass eine solche Analogie ...«

»Sehr passend ist.«

»Und die Beweise?«

»Habe ich geschrieben.«

»Ich habe mit dem Pekinger Korrespondenten unserer Zeitschrift telefoniert, er sagt, auch wenn es viele Gerüchte um das P4 gibt, was die Herstellung des Virus und das Leck angeht, durch das es entwichen sein soll, ist das auf keinen Fall zu beweisen. Auch Spezialisten der WHO seien vor Ort gewesen und hätten nichts gefunden.«

»Aber Kcriss ist verhaftet worden, weil er sich dem P4 genähert hat.«

»Unser Reporter sagt, es bestehe auch die Möglichkeit, dass er wegen seiner Recherche im Krematorium nach den wahren Opferzahlen verhaftet worden sei. Vor ihm habe es noch zwei weitere Journalisten privater Medien gegeben, Fang Bin und Chen Qiushi, die ebenfalls aus diesem Grund spurlos verschwunden seien. Dass die Wahrheit über Epidemien verheimlicht, das Volk und die internationale Gemeinschaft betrogen werden, das ist in allen Diktaturen der Welt so.«

»Er war am 19. Februar im Krematorium, und nichts ist passiert, ich habe die Aufzeichnung; eine Woche später, am 26. Februar, ist er zum P4, und dann war der Teufel los.«

»Sie wollen also sagen, es wird mit etwas noch Schlimmerem hinter dem Berg gehalten, einem Leck wie damals in Tschernobyl? Aber es fehlen die Beweise. Unsere Zeitschrift kann keine Vermutungen bringen über ›Das P4-Virus – was zwischen Kcriss und dem Amt für Nationale Sicherheit geschah‹, wir bringen keine Fiktion.«

»Ich verstehe.«

»Was wir bringen können, ist etwas wie ›Bürgerjournalisten während der Epidemie in Wuhan verschwunden‹, Fang

Bin, Chen Qiushi und Kcriss folgen einander wie Wellen, kümmern sich nicht um ihre persönliche Sicherheit und bringen so die Wahrheit über die von der Regierung verheimlichten Opferzahlen ans Licht. Für den Westen sind das noch völlig unbekannte Namen ...«

»Das wäre auch nicht schlecht«, sagte Zhuang Zigui, ohne es zu meinen, »ich werde es abändern.«

***

Damit war es mit dieser Sache vorbei. Neue Meldungen sind schneller ein alter Hut, als man sich umschauen kann. Der Name Kcriss war schon nach zwei, drei Wochen unter vielen neueren Internetinformationen begraben.

Eines Tages erfuhr Zhuang Zigui aus der Zeitung, dass die Zahl der positiv getesteten Personen in Deutschland bereits die 25 000 überschritten hatte, der persönliche Arzt von Angela Merkel war darunter, und die deutsche Kanzlerin gab bekannt, dass sie sich für vierzehn Tage in häusliche Quarantäne begeben werde ... Zhuang Zigui hob plötzlich den Kopf und sagte zu seiner Frau, er wisse gar nicht, wie es Kcriss gehe! Seine Frau sah ihn entgeistert an, als fragte er nach jemandem, der schon vor Jahren gestorben war.

Noch mitten in seine Betroffenheit hinein klingelte das Festnetztelefon, Zhuang Zigui nahm ab, es war der vierundachtzig Jahre alte Komponist Wang Xilin, der gerade im Osten von Berlin wohnte. In dem aus dem Chinesischen übersetzten Bestseller *Fräulein Hallo und der Bauernkaiser** gibt es ein Kapitel, das sich speziell mit seinem legendären Leben beschäftigt. Zhuang Zigui wollte gerade »Hallo« sagen, als er von einem ohrenbetäubenden Donnern gestoppt wurde – Wang Xilin war taub wie Beethoven, und man musste in großer Lautstärke mit ihm sprechen: »Mein lieber Zhuang! Erinnern Sie sich an Ai Ding? Diesen netten Kerl, den Historiker, den Sie am Vorabend des Lockdowns von Wuhan bei mir zu Hause getroffen haben! Wir haben bis spät in die Nacht getagt, was getrunken und uns wegen des Virus Sorgen gemacht! Sie beide waren ein Herz und eine Seele, Sie haben vorgeschlagen, dass ich den Schluss der Oper *Schwertschmiede*, die auf dem Roman von Lu Xun basiert, nach Wuhan verlege.« Es war ein einziger Redeschwall. Zhuang Zigui schrie ein paarmal dazwischen: »Wie wäre es, wenn Sie das Hörgerät ...?«, bekam aber keine Antwort, bis er schließlich wie ein Löwe brüllte: »Lieber Herr Wang! Das Hörgerät! Ich erinnere mich an Ai Ding!!«

Dem Himmel sei Dank, das kam bei Wang an: »Gut! Einen Augenblick! So, jetzt, ich möchte Sie informieren, dass Ai Ding spurlos verschwunden ist!! Seit diesem letzten Mal ist er von Deutschland nach China zurück, wir hatten erst noch Kontakt über WeChat, später ist wegen der Epidemie unser WeChat geschlossen worden. Dann habe ich erfahren, dass die Polizei ihn im Auge hat ... Könnten wir uns vielleicht sehen? Ich habe hier einen Brief von ihm, für Sie.«

Zhuang Zigui wollte eigentlich ablehnen, denn die deutsche Regierung hatte gerade eine strenge Ausgangssperre erlassen, außer den Supermärkten waren nahezu alle Geschäfte geschlossen, auch Zusammenkünfte von mehr als drei Personen waren nicht mehr erlaubt, ganz zu schweigen von irgendwelchen Besuchen. Doch wer kam schon gegen den guten Wang an, gewohnt, wie er es war, »gegen alles und jedes« zu sein.

Zhuang Zigui hörte also nicht auf die Einwände seiner Frau, setzte sich auf sein Rad und fuhr vom Westen in den Osten der Stadt, um den alten Wang zu sehen. Unterwegs an den Straßen war alles dicht, man sah kaum Menschen, wie in Filmen aus dem Krieg, selbst die Friedrichstraße lag leer und verlassen. Die S-Bahn seufzte auf dem Scheitel der Bogenbrücke – vor dem Fall der Mauer war hier der wichtigste Grenzübergang von West- nach Ostberlin gewesen.

Zhuang Zigui brauchte Stunden, wurde unterwegs von der Polizei angehalten, nach dem Ausweis gefragt, nach ein paar mahnenden Sätzen ließ man ihn wieder gehen. Deshalb wurde es schon dunkel, als er in Hohenschönhausen ankam, wo im früheren ostdeutschen Staat das Gefängnis der Staatssicherheit war. Wangs Frau, eine Ärztin namens Zhou, stand am großen Gefängnistor, um ihn zu empfangen. Sie gingen gut zehn Minuten um hohe Mauern mit Elektrozäunen herum zu einem Gebäude, in dessen drittem Stock Wangs neue Wohnung lag.

Auf dem Höhepunkt der Epidemie waren Händeschütteln und Umarmungen tabu, der Begrüßungsritus bestand aus einem kurzen Antippen der Ellbogen oder der Zehenspitzen. Aber der gute Wang machte nicht viel Federlesens und schloss Zhuang Zigui mit der Herzlichkeit eines Bären in die Arme, bevor er ihn in die Küche führte und Essen und etwas zu trinken auftischte. Der Alte wurde von Frau und Tochter flankiert wie von zwei Türhütern, die das greise schlimme Kind beschützten, streng darauf sahen, wie viel er aß und trank, und ihm immer wieder Teller und Glas wegnahmen. Zhuang Zigui musste lachen. Daraufhin donnerte der gute Wang los: »Mein guter Zhuang, trinken Sie, trinken Sie, ich habe etwas Ernstes mit Ihnen zu besprechen. Ich habe erfahren müssen, dass Ai Ding nur ein paar Stunden nach unserem letzten mehrstündigen Fress- und Saufgelage in seinem Tran nach China zurück ist ...«

1

Eine zwangsgeschlossene Stadt

Am 23. Januar 2020 um 10.00 Uhr Vormittag gaben die chinesischen Behörden die Umsetzung des »Befehls zur Schließung von Wuhan« bekannt, vor Ort wurde der gesamte öffentliche Verkehr per Zug, Flugzeug, U-Bahn und Schiff eingestellt, an die neun Millionen Einwohner wurden informiert, dass sie die Stadt nicht verlassen dürfen – für den nächsten Tag Vormittag 10.00 Uhr wurde für die Provinz Hubei die Umsetzung entsprechender Lockdowns auch für Städte wie Ezhou, Huanggang, Chibi, Xiantao, Zhijiang, Qianjiang, Xianning, Jingmen, Dangyang, Huangshi, Enshi oder Xiaogan bekanntgegeben – und der gut fünfzigjährige Unglücksrabe Ai Ding trat gerade in diesem historischen Augenblick mit einem Flugzeug der Hainan-Airlines von Berlin-Tegel aus die weite Heimreise an. Kaum in Peking gelandet, erhielt er die Information, dass der ursprünglich gebuchte Anschlussflug nach Wuhan gecancelt sei.

Er rief umgehend zu Hause in Wuhan an, und seine Frau sagte, warum denn ausgerechnet jetzt und nicht etwas früher oder etwas später, nein, ausgerechnet jetzt müsse er zurückkommen!

Er sagte, wie im letzten Jahr auch zu Neujahr, er habe das Ticket doch schon vor einem halben Jahr geordert.

Seine Frau fragte, ob er das nicht hätte ändern können.

Er sagte, Tickets zum Sparpreis könne man nicht ändern, die könne man nur verfallen lassen, außerdem hätte er dafür auch sein Visum verlängern müssen und es sei sehr nervig, zur Auslandsbehörde zu rennen ...

Seine Frau sagte: »Schon gut, schon gut, aber was nun?«

Er fragte, ob man Wuhan, den ›Verkehrsknotenpunkt für neun Provinzen‹ mit Straßen in alle Richtungen, dazu Dutzende von Ausfallstraßen, tatsächlich dichtmachen könne.

Seine Frau antwortete: »Das kann man, wenn es um den Dienst am Volk geht, ist die Effektivität des kommunistischen Militärs eher gering, aber wenn es darum geht, für das Volk eine Stadt zuzusperren, dann werden sie höllisch effektiv sein, und wenn es irgendwo tatsächlich nicht geht, dann schicken sie eben Kampftruppen.«

Er sagte, er taste sich erst mal an die Außenbereiche von Wuhan heran und sehe, was sich machen ließe, er kenne die Gegend, wenn es zu Wasser nicht geht, dann zu Land, wenn es zu Land nicht geht, dann bei Nacht und Nebel über abgelegene Straßen, wie ein Hund, den man in den Bergen ausgesetzt hat, werde er, wo immer ein Wiesel durchkommt, auch kein Problem haben.

Doch seine Frau sagte: »Nicht, nicht, mach es nicht noch schlimmer, als es ist. Wenn du die Festnahme überlebst und isoliert wirst, werde ich mich nicht um dich kümmern können, dein Vater liegt hier krank im Bett. Am besten, du fliegst nach Changsha und bleibst eine Weile in meinem alten Zimmer bei meiner Familie, dann sehen wir weiter.«

Ai Ding sagte: »Deine Eltern sind doch in Shanghai bei deinem Bruder.«

Seine Frau sagte: »Eben deshalb, wären sie da, hätten sie womöglich nicht den Mut, dich bei sich aufzunehmen.«

Ai Ding hätte gern noch etwas gesagt, doch seine Frau hatte, weiche Schale, harter Kern, bereits aufgelegt. Das hatte er nicht erwartet, dass er bei der Rückkehr in sein Vaterland, noch gar nicht richtig warm geworden, schon heimatlos herumgeistern müsste. Ein Glück, dass damals vorerst zumindest in Peking noch kein Alarmzustand ausgerufen war und er nicht, wie später, aus dem Flugzeug direkt für vierzehn Tage in ein Hotel zur Quarantäne musste, dessen Türen bewacht wurden und wo sie pro Tag über 1000 Renminbi* verlangten.

Er wartete noch ein paar Stunden, bestieg dann im Strom der Menge ein Flugzeug und setzte sich auf einen Fensterplatz. Draußen loderten die Wolken, als hätten sich Millionen von Blutorangen spektakulär zu einem gewaltigen Berg aufgetürmt. Begeistert machte er ein paar Aufnahmen, schickte sie per WeChat an seine Frau und kommentierte seine Gefühlslage: »Wie schön geht doch die Sonne aus, wie weit ist doch der Weg nach Haus, wenn du ein Mann aus Wuhan bist.«

Noch im selben Augenblick antwortete seine Frau: »Wenn du die Frau in Wuhan bist, eingesperrt im Haus. He, hast du Masken, Seife und Mundwasser dabei?«

Das gesamte Flugzeug strahlte vor weißen Masken, die Stewardessen gingen durch die Reihen und boten Desinfektionsmittel zum Sprühen an. Neben Ai Ding saß ein Ehepaar mittleren Alters, die Frau mit einem Baby im Arm, weshalb die Stewardess sich eigens noch einmal herabbeugte und den Sicherheitsgurt überprüfte. Als sie abhoben, brach die Nacht herein. Im Nu waren sie auf zehntausend Meter. Die Stewardessen reichten Snacks und eine kleine Flasche Wasser – und im Anschluss daran fing sich Ai Ding zu schnell, als dass er sich hätte wehren können, eine Ohrfeige und auf der linken Wange zwei blutige Kratzer ein. Eigentlich hatte die Frau neben ihm, als sie ihr Wasser trank, nur beiläufig gefragt, woher er komme, und er hatte ebenso beiläufig geantwortet, er komme aus Hubei. Und schon ging sie, ohne ein weiteres Wort, aus heiterem Himmel auf ihn los. Ai Ding wehrte sie nur ab, er war ein Intellektueller, bei ihm galt nicht Auge um Auge, Zahn um Zahn, aber das Ehepaar hörte nicht auf, löste schließlich den Sicherheitsgurt, stand auf und rief laut nach der Stewardess. Die kam auch postwendend angelaufen und die Frau deckte auf: »Hier ist einer aus Hubei! Wir wollen nicht bei jemandem aus Hubei sitzen! Wir haben Angst vor dem Virus!«

Die Stewardess sagte: »Tut mir leid, es sind keine anderen Sitze mehr frei.«

Der Mann sagte, so gehe das nicht, kleine Kinder würden sich am leichtesten anstecken.

Die Stewardess sagte: »Vor dem Boarding ist bei jedem Reisenden die Temperatur gemessen worden, bei diesem Herrn war alles normal. Aber in dem Fall werde ich jetzt mit einem Stirnthermometer noch einmal messen, in Ordnung?« Das Ehepaar schrie, nein, das sei nicht in Ordnung.

Die Stewardess wusste nicht, was tun, und rief eine ältere Kollegin. Die anderen Fluggäste kamen nacheinander von ihren Sitzen hoch und zerrissen sich das Maul: »Warum hat er sich nicht vor dem Boarding als jemand aus Hubei zu erkennen gegeben? Gibt es denn keinen Anstand mehr?«

»Wenn man sich etwas eingefangen hat, geht man freiwillig in Quarantäne und macht nicht auf unschuldig, steigt in ein Flugzeug und schadet allen anderen!«

»Neun Vögel sind am Firmament, Hubei-Leute, schlau, wie man sie kennt.«

»Wir Chinesen müssen denen aus Hubei die Staatsangehörigkeit aberkennen!«

Ai Ding wurde klar, dass das ungemütlich werden konnte, stand auf und erklärte mit lauter Stimme: »Ich war zu Forschungszwecken im Ausland, ich komme gerade aus Deutschland zurück. Ich war schon ein Jahr nicht mehr in Wuhan.«

Doch wenn die Emotionen der Leute erst einmal hochgehen, sind sie schwer wieder zu bändigen, irgendwer rief: »Lügner!«

Ein anderer rief: »Wir verlangen Entschädigung! Die Fluggesellschaft lässt Leute mit Diagnose in den Flieger!«

Ai Ding brüllte rasch: »Ich habe keine Diagnose!«

Darauf alle rundum: »Aber es gibt einen Verdacht! Wo ist die Flugpolizei, die sollen sich sofort um ihn kümmern! Hallo, Sie alle, wenn Sie aus Hubei sind, aus Wuhan, dann geben Sie es umgehend zu, isolieren Sie sich freiwillig, ansonsten schreit das hier doch zum Himmel!«

Gegen den Zorn der Menge ist schwer etwas auszurichten, da hätte Ai Ding mit Engelszungen reden können, also blieb ihm nichts anderes, als sich mit einem Flugpolizisten ins Heck der Maschine zu begeben und sich in einer Toilette einschließen und isolieren zu lassen. Erst als die Maschine gelandet war und sämtliche Passagiere ausgestiegen waren, wurde er zur Polizeistation des International Airport von Huanghua gebracht, zeigte dort seinen Reisepass und den Boarding-Pass der internationalen Airline und bewies damit, dass er zwar aus Wuhan stammte, aber mit dem Virus aus Wuhan nichts zu tun gehabt hatte.

»Aber auch so«, sagte der Polizist, »selbst wenn sie ewig kein Fieber hatten, zwei Wochen in einem Hotel in Flughafennähe sind unumgänglich, die Kosten für die überwachte Quarantäne müssten Sie selbst tragen, wir haben keine Möglichkeit zu untersuchen, mit wem Sie in Deutschland Kontakt hatten.«

»Aber in Deutschland gibt es diese neue Corona-Pneumonie gar nicht.«

»Und wer garantiert, dass sie nur noch nicht entdeckt wurde? Dieses Virus ist wie ein Spion, die Inkubationszeit ist lang, und in der gibt es keine Symptome.«

***

Die Polizei von Changsha war recht fair und vernünftig, steckte ihn nur eine Woche in Quarantäne und ließ ihn dann ausnahmsweise schon gehen. Vorher überreichte man ihm noch dreißig teure N95-Schutzmasken, die sich natürlich auf der Hotelrechnung wiederfanden. Da die Hochgeschwindigkeitszüge nur noch eingeschränkt fuhren, nahm Ai Ding am Flughafen einen desinfizierten Bus bis zur Diamantberg-Straße im Distrikt Yuelu im Norden des Flusses Xiangjiang, ging dann zu Fuß weiter, orientierte sich mit einer Karte und fand das Haus der Familie seiner Frau hinter der Industrie- und Handelsbank. Von den Nachbarn bekam er den Schlüssel, ging hinein, fläzte sich aufs Sofa, nahm das Handy und schrieb seiner Frau und seinem alten Freund Wang Xilin im fernen Berlin, es sei alles in Ordnung.

Seine Frau antwortete: »Unsere Tochter und ich wissen, dass du um Wuhan herumschleichst wie die Katze um den heißen Brei, aber du darfst im Augenblick auf keinen Fall zurückkommen! In unserem Haus sind schon ein gutes Dutzend Leute gestorben! Vier ganze Familien, einfach weg! Eigentlich müssten es nicht so viele sein, aber die Krankenhäuser sind voll, man soll zu Hause in Quarantäne bleiben. Und dann was? Zu Hause steckt man sich gegenseitig an. Gerade steht noch ein Wagen vom Krematorium unten, die sind vom Nachbarblock hergekommen, ich habe sie durch das Fernglas unserer Tochter beobachtet, der Wagen war schon komplett vollgestopft, aber die Arbeiter haben mit aller Kraft immer noch mal nachgeschoben, bis, *peng*, alles ins Rutschen kommt und ihnen vor die Füße knallt – sie mussten Leiche für Leiche wieder aufheben, wie nummeriertes Holz. Und immer die gleichen Leichensäcke, gelb, nicht mehr zu sehen, wer wer ist, es fehlt an allen Ecken und Enden, und Leichenwagen haben sie auch keine mehr ... wir sind schon über eine Woche nicht mehr runter, wir trauen uns nicht! Reis, Nudeln, Instantnudeln, Gefrierfleisch ist noch da, aber kein Gemüse.«

Ai Ding war perplex. Zu diesem Zeitpunkt konnte er noch nicht ahnen, dass das, was seine Frau da beschrieb, auch für den Rest des Landes bald zum Alltag gehören würde. In den drei Wochen vor dem Lockdown Wuhans erreichte der traditionelle Reiseverkehr zum Neujahrsfest seinen Höhepunkt, über fünf Millionen Menschen schwärmten von dort fächerförmig in alle Himmelsrichtungen aus, während die, die in anderen Städten der Provinz Hubei durch das Netz schlüpften, zahllos waren. Laut einer offiziellen Antwort von Zhong Nanshan, dem Leiter der zentralen, höchstrangigen Expertengruppe, vom 20. Januar zur »Mensch-zu-Mensch-Übertragung« waren außerhalb von Wuhan mindestens fünf Millionen Menschen unterwegs, die im Verdacht standen, das Virus in sich zu tragen, und unmöglich zu testen waren, geschweige denn zu diagnostizieren und zu isolieren. Etwa 100 000 Menschen, denen es heute noch gutging, die fieberfrei und ohne Husten waren, konnten morgen auf einmal umfallen, ein paarmal zucken und an der Straße, in einer Häuserecke, im Haus, unter einer Brücke, auf freiem Feld aus unklaren Gründen namenlos sterben. Natürlich hatten alle Namen und Vornamen und Personalausweise, aber niemand wagte, sie danach zu durchsuchen. Augenzeugen schraken zurück und wählten die 110 oder die 120, mehr konnten sie nicht tun, die 110 und die 120 leiteten die Nachricht an die Beerdigungsunternehmen weiter, die arbeiteten Tag und Nacht, kamen und brachten die Toten direkt ins Krematorium – das normale Prozedere im Krankenhaus: anstellen, Nummer bekommen, Test, Diagnose, stationäre Behandlung, sterben, Einäscherung und Registrierung, war, so könnte man sagen, ein nicht mehr leicht zu erringendes Glück, und für eine große Beerdigung brauchte man, natürlich, auch Kontakte und eine gesellschaftliche Stellung, wie sie nicht jeder hat.

Es gab regelmäßig Todesmeldungen. Die zu Hausarrest verdammten Bürger von Wuhan wetteiferten darin, selbstgedrehte Videos auf WeChat und Weibo hochzuladen, denn bei dem Wüten der Epidemie musste man keine Sorge haben, dass Polizei vor der Tür stünde und Verwarnungen aussprechen oder jemanden verhaften würde. Nichtsdestotrotz war die Internetpolizei ständig dabei, Posts zu löschen, zu verwarnen, zu bannen und das endlose Katz- und Mausspiel von Löschen und Posten, Posten und Löschen aufzuführen. Scharfäugige und flinke User versuchten, immer einen Schritt schneller zu sein, und schafften jeden zu spät gelöschten Text oder jedes zu spät gelöschte Video über die Firewall aus dem Land hinaus. So lag ein alter Herr in den 90ern, wie auch immer er aus dem Fenster im dritten Stock gestürzt sein mag, zwischen Schutzzäunen und klagte die strahlende Sonne an. Sein ältester Sohn und seine Schwiegertochter waren früh als »Verdachtsfälle« vom Bezirk in verschiedene Krankenhäuser geschickt worden, hatten aber nirgendwo eine »Diagnose« bekommen und konnten nur zu Hause in Quarantäne bleiben, so dass jetzt sieben Familienmitglieder »Verdachtsfälle« waren, die alle daniederlagen und auf den Tod warteten. Der alte Herr glaubte, das sei seine Schuld, er habe einfach zu lange gelebt. Und so war er gesprungen … Und dann gab es das sechs Jahre alte Kind, seine Eltern arbeiteten außerhalb und konnten wegen des Lockdowns nicht nach Hause. Der über siebzig Jahre alte Großvater musste sich um das Kind kümmern. Eines Tag schrak es mitten in der Nacht aus dem Schlaf und fühlte an seiner Seite, der Großvater war nicht da, worauf es ins Bad lief, wo der Großvater schlief und wegen eines plötzlichen Herzinfarkts auch nicht mehr aufwachen würde. Das Kind fasste ihn nicht an, doch aus Sorge, sein Opa könne frieren, schleppte es eine Decke an und deckte ihn zu. Das Kind blieb im Haus, stillte seinen Hunger mit Keksen und wurde zum Glück von Nachbarn entdeckt … Und schließlich war da noch die Beseitigung der Handys der Verstorbenen in den Krematorien, die Leichenträger schaufelten sie mit großen Schaufeln, mindestens ein paar hundert auf einmal, in Abfallsäcke. Auf einmal klingelte eines der Handys, und ein Leichenträger murmelte: »Nicht einmal jetzt geben sie Ruhe ...«

Nach Statistiken der internationalen Bloomberg-News sind in gut zwei Monaten der Epidemie aus dem Klarnamensystem der drei großen Telekom-Unternehmen Chinas, *China Mobile*, *China Unicom* und *China Telecom*, jeweils mehr als 8 Millionen, 7,8 Millionen und 5,6 Millionen Handynutzer »spurlos« verschwunden. Das Material über diese gut 20 Millionen Nutzer, die sich höchstpersönlich mit ihrem Personalausweis registriert haben mussten, wurde vorübergehend als Staatsgeheimnis aufbewahrt, bevor es für immer vernichtet wurde.

»Das neue Coronavirus ist unsichtbar, also betrachtet man einfach die Menschen aus Wuhan und Hubei als Viren«, klagte Ai Ding in seiner WeChat-Freundesgruppe. Er umriss, was ihm im Flugzeug passiert war, und es dauerte keine zehn Minuten und die Internetpolizei hatte das Ganze gelöscht. Er war sehr aufgebracht, konnte aber nichts machen. So stand er auf und ging ins Bad, um sich zu waschen und den Mund zu spülen – kein Wasser; er klopfte gegen das Wasserrohr, untersuchte sämtliche Wasserhähne, alles in Ordnung. Dann machte er die Tür auf und schaute sich um. Da sprang ihm ein *Hinweis zum Abstellen des Wassers*, der gerade an die Tür geklebt worden war, direkt ins Gesicht:

Liebe Bewohner, Freunde,

> *mit Blick auf die gegenwärtige Epidemiesituation der neuartigen Corona-Lungenentzündung stellen wir, um Ihre und die öffentliche Gesundheit zu schützen, für die Bewohner von Hubei vorübergehend das Wasser ab. Wir bitten alle Personen aus Hubei oder Personen aus unserem Distrikt, die mit Menschen aus Hubei Kontakt oder*

Umgang hatten, sich auf diesen Hinweis hin sofort bei der Arbeitsstation unseres Wohnviertels zu registrieren und sich in Zusammenarbeit mit der für die »3-in-1«-Seuchenprävention zuständigen Abteilung einem Gesundheitstest zu unterziehen – danach wird das Wasser wieder angestellt. Wir bitten, diese Nachricht weiterzugeben.
Für die Unannehmlichkeiten, die mit dieser Maßnahme verbunden sind, bitten wir um Entschuldigung.

Das Parteikomitee des Büros der Diamantberg-Straße, Distrikt Yuelu, Changsha
31. Januar 2020

Ai Ding seufzte, schnappte sich seinen Ausweis und machte sich zu dem Ort auf, den das Parteikomitee genannt hatte. Allerdings war es schon spät und längst Feierabend. Alle Läden in der Straße waren geschlossen, also kaufte er in einem kleinen Supermarkt in der Nähe Wasser in Flaschen und Brot, um über die Nacht zu kommen.

Dann tauchte der gute Wang aus Berlin auf, und sie begannen über Tausende von Meilen hinweg ein Videogespräch.
»Am Ende immerhin ein Ort, wo du bleiben kannst! Gut, gut. Zhuang Zigui, der Schriftsteller, hat gesagt, ich soll dich auftreiben.«
»Er soll mich seinem WeChat hinzufügen. Dann kann ich auch mit ihm per Video sprechen.«
»WeChat benutzt er nicht.«
»Im In- und Ausland gibt es keinen Chinesen, der nicht WeChat benutzt, selbst die von der Demokratiebewegung machen das.«
»Zhuang sagt, Sina, Sohu, Tencent, Alibaba,* Microsoft, Yahoo und wie sie alle heißen, sind nicht sicher, solange sie ein Spielzeug der Regierung sind oder mit ihr zu tun haben.«

»So konspirativ, haben wir etwas zu verheimlichen?«
»Nein.«
»Dann gib ihm meine Mail-Adresse: 163 bei Sina.«
»Ist die auch für in China? Dann nicht.«
»Und Hotmail?«
»Auch nicht. Hast du dort ein Festnetztelefon? Ich sag ihm, er soll dich anrufen.«

Ihr Gespräch war kaum beendet, als das Festnetztelefon klingelte, Zhuang Zigui am anderen Ende kam direkt zur Sache: »Hast du Skype?«

Ai Ding zögerte: »Jaa-a. Aber ich benutze es kaum, ist ein bisschen unbequem.«

»Warum?«

»Ich bin jetzt in China, kann es also nicht direkt benutzen, ich brauch erst eine Software, um über die Firewall zu kommen.«

»Dann such dir eine, ich warte.«

»Können wir nicht am Telefon sprechen?«

»Nein.«

Zhuang Zigui legte auf, ein beklemmendes Gefühl überkam Ai Ding, aber er hatte einmal mit Zhuang Zigui einen getrunken und kannte die Geschichte, wie er sich wie ein Fuchs über die chinesische Grenze gestohlen hatte. Damals hatte Zhuang Zigui vier spielkartengroße Handys bei sich, erste Generation Motorola, eins war offiziell, zum Abhören für die Genossen von der Polizei; je ein weiteres war nur one-way, zur Unterwelt und zu Menschenrechtsaktivisten im Ausland; und noch eins in Reserve.

Also tat er wie geheißen und machte auf seinem Laptop herum, bis er nach einer halben Ewigkeit am Ziel war und ihn per Skype-Video anrufen konnte. Er lachte bitter: »Mein lieber Zhuang, um so viele Ecken, was soll uns das sagen?«

»Netz und Telefon werden im Land überwacht, da kannst

du am Südpol oder am Nordpol sein, sobald du ›Made in China‹ benutzt, bist du in einem Bereich, den sie kontrollieren können.«

»Aber wir haben nichts Aufrührerisches gesagt oder getan.«

»Das weiß man nie so genau, wenn alles gutgeht, gut, wenn nicht, dann ist alles, was im Netz steht, ein Beweis. Kennst du den Fall der Early-Rain-Covenant-Kirche? Am Abend des 10. Dezember 2018 hat die Polizei von Chengdu gleichzeitig an verschiedenen Orten gut zweihundert Mitglieder dieser Kirche festgenommen, wobei man sich auf die Überwachung und die Verfolgung ihrer Freundesgruppe auf WeChat gestützt hat. Wang Yi, ihr Seelsorger, ist zu neun Jahren verurteilt worden.«

»Was hat denn Wang Yi mit mir zu tun? Ich bin nicht mal ein Christ.«

»Du interessierst dich doch sehr für Fledermäuse, und Fledermäuse sind ganz eng mit dem P4-Labor verbunden; was hast du eigentlich vor, dass du ausgerechnet jetzt zurückmusstest?«

»Gar nicht.«

»Du bist Historiker und ein impulsiver Mensch, und du hast garnichts vor? Wenn du Pech hast, richtest du noch größeres Unheil an als Wang Yi. Wenn ihr auf WeChat, Weibo oder anderen inländischen Plattformen auch nur diskutiert, ob das Coronavirus per Zufall oder mit Absicht freigesetzt wurde, ist das schon ein extrem sensibles Thema …«

Ai Dings Kopfhaut fühlte sich augenblicklich taub an. Zhuang Zigui fuhr fort: »Ich habe ein wenig nachgeforscht, Wu Xiaohua, der behauptet hat, er wolle sich Shi Zhengli entgegenstellen, mag nicht seinen richtigen Namen benutzt haben, aber Shi Zhengli weiß genau, wer er ist, deshalb wagt er nicht, ihr noch offen zu antworten. Du aber benutzt deinen richtigen Namen, du zitierst zwar viel offen zugängliches Material von offiziellen Webseiten, einschließlich des Wuhaner Vireninstituts, das ist durchaus brillant, nur, wenn die Kommunistische Partei etwas hasst, dann ist es Brillanz, auf sie nicht vorbereitet ist.«

»Widerspricht Shi Zhenglis Meinung, das alles sei über Lebensmittel geschehen, denn nicht klar gegen jeden gesunden Menschenverstand? Wer lügen will, muss erst die Leichen verschwinden lassen und den eigenen Arsch abwischen! Auf den offiziellen Webseiten gibt es so viele offenkundige Belege. Für so etwas wie ›Immunität‹, ›Seuchenschutz‹ oder die ›Gesundheit der Menschheit‹ rennen sie nach Fledermausproben in die hintersten Bergregionen und geben sich alle Mühe, Gegengift fürs Gift zu finden, und der Erfolg ist was? Aufregend, es werden Aufsätze veröffentlicht, überall wird berichtet, man bekommt irgendwelche Preise … und das Gegenmittel? Wenn ein gefährliches Virus, für das es kein Gegenmittel gibt, durch ein Leck in die Außenwelt gelangt ist, dann ist das die gleiche Katastrophe wie das Leck von Tschernobyl …«

Inzwischen war es von ihnen unbemerkt Mitternacht geworden, der vielstimmige Chor des Lebens war verstummt. Doch gerade als sie dabei waren, ihr Gespräch zu beenden, tat es urplötzlich einen vehementen Schlag an der Tür. Ai Ding machte auf der Stelle den Computer aus, sprang auf, stürzte zur Tür und fragte, wer da sei. Von draußen hieß es: Seuchenschutz.

Ai Ding fragte, was denn los sei.

Draußen hieß es, »für Ihre Sicherheit und die Sicherheit der anderen haben wir entschieden, Sie als jemanden aus Hubei, der auf unklaren Wegen hierhergekommen ist, einer Zwangsquarantäne zu unterziehen, wenn die Temperatur über zwei Wochen normal ist, keine Atemprobleme und kein Husten auftreten, werden Sie umgehend wieder daraus entlassen«.

Ai Ding bekam einen gehörigen Schreck, wollte hastig die Tür aufmachen und das Ganze diskutieren, aber die Tür war schon von außen verschlossen. Einen Spalt konnte er sie öffnen und brüllte wie ein Löwe im Käfig hindurch: »Redet mit mir!?«

Doch draußen sprangen sie auseinander wie ein aufgescheuchtes Hasenrudel: »Mund halten! Sofort! Tröpfcheninfektion, klar? Mit Menschen kann man reden, mit Viren nicht!«

Ai Ding war so außer sich, dass er am ganzen Körper zitterte. Der Türspalt wurde von außen mit vereinten Kräften zugedrückt. Dann gab es ein konfuses Palaver, und die Türfläche wurde kreuz und quer mit rohen Holzknüppeln verrammelt.

»Hören Sie, Hubei-Mann, halten Sie einfach ein bisschen die Hufe still«, kam es beruhigend von draußen, »wenn Sie etwas zu essen und zu trinken brauchen, schreiben Sie einen Zettel und schieben Sie ihn mit etwas Geld durch, natürlich können Sie das auch über WeChat machen, der QR-Code des Seuchenschutzes ist öffentlich, wenn Sie browsen, kriegen Sie das schon hin. Wir kaufen für Sie ein und reichen es Ihnen durch die Dachluke in die Küche. Danke für die Kooperation.«

»Hier gibt es kein Wasser.«

»Schon angestellt.«

Er ging zurück, schrieb seiner Frau über WeChat und konnte sich gar nicht mehr beruhigen. Seine Frau antwortete: »Das ganze Land ist ein einziges Gefängnis, ist es nicht einerlei, wo man isoliert wird?«

Er sagte, er wolle nach Hause. Seine Frau seufzte: »Nach Hause – wie soll ich dir das sagen? Dein Vater ist ja nun über 90, und es ist leider zu befürchten, dass er es nicht mehr bis zum Ende der Epidemie schafft.«

Er hielt seinen Computer im Arm und starrte vor sich hin, er versuchte mit aller Kraft, den Gedanken, seinen Verstand zu verlieren, zu unterdrücken – um die Aufmerksamkeit auf etwas anderes zu lenken, rief er erneut bei Zhuang Zigui in Berlin an. Der erschien auf dem Bildschirm, der große Glatzkopf, und grinste.

Zhuang sagte: »Hast du was zu trinken da? Trink erst mal ein paar Schluck, und dann langsam und von vorne.« Daraufhin hob er sein zehntausend Meilen entferntes Glas: »Das ist Rotwein. Chinesischer Schnaps ist hier ja ziemlich teuer, kann ich mir nicht leisten.«

Ai Ding ging prompt zum Küchenschrank, griff sich eine Flasche »Xiangjiang-Daqu-Korn«, goss sich ein Glas ein und kippte es hinunter.

Zhuang korrigierte ihn: »Nicht so, beim Trinken geht es nicht darum, sich zu betäuben, sondern seine Gefühle auf die Reihe zu bekommen. Menschen leben nun mal in einem Auf und Ab von Gefühlen, und wenn man down ist, trinkt man ein paar Schluck und kommt so wieder klar.«

»Was soll ich denn machen?«

»Wo liegt das Problem? Die Tür ist zu, gut, aber das ist doch kein Gefängnis. Wenn du türmen willst, dann kletterst du aus dem Fenster, schließlich bist du kein Verbrecher.«

»Nach Hause kann ich aber nicht, und sonst wohin auch nicht. Und selbst wenn, die würden mich unterwegs aufgreifen und wieder isolieren. Ein Scheißvaterland, das.«

»Du bist aus Deutschland zurückgekehrt, die Sache ist doch eigentlich vollkommen klar, du hattest mit dem Virus in Wuhan nichts zu tun.«

»Ich bin aus Hubei und mein Zuhause ist in Wuhan.«

»Ja und?«

»Wenn du heute aus Wuhan kommst, bist du nichts anderes als Hitlers eingebildete Feinde; ich bin jetzt schon zum zweiten Mal von der Sicherheits-SS isoliert worden.«

Zhuang Zigui schwieg. Die beiden ertränkten jeder an seinem Ende der Welt ihren Kummer. Ai Ding hatte das Gefühl, ihm drehe sich der Magen um, und er schlang etwas Brot hinunter, um es zu unterdrücken, Trauer stieg in ihm auf, und er konnte nicht anders, als leise zu weinen. Der gute Zhuang ermahnte ihn kraftlos, zog an seinem Ende der Welt eine Flöte heraus und spielte *Yangzhou (langsame Melodie) Berühmte Stadt links des Huai* von Jiang Baishi* aus der Südlichen Song-Dynastie: »… Seit die Hu, das Rossvolk, drangen bis zum Fluss, liegt wüst der Teich, ragt hoch der Baum, nun hassten sie ein Wort wie Krieg. Im Abend hallt das Horn so kalt. Allein in leerer Stadt …«

Das war vor fast tausend Jahren, ein alter Dichter kehrte in seine zertrampelte Heimat zurück, wo ein fremdes Volk eingedrungen war und die eisernen Hufe einer großen Armee durchzogen, nichts als Zerstörung und Öde, so weit das Auge reichte, wie das doch den menschenleeren Straßen heute glich, die vom Virus aus Wuhan verwüstet waren! Aber das Land heute und die Menschen heute waren viel heruntergekommener, gleichgültiger und grausamer. Ach, Kang Zhengguo*, der sich an der Universität Yale dem Alten China widmete – er änderte, nachdem er zweimal bei Familienbesuchen in der Heimat verhaftet worden war, eine bittere Erfahrung, die Zeile des spät-tangzeitlichen Dichters Wei Zhuang »Kehr nicht heim, bevor du alt, sonst bricht dein Herz dir bald« in »Kehr nie heim, ob jung, ob alt, sonst bricht dein Herz dir bald«, was eine Weile unter chinesischen Intellektuellen im Ausland sehr angesagt war. Zhuang Zigui wollte schon etwas sagen von ›geteiltem Leid‹ …, behielt es aber für sich. Erst eine ganze Weile später legte er die Flöte beiseite und suchte dem anderen Mut zu machen: »Wenn es doch überall gleich aussieht, dann mach es einfach wie Fang Fang*, die Schriftstellerin, und schreib ein *Tagebuch aus einer geschlossenen Stadt*!«

»Gute Idee. Aber Stadt, das ist zu groß. So weit reichen meine Augen nicht, ich schreibe, wenn ich sonst schon nichts tun kann, ein *Tagebuch im Lockdown* aus meiner Wohnung.«

Am nächsten Tag war es schon fast Mittag, als er aufwachte. Gewohnheitsmäßig öffnete er das Fenster zum Lüften, die Seuchenschutzpatrouille sah das von weitem, lief auf der Stelle herbei und führte einen Veitstanz auf. Er schloss das Fenster wieder, wusch sich, machte sich etwas zu essen, las und ging auf und ab: Küche – Wohnzimmer – Schlafzimmer, für eine Runde brauchte er, wenn er langsam machte, zwei Minuten, er ging dreißig Runden und machte außerdem dreißig Liegestützen. Anschließend machte er den Computer an und überlegte, wie er schreiben sollte. Er bedachte es von allen Seiten und kam zu dem Schluss, dass das kein Stoff für ein literarisches Werk war, sondern für einen soliden Tatsachenbericht.

2

Mit dem französischen Virengefängnis fing alles an

Durch die Fensterscheibe dringen Sonnenstrahlen ins Zimmer und erhellen das halbe Wohnzimmer, doch die Bäume draußen sind kahl und die Hochhäuser still und ohne jedes Geräusch, obwohl in jeder Wohnung Menschen sein müssen.

Ich heiße Ai Ding, geboren 1970, im Zeichen des Hundes, ich stamme aus einem Bergtal im Waldreservat von Shennongjia, Anfang der neunziger Jahre des vergangenen Jahrhunderts habe ich die Aufnahmeprüfung für Geschichte an der Universität Wuhan absolviert, danach den BA, MA und Doktor gemacht und schließlich an der Universität unterrichtet. Vor zwei Jahren habe ich einen akademischen Austausch beantragt und wurde auf Staatskosten als Forscher an die Uni Sowieso nach Deutschland geschickt. Bei Chinesen ist es alter Brauch, zu Neujahr nach Hause zurückzukehren, weshalb ich schon ein halbes Jahr im Voraus ein Hin- und Rückflugticket gebucht habe, das ist billiger. Nun hat sich die Situation in diesem Jahr plötzlich radikal geändert, und ich bin nolens volens hier gestrandet und schreibe auf Vorschlag des Exilschriftstellers Zhuang Zigui dieses Tagebuch, um mir die Zeit zu vertreiben.

Zhuang Zigui hat über sich selbst geschrieben: »Als Schriftsteller und politischer Gefangener in einem Imperium stand ich vor neun Jahren vor der Wahl: Exil oder Tod (einschließlich des geistigen Todes) – und tatsächlich, danach vegetiert die überwiegende Mehrzahl der im Lande gebliebenen Autoren mehr oder weniger nur noch vor sich hin. Lediglich Fang Fang hat offenbar begonnen, während der Epidemie in Wuhan ein Tagebuch zu schreiben ... und ob das nun gut geschrieben ist oder nicht, ob alles stimmt oder nicht: Tagebücher sind der beste Weg, um dem allgemeinen Gedächtnisverlust vorzubeugen, vor allem nach vielen weiteren Jahren, in denen dieses Imperium so viele bittere Erinnerungen geschaffen hat, wird die Zeit wieder gebraucht, in der das Volk und seine Schriftsteller nur noch vor sich hinvegetieren (den geistigen Tod eingeschlossen).«

Auch wenn ich kein talentierter Schriftsteller bin, will ich also der Sache trotzdem gewissenhaft auf den Grund gehen und durch all den Staub, der im Internet durch Gerüchte, Spekulationen und Faktenvermischung aufgewirbelt wird, die »Vorgeschichte« dieses überaus tödlichen Virus aus Wuhan nachzeichnen ...

Zunächst geht es zurück zur SARS-Pandemie im Jahr 2003. China hatte SARS nur als eine »atypische Lungenentzündung« bezeichnet oder einfach als »Atyp«. Tatsächlich entdeckt wurde SARS zuerst von dem italienischen Arzt Carlo Urbani: Am 26. Februar 2003 hat er in einem vietnamesisch-französischen Krankenhaus in Hanoi jemanden aus China, aus Kanton, der an der »Vogelgrippe« erkrankt war, behandelt, der Patient atmete schwach und schwebte in Lebensgefahr – aufgrund mehrfacher Röntgenaufnahmen und seiner jahrelangen klinischen Erfahrung kam Carlo Urbani zu der Diagnose, dass dieser Patient Nr. 0, ein Mann namens Johnny Chen (Chen Qiangni), an einer neuartigen, bisher unbekannten Infektion litt. Er informierte sofort die Weltgesundheitsorganisation in Genf: »SARS«, beschrieb er, »ist ein ›akutes Atemwegssyndrom‹ und extrem ansteckend, ich bitte, alle möglichen Vorkehrungen zu treffen, um eine Verbreitung der Epidemie zu verhindern.«

Anschließend traf er über diplomatische Kanäle einen Beamten des Gesundheitsministeriums von Vietnam, tauschte sich mit ihm aus und gewann die Aufmerksamkeit der Regierung. In der Folge wurden die Grenzen geschlossen, es wurde Seuchenalarm ausgelöst, landesweit wurden die entsprechenden Maßnahmen eingeleitet und außerdem auf der Stelle sämtliche Aufenthaltsorte des »Patienten null« nach seinem Grenzübertritt nach Vietnam abgecheckt – allein unter den Pflegekräften, die den »Patienten null« behandelt hatten, hatten sich sieben infiziert und mussten umgehend isoliert werden. Am 8. April hatte Vietnam die Ausbreitung von SARS schließlich unter Kontrolle gebracht. Von der Entdeckung des »Patienten 0« bis zum Ende der Epidemie hatte es lediglich 63 Infektionen und fünf Tote gegeben.

Carlo Urbani selbst allerdings ist SARS aufgrund seiner häufigen Behandlung von Infizierten zum Opfer gefallen. Am 29. März 2003 flog er nach Bangkok, fühlte sich nach der Landung nicht wohl und verlangte von sich aus seine Isolierung; da die Behandlung nicht anschlug, musste er aus dieser Welt scheiden. Einen halben Monat später gab die Weltgesundheitsorganisation bekannt, die Bezeichnung, die Carlo Urbani für diesen mutierten Coronavirus gefunden hatte, benutzen zu wollen, als Erinnerung an den Mann, der in Erfüllung seiner Pflicht sein Leben geopfert hatte: SARS.

Zur gleichen Zeit war auch China den Verwüstungen von SARS ausgesetzt, der überwiegende Teil der Menschen dort wusste jedoch nichts von Carlo Urbani, wusste auch nichts über die Seuchenbekämpfung im sozialistischen Bruderland Vietnam. Die chinesische Regierung setzte für ihre Bevölkerung vielmehr auf die üblichen Mittel: »Vertuschung« und »Lüge«. Am 3. April 2003 antwortete Gesundheitsminister

Zhang Wenkang auf einer Pressekonferenz des Staatsrates auf die Fragen von Journalisten: »In Peking-Stadt gab es lediglich zwölf Fälle von Atyp (SARS) und drei Todesfälle, in China ist Atyp bereits effektiv unter Kontrolle ... Touristen und Geschäftsreisende sind in China willkommen, ich garantiere für ihre Sicherheit, mit oder ohne Mundschutz, es ist alles sicher.«

Der an vorderster Linie stehende Militärarzt Jiang Yanyong erfuhr diese Lüge aus den Fernsehnachrichten und war außer sich, gab es doch zu diesem Zeitpunkt allein in den Armeekrankenhäusern 301, 302 und 303 über einhundert Infizierte und neun Todesfälle. Sofort schrieb er an das Chinesische Zentralfernsehen und das Phönix-Satellitenfernsehen eine Mail, es kam aber keinerlei Reaktion; darum stellte er sich hin und gab dem amerikanischen *Time Magazine* und dem *Wall Street Journal* ein Interview, der wohlmeinende Journalist sagte noch: »Sie können auch anonym bleiben.«

Doch er sagte: »Wenn ich anonym bleibe, ist, was ich sage, nicht glaubhaft, aber alles, was ich sage, beschreibt die wahre Situation, ich nehme diese Verantwortung auf mich. Wir haben eine Verfassung, die mich schützt. Trotzdem bin ich natürlich auf das Schlimmste vorbereitet.«

Wenn ein Mensch einmal in seinem Leben Mut zeigt, dann genügt das, um in die Geschichte einzugehen. Wenig später konnte das Zentralkomitee der Kommunistischen Partei nicht mehr anders, als das wahre Ausmaß der Epidemie zuzugeben und landesweit Seuchenschutzmaßnahmen zu ergreifen. Wir alle erinnern uns, dass damals an allen Autobahnausfahrten Kontrollstationen und kurzfristige Quarantäneräume errichtet wurden. Alter Essig und Indigowurzeln waren ausverkauft, in Kanton wurde eine Flasche weißen Essigs auf 1000 Renminbi hochspekuliert, es hieß, der Essig helfe gegen die Seuche. Alles in allem wurde SARS flächendeckend unter Kontrolle gebracht. Damals führte Generalsekretär Hu Jintao aus, niemand dürfe etwas verheimlichen und Unwahrheiten über die Epidemielage verbreiten. Bald darauf wurden Gesundheitsminister Zhang Wenkang und Pekings Bürgermeister Meng Xuenong ihrer Posten enthoben.

Und siebzehn Jahre später? Jiang Yanyong ist mittlerweile ein alter Mann und Li Wenliang, der Whistleblower, der in seine Fußstapfen getreten ist, hatte die Nachricht kaum in seiner WeChat-Freundesgruppe verbreitet, als die Polizei ihn schon ermahnte, acht Ärzte, die ähnliche Lügen verbreitet hätten, wurden gezwungen, ihre Schuld einzugestehen und zu schweigen. Hätten sie sich alle wie Jiang Yanyong von ausländischen Medien interviewen lassen, wären sie dann nicht am Ende sogar als konterrevolutionäre Vereinigung angeklagt worden? Denn jetzt kamen »Vertuschung« und »Lüge« nicht mehr vom Gesundheitsminister, sondern vom amtierenden Kaiser.

Man kann sagen, dass SARS 2003 aus dem Nichts gekommen war und wieder spurlos verschwunden ist, »Patient 0« war in Vietnam gewesen, nicht in China, so war niemand sonderlich beunruhigt, und im Vergleich mit den Millionen und Abermillionen Menschen, die die politischen Kampagnen seit 1949 gekostet hatten, fiel SARS gar nicht auf. Auch bei dem Massaker vom 4. Juni 1989, das noch verhältnismäßig kurz vorbei war, waren Tausende Menschen gestorben.

Niemals wäre also wohl jemand auf die Idee kommen, dass das P4-Labor des Vireninstituts von Wuhan einmal mit SARS in Verbindung zu bringen wäre – und dass es nach siebzehn Jahren einen »Nestverdacht« für ein neuartiges Coronavirus von dort geben würde, das die Welt verändern sollte.

***

8. Januar 2018, ein langer Bericht im chinesischen Wissenschaftsnetz Über den Aufbau und das Forschungsteam des P4-Labors der Virologie Wuhan der Chinesischen Akademie der Wissenschaften, olle Kamellen: »*Im Februar 2003 hat Hu Zhihong, damaliger Leiter des Virenforschungsinstituts Wuhan der Chinesischen Akademie der Wissenschaften, überraschend einen Anruf von Chen Zhu, dem stellvertretenden Leiter der Chinesischen Akademie der Wissenschaften, erhalten, ob er willens sei, den Aufbau eines P4-Labors in Wuhan zu übernehmen … Vom 5. bis zum 11. April hat Yuan Zhimin, der spätere Leiter des Virenforschungsinstituts von Wuhan, im Gefolge von Chen Zhu Frankreich besucht, um mit der französischen Seite eine Kooperation in einem P4-Forschungslabor-Projekt zu verhandeln … Das weltweit führende P4-Labor in Lyon war ein Privatunternehmen der Familie Mérieux*[*], *später ist es dem* Institut national de la santé et de la recherche médicale *überantwortet worden … Die bilateralen Gespräche zwischen China und Frankreich brachten substanzielle Fortschritte. Noch am gleichen Abend ließ Wang Shaoqi, der chinesische Botschafter, Yuan Zhimin in einem abgesicherten Raum der Botschaft einen an die 10 000 Schriftzeichen umfassenden internen Machbarkeitsbericht nach China schicken …*

Die Inhalte, für die die Auslassungspunkte in obigem Text stehen, wurden von der Internetpolizei eliminiert. Diesen an die 10 000 Zeichen umfassenden Bericht musste Jiang Mianheng, Sohn von Jiang Zemin und Leiter der Chinesischen Akademie der Wissenschaften, mit Sicherheit absegnen lassen und dafür dem Politbüro des Zentralkomitees der Kommunistischen Partei Chinas und dem Kreis der Veteranen der ersten Stunden, soweit sie noch bei guter Gesundheit waren, ganz im Sinne der aus den Zeiten Mao Zedongs verbliebenen Tradition als »internes Dokument« zur Lektüre vorlegen.

Und erst nach allgemeiner Kenntnisnahme gab es dann am 28. Mai auf der Homepage der Chinesischen Akademie der Wissenschaften folgende Nachricht:

Der stellvertretende Institutsleiter Chen Zhu hat in Wuhan die Virologen Jean-Claude Manuguerra und June Almeida vom französischen Forschungsinstitut Louis Pasteur getroffen und mit den französischen Spezialisten Gespräche geführt u. a. über die gegenwärtige Forschung zum SARS-Virus, die Mutationen des Virus und Theorien zum Ausbruch der Krankheit, beide Seiten hoffen auf eine Intensivierung der Zusammenarbeit, um gemeinsam neuen Herausforderungen, vor denen die Menschheit steht, zu begegnen.

Alle nachfolgenden Berichte blieben eher wortkarg, erst am 31. Dezember 2019 resümierte wieder eine Nachricht des *Chinese Business Network*:

Das Projekt war, in China nach dem Modell »Schachtel in der Schachtel« des Lyoner P4-Labors mit Hilfe der Mérieux' aus Frankreich zu bauen. Nach dem Ausbruch der SARS-Epidemie 2004 hatte der damalige französische Staatspräsident Chirac während eines China-Besuchs vorgeschlagen, das Projekt bis Anfang 2015 abzuschließen und zu übergeben, am Ende ging es Anfang des Jahres 2018 offiziell in Betrieb, insgesamt eine Zeitspanne von fast fünfzehn Jahren ... Die Errichtung eines P4-Labors in Wuhan auf seinerzeit höchstem technischen Stand in chinesisch-französischer Kooperation geriet unter gewaltigem Druck aus anderen Industrienationen. Deshalb musste Alain Mérieux aus der dritten Generation der Familie praktisch alle seine Beziehungen in der französischen Politik spielen lassen, um sie am Ende von *der Zusammenarbeit zwischen der französischen und der chinesischen Seite zu überzeugen ... Von Lyon bis nach Wuhan, das P4-Labor war auch ein Muster für »One Belt, One Road«, die »Neue Seidenstraße«.**

Ein »P4« gilt als »Hochsicherheitsvirengefängnis«, es soll zehn hintereinandergeschaltete Schutztüren geben, solange eine Tür nicht sicher verschlossen ist, kann die nächste nicht bedient werden, zudem sollen sie mit einem automatischen Alarm ausgestattet sein. In diesem Gefängnis sitzen ausschließlich die weltweit gefährlichsten »Verbrecher« ein, kommt es hier zu einem Ausbruch, gibt es eine gewaltige, nicht wiedergutzumachende Katastrophe. Trotzdem hat man sich tatsächlich keine fünfzehn Jahre Zeit für den Bau des P4 gelassen. Und warum musste Alain Mérieux »alle seine Beziehungen in der französischen Politik spielen lassen«, um dieses Modell für die »Neue Seidenstraße« auf Biegen und Brechen zum Abschluss zu bringen?

Am 25. Januar 2020 berichtete das französische Fernsehen über »Gründe für Kontroversen über das sino-französische Kooperationsprojekt für ein Wuhaner P4-Virenlabor« und füllte damit die Leerstellen der oben zitierten Nachricht:

... Die Forderungen der chinesischen Seite hatten zu Differenzen zwischen der französischen Regierung und Virenspezialisten geführt, denn selbst wenn das chinesische Virenzentrum in der Lage war, eine plötzlich ausbrechende Vireninfektion niederzuschlagen, so gab es doch französische Spezialisten, die besorgt waren, dass die chinesische Seite die von Frankreich gelieferte Technik für die Entwicklung chemischer Waffen nutzen könnte, der französische Geheimdienst hatte seinerzeit eine dringliche Warnung an die Regierung ausgespro-

chen ... Dennoch unterzeichneten die chinesische und die französische Seite mit der Unterstützung des damaligen Premiers Raffarin 2004 anlässlich des China-Besuchs von Chirac das Kooperationsabkommen. Frankreich sollte China beim Aufbau eines P4-Virenzentrums unterstützen, wobei der Vertrag allerdings festlegte, dass Peking die Technologie nicht für aggressive Handlungen nutzen durfte. Der Vertrag hatte also bereits zum Zeitpunkt seiner Unterzeichnung zu Unstimmigkeiten geführt, Raffarin hatte damals erklärt: Die Regierungschefs beider Länder hätten den Kooperationsvertrag unterschrieben, aber anschließend hätten die Verwaltungsabteilungen auf vielfältige Weise Steine in den Weg gelegt ... Der französische Auslandsnachrichtendienst, die Generaldirektion für Äußere Sicherheit, wies darauf hin, ursprünglich sei geplant gewesen, dass das Konstruktions- und Planungsbüro RTV aus Lyon die Verantwortung für das Laborprojekt übernehmen solle, aber 2005 habe die chinesische Regierung die Verantwortung für das Projekt in Wuhan dem Planungsbüro IPPR (China IPPR International Engineering Corporation) übertragen, obwohl nach Untersuchungen der französischen Sicherheitsabteilung die IPPR Engineering Corporation geheime Kontakte zu dem chinesischen Militär unterstellten Abteilungen unterhielt, Abteilungen, die schon früher im Fadenkreuz des CIA gestanden hatten. Wegen der oben genannten Sicherheitsbedenken wurde die konkrete Umsetzung des Vertrages immer wieder verschoben; dazu kam 2008 die außenpolitische Krise zwischen China und Frankreich, was letztlich dazu führte, dass das Wuhan-Viren-Zentrum erst 2017 offiziell seiner Bestimmung übergeben werden konnte. Der damalige französische Premierminister Bernard Cazeneuve war bei der feierlichen Eröffnung anwesend ...

Das »Hochsicherheitsvirengefängnis«, eine der eminentesten Kristallisationen der Freundschaft zwischen der chinesischen und der französischen Regierung, war am Ende doch noch fertiggestellt worden, Proben der fürchterlichsten »Verbrecher« aus der natürlichen Welt wurden gesammelt und hier in Gewahrsam genommen. Es stimmt schon, hier konnte man zum Segen der Menschheit Impfstoffe entwickeln, aber wenn nun doch ... Gauguin, der spätimpressionistische Maler, hat einmal gesagt: »Es gibt Gift, und es gibt Gegengift.« Damit war gemeint, »solange man kein Gegenmittel hat, darf man kein Gift produzieren«. Außerdem: Gelangt ein Gegenmittel in die Hände paranoider Diktatoren, kann die ganze Welt zum virenkontrollierten Gefängnis werden, womit der Traum verschiedener Despoten wie Hitler, Stalin und Mao Zedong zuletzt in Erfüllung ginge: Ihre Nachfolger wären die Gefängnisdirektoren der gesamten Menschen- und Tierwelt.

***

Die Straßenlampen gingen an, die dürren Äste vor dem Fenster schwankten, und es wirbelten, in Changsha eine Seltenheit, ein paar Schneeflocken vorbei. Ai Ding stellte die Klimaanlage auf Heizung, fror aber immer noch, also wärmte er sich, längs auf dem Sofa liegend, unter einer Bettdecke. Plötzlich tat es draußen einen Schlag, erschrocken sprang er auf und verrenkte sich den Hals, um etwas sehen zu können. Alles was er sah, war, dass jemand aus dem Fenster gestürzt war, er lag auf der öffentlichen Rasenfläche, noch zuckend, sein Kopf aber war zerplatzt wie eine Wassermelone, und das rosafarbene Melonenfleisch blühte im Straßenlicht.

Die Schallisolierung des Fensters war nicht schlecht, im Erdgeschoss konnte Ai Ding das Geheul von weiter oben lediglich vage wahrnehmen. Nach einer Weile kam ein Leichenwagen, der Mensch, der gesprungen war, wurde in einen

Leichensack gepackt, noch immer wirbelten Schneeflocken, und alle Welt war still wie davor. In den folgenden Tagen kam der Leichenwagen noch drei-, viermal, immer am helllichten Tag.

Ai Ding ging das ziemlich an die Nieren, er schenkte sich ein Glas ein und suchte, um sich zu trösten, einen Band der Song-Dichterin Li Qingzhao* heraus. Er blätterte bis zum Gedicht *Laute langsam*:

Such' her, such' hin, so einsam bin, wie grimm, wie grau,
    wie grimm.
Warm, wo Frost noch, ist doch mehr als schlimm.
Zwei, drei Gläser, heller Wein, hilft er gegen kalten Wind?
Wildgans zieht, das Herz tut weh, kenne es aus alter
    Zeit ...
Allein, am Fenster, wie ertragen diese Dunkelheit ...

Ai Ding murmelte: »Von wegen Li Qingzhao, das bin ich, Ai Ding, da gibt's kein Vertun. Nichts, was die Alten nicht schon geschrieben hätten.« Dann trank er in einem Zug aus und meldete sich auf Skype bei Zhuang Zigui.

Zhuang erschien, zehntausend Meilen entfernt, aber auf der Stelle, ein immer noch grinsender großer Glatzkopf. Ai Ding war ein wenig bedudelt und rief: »Und dein Glas? Und Schnaps?«

Zhuang antwortete: »Hier ist mal gerade Mittag vorbei, bisschen früh zum Trinken.«

»Spielverderber.«

»Gut, gut, ich gieß mir einen ein. Hey, hast du überhaupt genug Vorrat?«

»Mein Schwiegervater ist eine Schnapsdrossel, natürlich habe ich genug. Was machst du gerade?«

»Ich lese *Gefangener Mao Zedongs*, im Januar 1989 erschienen im Qiushi-Verlag, der Autor ist chinesisch-französischer Herkunft, heißt Jean Pascalini, am Vorabend des Antijapanischen Widerstandskriegs geboren, spricht er vier Sprachen und ist, weil er für die Amerikaner übersetzt hat, vor 1949 nicht mehr rechtzeitig weggekommen und dann von der kommunistischen Armee in der Kampagne zur Unterdrückung von Konterrevolutionären* zum ›historischen Konterrevolutionär‹ gemacht worden. 1957 haben sie ihn zu zwölf Jahren verurteilt. 1964 wurde er mit der Aufnahme diplomatischer Beziehungen zwischen China und Frankreich amnestiert und ist zurück nach Frankreich. Ich les dir mal den Anfang vor: ›Freitag Nachmittag, der 13. November 1964, ein politischer Gefangener wird an einer Grenzkontrolle in Shenzhen, China, freigelassen. In diesem Jahr haben China und Frankreich einander formell anerkannt, und als Geste besonderer Milde hat die chinesische Regierung mich amnestiert …‹«

»Erinnere mich, Frankreich war der erste demokratische Staat aus dem Westen, der mit der KPCh diplomatische Beziehungen aufgenommen hat.«

»Stimmt, Frankreich hat eine linke Tradition, Sartre, der Philosoph, war sogar mal in Peking am Tian'anmen zu einer Audienz bei Mao Zedong. Während der Kulturrevolution haben viele aus dem Westen ganz erwartungsvoll nach China geschaut, die sind dann in der Studentenbewegung 1968 mit roten Armbinden auf die Straße und haben demonstriert, die rote Kulturrevolution war *in* … aber das Buch hier, *Gefangener Mao Zedongs*, war im Westen ebenfalls ein Bestseller, und wer das gelesen hat, das kann man mit Fug und Recht sagen, dem sollte klargeworden sein, was es mit der kommunistischen Diktatur chinesischer Couleur wirklich auf sich hat. Etwa im folgenden Abschnitt: ›Das Hauptziel einer Gehirnwäsche ist, einfach gesagt: die Unterwerfung unter einen fremden Willen. Sobald das gewährleistet ist, soll aus der erzwungenen Unterwerfung eine aufrichtige und aus der aufrichtigen schließlich eine fanatische Unterwerfung werden, alles nicht schwierig. Die Frage ist, wie groß die Autorität von Behörden sein kann. Damals war ich mit der omnipräsenten Macht dieser Autoritäten noch nicht in Kontakt gekommen, aber wenig später wusste ich es. Es brauchte nicht lange, und auch ich hatte mich unterworfen.‹«

»Danke, mein Freund. Leider unterliegen die Franzosen bis heute ihrem Wunschdenken, ein Fehler. Ich habe deine Anregung übrigens aufgenommen, ich schreibe ein *Tagebuch im Lockdown*, und während ich nach einem ersten Hinweis suche, einem Durchbruch zum Ursprung des Coronavirus, worauf stoße ich da gleich als Erstes? Auf das P4, Ursprungsort: Lyon, Frankreich. Wenn sie dort den Abschnitt, den du gerade vorgelesen hast, gelesen hätten, bevor sie sich zu dieser Kooperation entschlossen, hätten sie, frage ich mich, trotzdem daran festgehalten?«

»Das ist nur ein Buch. Die Globalisierung des Kapitalismus wird nicht wegen eines Buches unterbrochen. In China sind über hundert Millionen Menschen verhungert und in Kampagnen totgeschlagen worden, über all das gibt es Aufzeichnungen, alle sind im Westen erschienen, hat es was geändert? Beim Massaker vom 4. Juni 1989 waren so viele westliche Journalisten vor Ort, die haben so viele blutige Szenen aufgezeichnet – und ein paar Jahre später ... ist nicht auch da Gras drüber gewachsen? Der chinesische Markt ist zu groß und zu billig, den brauchen sie alle ...«

»Russland ist auch groß und billig.«

»Der Westen ist Putin gegenüber immer schon auf der Hut gewesen, den Russen hätte Frankreich nicht beim Bau eines P4 geholfen.«

»Und bei China geht das? Xi Jinping ist doch wohl kaum weniger Diktator und keine kleinere Gefahr als Putin!? Aber Tatsache ist ...«

»Tatsache ist dieses Virus, verdammt, lass uns nicht davon sprechen. Ich les dir noch einen anderen Abschnitt vor: ›Ich verbrachte fünfzehn Monate im Untersuchungszentrum, bekam nur einmal am Tag etwas Reis, Fleisch überhaupt nie. Sechs Monate nach meiner Verhaftung war mein Bauch vollkommen eingefallen, die Gelenke wurden allein vom Kontakt des Körpers mit dem Bettzeug wund, typische Symptome. Die Haut an meinem Gesäß hing schlaff herunter wie die Brüste einer alten Frau. Meine Sehkraft ließ nach, und ich konnte mich nicht mehr konzentrieren. Mein Vitaminmangel war so schlimm, dass ich meine Zehennägel ohne Schere abbrechen konnte. Meine Haut konnte man in trockenen Schuppen abkratzen. Mir fielen die Haare aus. Kurz: Ich war in einem erbärmlichen Zustand … Wir hatten aufgrund der Ernährung physische und psychische Störungen in einem Ausmaß, dass wir nicht mehr bei klarem Verstand waren. Für etwas zu essen hätte ich alles getan. Das war die beste Zeit für Verhöre …‹«

3

Wer isst Fledermäuse?

Die Toten waren nicht mehr zu zählen, die meisten Infizierten kamen nicht einmal mehr in ein Krankenhaus, und die wenigen, die in eine der völlig überforderten Kliniken gebracht wurden, konnten sich auch nur noch in einem der Korridore krümmen und anlehnen, wer sich hinlegen konnte, konnte von Glück sagen. Das Pflegepersonal hatte ebenfalls Angst, sich anzustecken, es gibt ein Video, in dem eine Krankenschwester in einer Klinik in Wuhan zusammenbricht und sich weinend gegen die Brust schlägt, eine weitere sie in den Arm nimmt und selbst auch schluchzt und bebt. Am Bürotisch schreit der Schichtleiter mit heiserer Stimme ins Telefon: »Nichts mehr da! Seit drei Tagen und drei Nächten wagt niemand mehr, die Schutzkleidung auszuziehen, wenn man sie auszieht, bekommt man sie nicht mehr an, weil die Nähte aufplatzen. Eine ganze Reihe von Krankenschwestern ersetzt die Schutzkleidung schon durch Regenklamotten … Was sollen wir denn machen? Die Tests sind längst aus – womit sollen wir denn Diagnosen erstellen, womit sollen wir behandeln? Hört auf zu quatschen und schickt auf der Stelle Nachschub, oder schickt Leute für eine neue Schicht …«

Das Internet glühte, in einem mit »Lu Wen« unterschriebenen *Bericht eines Krematoriumsarbeiters* war zu lesen: »Nach dem 10. Januar 2020 haben die Krematorien keine Trauer- und keine Abschiedsveranstaltungen mehr gemacht, kein buddhistischer Mönch, kein Dao-Priester hat den Toten noch die Übergangssutren gelesen, und auch Trauergäste waren nicht mehr zu sehen. Aus Angst vor Infektionen mit dem neuen Coronavirus hat man in den oberen Etagen darauf geschaut, dass derlei Aktivitäten unterbleiben ... Die Leichen aus den Leichenwagen stapelten sich, frisch ausgeladen, kreuz und quer vor den Ofentüren, man konnte kaum mal noch Luft holen oder den sterblichen Überresten irgendeine Ehre erweisen, und natürlich blieb auch keine Zeit, die Arbeiter an den Öfen bei der Registrierung von Namen und Passnummern der Verstorbenen zu unterstützen, ganz zu schweigen davon Ordnung in Hinterlassenschaften wie Geld und Handys zu bringen ... Einmal haben wir an einem Tag 127 Leichen abtransportiert, mit vier Autos, die Verbrennungsöfen waren am Limit, 116 Leichen eingeäschert, die restlichen 11 sollten am nächsten Tag verbrannt werden. Leichensäcke waren Mangelware ... während wir ein wenig verschnauften, wussten wir schon, in der Hebin-Straße, Distrikt Sanyuan, waren zwei Leichen abzuholen, am Vier-Düfte-Apartment-Haus weitere drei, aber wir wollten noch auf Anrufe warten, bis acht Leichen zusammen waren, bevor wir loszogen, damit wir nicht nach einem Anruf auf halbem Weg wieder umkehren müssten, um am Fluss im Cuiye-Wohnviertel noch einen frisch Verstorbenen abzuholen. Zu der Zeit sind viele in den Fluss gegangen, aber das Wasser war niedrig und wollte die Toten nicht wegschaffen, sie gingen unter, tauchten wieder auf, sind schließlich am Flussdamm gestrandet, und die Polizeiwache vor Ort hat uns gerufen ...«

Nach außen scheinbar ausgestorben, war die Drei-Städte-Metropole Wuhan* unter der Oberfläche ein einziges chaotisches Durcheinander geworden. Neun Millionen in ihren Käfigen eingesperrte »Gefangene« drängten ins Internet, um sich Luft zu machen. »Wie konnte es dazu kommen?«, schlugen die Emotionen hoch, und: »Wer ist dafür eigentlich verantwortlich?«

Die erste Zielscheibe wurde Zhou Xianwang, der Bürgermeister von Wuhan, der schon früh gewusst hatte, wie schlimm das Virus war – warum hatte er es verheimlicht? In einem Interview mit dem Zentralfernsehen am 27. Januar antwortete er ausweichend: »Als regionale Regierung durfte ich erst nachdem ich Nachricht und Autorisierung hatte, die Öffentlichkeit in Kenntnis setzen, in der Sache war damals noch vieles unklar ... Später, insbesondere nach der Sitzung des Ständigen Ausschusses des Staatsrats am 20. Januar ... war Verantwortung vor Ort gefordert, danach ist unsere Arbeit sehr viel eigenverantwortlicher geworden ...«

Das hieß: Wir berichteten bei Hofe über die Seuchenlage, aber noch ohne oberste Direktiven wagten wir nicht, öffentlich zu informieren, erst als später, am 20. Januar, der amtierende Kaiser seinen Goldmund aufgetan, »ist unsere Arbeit sehr viel eigenverantwortlicher geworden«. Zwischen den Zeilen sollte das bedeuten: »Willst du den Schuldigen sehn, musst du zum Kaiser gehn.« Wenn man den Hasen in die Enge treibt, beißt er, so war auch dieser Kerl, er baute vor, damit man ihn nicht in der Zukunft verantwortlich und zum Bauernopfer machen konnte, als warnendes Beispiel und um das Reich zu besänftigen.

Kaum hatte er das kundgetan, wurde natürlich der Kaiser höchstselbst zur allgemeinen Zielscheibe, auch wenn man nicht wagte, seine Wut offen auszusprechen, aber die Gerüchteküche über interne Zwistigkeiten bei Hofe brodelte nur so. Der Aufruf zum Kreuzzug *Ein wütendes Volk hat keine Angst mehr* von Professor Xu Zhangrun* von der Qinghua-Universität ging im Netz viral, die Netzpolizei schaffte es nicht, ihn zu löschen, es half nicht einmal, auf WeChat und Weibo mehrere hunderttausend Accounts zu sperren. Danach richtete

Dr. Xu Zhiyong eine »Rücktrittsforderung« an den Kaiser, die erneut enorme Wellen schlug. Bis zuletzt noch ein »Nachrichtenbild« auftauchte mit dem »positiv getesteten« Kaiser im Bett, das kommentiert wurde: »Verdammt nochmal, noch immer kein ›Selbstkritischer Kaisererlass‹, ist es wirklich so schwer, bei den alten Kaisern und Königen einfach mal die Hausaufgaben abzuschreiben?«

An diesem Punkt verlor der Kaiser seine Geduld, es erging ein kaiserlicher Erlass, Xu Zhangrun und Xu Zhiyong zu verhaften, und er gab an, oberste Direktiven seien längst mehrfach an die nachgeordneten Stellen übermittelt worden, ein Beispiel: »Als ich am 7. Januar den Vorsitz bei einer Sitzung des Ständigen Ausschusses des Zentralkomitees führte, habe ich Seuchenschutzmaßnahmen gegen die Pneumonie des neuen Coronavirus gefordert.« Um welche Maßnahmen es dabei ging, sagte er allerdings nicht, und niemand konnte es herausfinden. Was man hingegen finden konnte, war folgende Neujahrsadresse des Kaisers: »2020 ist ein Jahr von meilensteinhafter Bedeutung, wir werden umfassend zu einer Gesellschaft mittlerer Einkommen* werden und damit unser erstes Jahrhundertziel erreichen. Außerdem wird 2020 das Jahr sein, in dem wir im entschlossenen Kampf gegen die Armut endgültig den Sieg erringen und mit diesem entschlossenen Sieg über die Armut werden wir im vorgesehenen Zeitrahmen die vollständige Befreiung der nach gegenwärtigen Standards bisher in Armut lebenden Landbevölkerung aus dieser Armut und die vollständige Rehabilitierung bisher armer Gemeinden umsetzen.«

Selbst wenn zwischen dieser Neujahrsadresse des Kaisers und dem Coronavirus beim besten Willen keine direkte Brücke zu schlagen ist, so war doch immerhin der erste Coronavirus-Hotspot, der Meeresfrüchtegroßmarkt von Hua'nan, eben am Neujahrstag, dem 28. Januar, geschlossen worden, und Li Wenliang, Augenarzt am Zentralkrankenhaus von Wuhan, war gleichfalls am Tag dieser kaiserlichen Neujahrsadresse um halb zwei Uhr morgens beim städtischen Hygiene- und Gesundheitskomitee vorgeladen, um sich für die Verbreitung des Gerüchts »in Wuhan wird eine Pneumonie des SARS-Coronavirus ausbrechen« zu rechtfertigen, noch vor Arbeitsbeginn am frühen Morgen wurde er weiterhin von der Kontrollabteilung der Klinik zu einem Treffen geladen und gezwungen, eine »Selbstkritik und Reflexion über die Weitergabe von unwahren Nachrichten« zu schreiben. Am 3. wurde er von der Polizei auf die Wache vorgeladen, um eine »Schriftliche Verwarnung« zu unterschreiben. Insgesamt hatten acht Ärzte, vielleicht auch mehr, »Gerüchte« in Umlauf gebracht, sie wurden dafür vom Zentralfernsehen, ohne Namensnennung, öffentlich ermahnt. Dabei hatten sie lediglich per WeChat Kollegen, Verwandte und Freunde über die lebensgefährliche Lage in Kenntnis gesetzt – denn schon am 15. Dezember hatte das Zentralkrankenhaus von Wuhan einen Patienten mit »Pneumonie unbekannten Ursprungs« aufgenommen, in dem halben Monat danach war die Zahl auf 27 und weitere vier Tage später auf 59 gestiegen, und alle hatten engen Kontakt mit dem Meeresfrüchtegroßmarkt von Hua'nan gehabt.

Das »Gerücht«, SARS erlebe nach siebzehn Jahren ein Comeback, ging zusammen mit der Schließung des Großmarkts genauso in den Straßen und Gassen dieser Stadt von Mund zu Mund wie die kaiserliche Neujahrsadresse von der »meilensteinhaften« Bedeutung. Einer erzählte es dem anderen, und am Ende wusste jeder Bescheid – selbst wenn niemand bereit gewesen wäre zuzugeben, dass er an der »Gerüchteverbreitung« beteiligt war, denn das Verbreiten von Gerüchten stand unter Strafe. Wurdest du denunziert, konnte die Polizei schnell an deine Tür klopfen und dich verhaften. Nach Berichten innerchinesischer Internetmedien war auch der Leiter des Chinesischen Zentrums für Krankheitskontrolle und Prävention, Gao Fu, bis dahin völlig im Unklaren geblieben. Am Abend des 30. Dezember 2019 bekam er nur durch Zufall über das nach SARS eingerichtete landesweite Internetmeldesystem für Infektionskrankheiten in Krankenhäusern folgende »Dringlichkeitsmitteilung« zu Gesicht:

Laut einer Dringlichkeitsmitteilung von höherer Stelle sind auf unserem Hua'nan Meeresfrüchtegroßmarkt mehrere Erkrankungen infolge mit einer Pneumonie ungeklärter Herkunft aufgetreten, zur Verbesserung der Rückmeldearbeit werden alle Einheiten gebeten, unverzüglich alle Patienten mit einer Pneumonie unbekannten Ursprungs, die mit ähnlichen Symptomen in der vergangenen Woche ärztlich behandelt wurden, zu überprüfen und statistisch zu erfassen; Statistiken und Berichte sind mit amtlichem Siegel bis heute Nachmittag spätestens vier Uhr an das Städtische Komitee für Hygiene und Gesundheit, Abteilung Krankenhausverwaltung, zu schicken.

Gao Fu fuhr der Schreck ordentlich in die Glieder, er griff umgehend zum Telefon, um sich die Sache bestätigen zu lassen, es stimmte, und so erstattete er umgehend dem Staatsrat Bericht. Prompt wurde am nächsten Morgen das erste Team von Seuchenspezialisten nach Wuhan geschickt. Aber sie kamen letztendlich zu dem Resultat: weder klare Übertragung von Mensch zu Mensch noch Ansteckungen beim Krankenhauspersonal festzustellen: »Alles unter Kontrolle!«

Demnach wurde der weniger gebildete Kaiser von seinen Experten »über die wahre Lage an der Front belogen« und zum Narren gehalten, weshalb er sich auch selbst nicht genau erinnern konnte, welche Direktiven er am 7. Januar auf der Sitzung ausgegeben hatte. Im schlechtesten Falle waren es genau die falschen gewesen – denn in den beiden nachfolgenden Wochen fanden in Wuhan nicht nur der Provinz-Volkskongress und die Politische Konsultativkonferenz noch statt, sondern ebenfalls das »Gastmahl der zehntausend Familien«, ein Großereignis zum chinesischen Neujahrsfest, und nicht zuletzt fiel in diese Zeit der Höhepunkt der traditionellen Neujahrsreisen in China, über fünf Millionen auswärts arbeitende Menschen kehrten nach Hause zurück, um das chinesische Neujahr zu feiern* ...

Dieses Jahresende wurde so ein heller Wahnsinn. Der Hochgeschwindigkeitszug, der direkt auf einen Abgrund zu-raste, wurde erst am 20. Januar aufgrund der Aussage der SARS-Autorität Zhong Nanshan, »es gibt Mensch-zu-Mensch-Übertragung«, abrupt abgebremst, ein augenblicklicher Schock für alle.

Lockdown der Stadt, nur leider zu spät.

***

Jetzt war man vom Hua'nan Meeresfrüchtegroßmarkt als Ursprungsort der Pneumonie in Wuhan fest überzeugt, offizielle Aufzeichnungen zeigten, dass die ersten Infizierten ausnahmslos Händler und Kunden von hier waren. Auf dem Markt gab es Areale mit Wildtierständen, dort soll es u.a. Larvenroller,* Ameisenbären, Affen, Hirsche und Wildhasen gegeben haben, aber auch Fledermäuse, die ursprünglichen Wirte des neuen Coronavirus, sollen darunter gewesen sein.

Wider alle Erwartung blieb die Schuld, die von den Wuhanern überall gesucht worden war, nun ausgerechnet an der unguten »Vorliebe der Menschen in Wuhan für Wildtiere« hängen! Sogar eine gefakte Videowerbung für »geschmorte Fledermaus« tauchte im »richtigen Augenblick« auf und kursierte im Netz: Auf einem kaiserlichen Boot mit medizinischen Speisen, die Klänge einer alten Qin mäanderten um das Gebälk, fischte eine historisch gekleidete Schöne aus einer kleinen Suppenschale mit spitzen Fingern ein Fledermausskelett, steckte es in den Mund und schmatzelte genüsslich. Im Untertitel wurde erklärt, im *Buch des Gelben Kaisers zur Inneren Medizin** stehe: Diese Suppe tut wundersame Wirkung, sie erhält jugendliches Aussehen, feuchtet die Lungen, nährt das Yin, stärkt das Yang, verlängert das Leben und vieles mehr …

Es war eine ausgesprochen infame Bauernfängerei: In Wuhan starben Tag für Tag Menschen, auf Regierungsseite wurde vertuscht und gelogen und dabei der Öffentlichkeit Hunderte Male insinuiert, dass eigentlich die Menschen in Wuhan sich das alles durch ihre Fresslust selbst eingebrockt hätten! Das rückte auch die alte Geschichte von 2003 wieder ins Gedächtnis, nach der sich die Menschen in Kanton durch den Verzehr von Larvenrollern mit SARS infiziert hätten. Zuletzt trat noch die Fledermaus-Reckin Shi Zhengli aus dem P4-Labor an die Öffentlichkeit und »stellte« über WeChat »richtig«:

Gerne weiterleiten. Die neuartige Corona-Pneumonie ist eine Strafe der Natur für unzivilisierte Lebensgewohnheiten der Menschen. Ich, Shi Zhengli, stehe mit meinem Leben dafür ein, dass das Ganze nicht mit dem Labor in Verbindung steht. Den Menschen, die Gerüchten ungesunder Medien glauben und sie verbreiten, den Menschen, die der unzuverlässigen sogenannten »akademischen Analyse« indischer Gelehrter glauben, möchte ich raten, haltet eure Stinkfressen, und zugleich die schlagende Nachricht verbreiten, dass diese indischen Gelehrten den Vorabdruck ihres Artikels zurückgezogen haben.

Wenn eine Expertin vom Range Shi Zhenglis, obwohl Gerüchten grundsätzlich nicht geglaubt werden sollte, ein eindeutiges Gerücht heranzieht, um ihre Unschuld zu beweisen, und dann noch allen einen Maulkorb verpassen will, ist sie damit nicht diktatorischer als der amtierende Kaiser höchstselbst? Und dabei bist du nicht mal Kaiser. In der Folge standen zahlreiche Anwohner, die den Hua'nan Meeresfrüchtegroßmarkt von gut kannten, persönlich dafür ein, dass es im gesamten Gebiet von Wuhan keine Fledermäuse gebe*, und selbst wenn sie aus anderen Gegenden eingeführt worden wären: so wie die Fledermäuse aussähen, würde niemand die zu essen wagen. Und was das andere Wildbret angehe, das sei teuer, die überwiegende Mehrheit der Wuhaner könne sich das gar nicht leisten. Mit der Rücknahme eines Aufsatzes über den Ursprung des Virus in Wuhan aus der Zeitschrift *The Lancet** durch indische Gelehrte hatte das alles überhaupt nichts zu tun.

***

Gerade bin ich auf ein im Land sehr populäres Video gestoßen, der Hintergrund ist nicht klar. Der Mann redet Hochchinesisch, aber mit dem lokalen Akzent von Wuhan. Ich konnte Folgendes herausarbeiten:

> *Ich bin der Vorsitzende der Generalversammlung für chinesisches Denken und heiße Xiang Qianjing, »jing« wie »friedlich«. Heute wollen wir darüber sprechen, ob das neue Coronavirus eine natürliche Mutation ist oder aus einem Labor stammt und menschengemacht ist.*
> *Die internationale Medizinzeitschrift* The Lancet *zeigte, dass die ersten diagnostizierten Infektionen in Wuhan in Wahrheit nicht mit dem Hua'nan Meeresfrüchtegroßmarkt in Verbindung standen. Am 27. Januar ist in*

einer wissenschaftlichen Zeitschrift weiterhin ein Bericht erschienen mit dem Titel Der Meeresfrüchtegroßmarkt von Wuhan ist womöglich nicht der Ursprungsort des sich weltweit verbreitenden neuen Coronavirus, *in dem Professor Tong Yigang von der Universität für Chemieingenieurwesen in Peking bekräftigt, dass der Meeresfrüchtegroßmarkt lediglich ein Hotspot des Virus war und man nicht sagen könne, dass er die erste Station des Virus auf dem Weg vom Wildtier in die menschliche Gesellschaft war.*
Stammt das Virus also wirklich von Wildtieren wie etwa der Fledermaus? Was wissen wir denn überhaupt, in wie vielen Ländern, an wie vielen abgelegenen Orten unseres Planeten wie viele Menschen jeden Tag Wildtiere essen? Bevor die Menschheit gelernt hatte, Tiere zu domestizieren, war doch wohl alles Fleisch, das gegessen wurde, Fleisch von wilden Tieren?! In Indonesien gibt es einen Markt mit dem Namen Tomogong, der für den Verkauf von Fledermäusen, Ratten und Schlangen berühmt ist und der viele Touristen anzieht. Chinesische Touristen haben ihm den Namen »Horrormarkt« gegeben. Wenn das Virus von wilden Tieren kommen soll, warum wird dann dieser Markt nicht von der Regierung geschlossen? Das wäre dann doch nur logischer, gesunder Menschenverstand.
Bis heute haben Experten keinen Beweis für eine direkte Infektion von Menschen durch Fledermäuse finden können, und trotzdem – wer will uns alle da eigentlich fortwährend in die Irre führen? Ziel der Irreführung ist Verschleierung – aber was soll verschleiert werden? ... Eine alte Weisheit sagt: Schickt der Himmel eine Katastrophe, kann man vergeben, machen wir die Katastrophe selbst, gibt es kein Überleben.
Deshalb hoffe ich, dass wir alle nicht länger Fledermäusen und anderen Wildtieren die Schuld zuschieben ...

Am 24. Januar war ebenfalls in der Zeitschrift *The Lancet* ein von Huang Chaolin, dem stellvertretenden Leiter der Jinyintan-Klinik, und einem Team von dreißig Ärzten verfasstes Diskussionspapier publiziert worden, das indirekt bestätigt, was oben gesagt wurde. Der im Text angesprochene »erste diagnostizierte Kranke« war ein Patient in seinen Siebzigern, bei dem die Krankheit am 1. Dezember ausgebrochen war, der aber, laut seinen Angehörigen, »aufgrund seiner Altersdemenz fast nie das Haus verließ, schon gar nicht den Meeresfrüchtegroßmarkt besucht hatte«. In der Folge hatte die Jinyintan-Klinik noch drei weitere Patienten mit gleichen Symptomen behandelt, die ebenfalls keinen Kontakt zum Meeresfrüchtegroßmarkt gehabt hatten.

Der Zeitpunkt der Entdeckung von »Patient 0« rückte auf diese Weise im Zuge der allgemeinen unerbittlichen Nachverfolgung immer weiter zurück, nach einem unbestätigten Gerücht soll am 17. November bereits ein 55-jähriger Mann diagnostiziert worden und gestorben sein. Ein noch populäreres Gerücht besagte jedoch, »Patientin 0« sei aus dem Wuhaner Vireninstitut und habe Huang Yaling geheißen, sie habe sich bei einem Virenleckunfall infiziert, sei gestorben und ihre Leiche habe aufgrund unsachgemäßen Vorgehens beim Transport in ein Krematorium dortige Arbeiter angesteckt. Dazu veröffentlichte das Institut allerdings ein Dementi, und die P4-Verantwortliche Shi Zhengli sagte in einem Interview: »In unserem Institut gab es nicht einen einzigen Menschen mit einer Virusinfektion, unser Institut hat null Infektionen.«

Die Menschen von Wuhan hatten seit Beginn des Lockdowns nicht mehr aufgehört, im Internet Welle auf Welle nach einem Schuldigen zu suchen, und nun war die Flut gekommen. Wie oben dargelegt, war die Suche über die Stationen Wuhans Bürgermeister Zhou Xianwang – amtierender Kaiser – Wuhaner Komitee für Hygiene und Gesundheit – erste Epidemieexperten – Hua'nans Meeresfrüchtegroßmarkt – Fledermäuse – natürlicher oder menschengemachter Virus – Vireninstitut – P4 – bis zu Shi Zhengli hinweggeschwappt. Nach einem Eintrag auf Wikipedia war deren wesentlicher wissenschaftlicher Beitrag »die Entdeckung und Identifizierung neuer Viren wie Adenoviren oder Circoviren bei Fledermäusen, des Weiteren hat sie nachgewiesen, dass Fledermäuse natürliche Wirte für eine große Vielfalt von Viren sind … außerdem war sie an Forschungen zu Coronaviren beteiligt, die den Menschen infizieren können …«

***

Am schärfsten analysierte dies eine schriftliche Aufarbeitung, die mit Wu Xiaohua unterzeichnet war und deren klarer Gedankengang schwierigste Sachverhalte sehr einfach fasst. Dieses Dokument könnte als Epidemiereferenzlektüre dienen, hier der gesamte Wortlaut:

Zunächst eine Erklärung: Während meines Doktorats und eine Zeitlang noch danach habe ich in einem Labor übliche Grundlagenarbeit für Medikamentenexperimente, Impfstoffe und Ähnliches gemacht, ich bin also vertraut mit der Arbeit in einem biologischen Labor und den Grundlagen der Biologie, aufgrund dessen und aufgrund meines Gewissens als Grundlagenforscher bin ich mehr als aufgebracht über Shi Zhengli auf WeChat. Dass Shi als Forscherin angesichts Zehntausender Infizierter, Zehntausender auseinandergerissener und zerstörter Familien und Hunderter Menschenleben in aller Öffentlichkeit Lügen verbreitet, nun, geschenkt, aber wenn sich diese unglücklichen Menschen dann auch noch beschimpfen lassen müssen, von wegen recht geschieht euch, das ist die Strafe für eure unzivilisierten Gewohnheiten, muss die Frage gestattet sein, ob denn alle diese Menschen Fledermäuse verzehrt haben?! Das ist doch absurd! Und wenn Sie dann Wissenschaftlern, die sich mit Ihnen auseinandersetzen, auch noch den Mund verbieten wollen, dann haben Sie eine der grundlegendsten Eigenschaften, die einen Forscher ausmachen, preisgegeben: die Sachlichkeit; aber auch die sozial unterste Linie für einen Forscher: die Menschlichkeit.

Als Sie geäußert haben, was Sie geäußert haben, habe ich mich derart über Sie geärgert, dass ich vor Wut schäumte, und darum werde ich Sie nun öffentlich als Lügnerin entlarven und Ihre blanken Unwahrheiten enthüllen:

Zuerst: Von der Fledermaus zum Menschen – wie hat das neue Coronavirus so mutieren können?
Hier ist ein Modell des SARS-Virus (Graphik). Sehen Sie die hübschen violetten Pilzköpfe an seiner Oberfläche? Schreiben Sie es sich auf, die heißen »Spike Glycolprotein«, kurz: S-Protein, dieses Protein ist sehr wichtig, es ist ein Schlüssel, ob etwas auf den Menschen übertragbar ist, hängt von ihm ab.
Die Viren im Körper einer Fledermaus und ihr S-Protein können nicht auf den Menschen übertragen werden, andernfalls könnte eine einzige Fledermaus Hunderttausende Menschen umbringen, deshalb ist diese Lüge vom Fledermausverzehr grundsätzlich nicht haltbar. Nur ein Schlüssel öffnet nämlich ein Schloss.
Allerdings leben Viren seit über vier Millionen Jahren auf dem Erdball und müssen sich, um zu überleben, unentwegt Wirte suchen und sich verändern.
Dafür aber hätte das Coronavirus auf dem Weg von der Fledermaus zum Menschen auch unentwegt dessen Pro-

teininformationen benötigt, allein durch Verzehr wären mindestens 10 000 Jahre nötig, damit ein »lebendiger« Virus diese menschlichen Proteininformationen erhalten könnte, dazu ist die Fledermaus kein Haustier, kann also auch nur schwer über Blut und Körpersäfte an menschliche Proteininformationen kommen.
Katzen beispielsweise tragen das HIV-Virus in sich, das sogenannte Katzen-Aids, trotzdem überträgt sich Katzen-HIV selbst bei engstem Kontakt mit dem Menschen nicht auf ihn, weil es nicht in der Lage ist, den menschlichen Code zu knacken.
Unter welchen Bedingungen kann nun aber ein von Fledermäusen getragenes Coronavirus zu einem 2019-nCoV mutieren? Es gibt zwei Möglichkeiten: 1. natürliche Mutation, 2. Virenveränderung in einem Labor.

Erstens, natürliche Mutation:
Sprechen wir zunächst über die natürliche Mutation. Als Erstes braucht ein Virus, das eine Fledermaus zum Wirt hat, dafür ein bis zwei Zwischenwirte in der natürlichen Welt, über diese es nach und nach zum Gen-Code der menschlichen Evolution findet.
Diese Situation kann bei 2019-nCoV grundsätzlich so nicht gegeben sein, denn dann hätte man, bevor man 2019-nCoV entdeckte, zunächst diese Zwischenwirte entdeckt, wie man ja auch das SARS-Virus zunächst zum Larvenroller zurückverfolgen konnte – aber bei 2019-nCoV fehlen diese Zwischenwirte, es ist im Nachhinein von Gao Fu direkt auf die Fledermaus zurückgeführt worden.
Dem Akademiemitglied Gao Fu ist natürlich völlig klar, dass dem 2019-nCoV das Verbindungsglied fehlt, er sagte es nur nicht oder doch wenigstens nicht deutlich, sagen hätte er nur können, dass er nicht nur Wissenschaft-

ler ist, sondern auch das offizielle Amt des Leiters des Chinesischen Zentrums für Krankheitskontrolle und Prävention innehat und dieses Amt ihn zum Schweigen verdammt.
Eine natürliche Mutation kann man demnach grundsätzlich ausschließen.

Zweitens, Virenveränderung in einem Labor:
Diskutieren wir als Nächstes, warum Akademiemitglied Gao Fu den Zwischenwirt übergehen und die Fledermaus direkt als Ursprung des 2019-nCoV ausmachen konnte. Einzige mögliche Grundlage dafür ist eine große Datenbank, die eine große Menge von Fledermausviren enthält.
Hier kommen wir nun schließlich zur Forschung von Shi Zhengli. Schaut man sich ihre Forschungsarbeit und -ergebnisse aus diesen Jahren an, so gibt es in ihrer Datenbank mit Sicherheit nicht weniger als fünfzig Arten von Coronaviren, und ohne Fledermaus-Coronaviren in dieser Datenbank hätte Gao Fu niemals so schnell die Fledermaus als Wirt herausfiltern können.
Das Ursprungsvirus von 2019-nCoV muss demnach in Shi Zhenglis Virenbank aufbewahrt worden sein.

Schauen wir noch einmal auf die violetten kleinen Pilzköpfe des Coronavirus – ist es schwierig, sie künstlich zu verändern? Nein, gar nicht, und wenn du das nicht kannst, bist du einfach nicht vom Fach. Man kann sagen, 80 Prozent der Biologiestudierenden in China könnten das, im Biologischen Forschungsinstitut der Universität Wuhan kann das jeder x-beliebige Student, denn die Lehrer dort haben es in sich. Ganz zu schweigen vom Institut für Biowissenschaften der Universität Peking, die Dr. Rao Yi leitet, wenn da einer der Studierenden mit erstem

Abschluss im Bereich der Biologieforschung dazu nicht in der Lage wäre, würde er kein weiteres Abschlusszeugnis bekommen.
Die Arbeitsabläufe selbst müssen wir hier nicht diskutieren, das ist reines Handwerk.

Hat man die violetten kleinen Pilzköpfe des Coronavirus verändert, was wird ein Labor dann als Nächstes machen? Natürlich wird es das Virus auf neue Wirtskörper setzen und die biochemischen Prozesse und Ausbreitungswege bei den Virenwirten aufzeichnen.
Wer oder was sind aber diese Wirte? Das sind die Versuchstiere im Labor, wirklich extrem bedauerliche Kreaturen, denen es in ihrem Abgrund an Leid keinen Deut besser geht als denen, die sich mit der Wuhan-Pneumonie infiziert haben – wir bezeichnen diese Tiere als SPF-Tiere. Ich selbst habe noch solche SPF-Tiere gefüttert, ach, und mich als menschliches Wesen geschämt und zutiefst mitgelitten, keine barmherzige vegetarische Ernährung für den Rest meines Lebens kann mich von diesem Gefühl des Mitleids noch mal befreien – und viel weniger noch vom Gedanken an die bedauerlichen Infizierten aus den Seuchengebieten in ihrem abgrundtiefen Leid, und jedes Mal, wenn ich an sie denke, fallen mir auch jene Lebewesen in ihren Käfigen, die doch ebenfalls eine Seele haben, wieder ein.
Das Virus mit verändertem S-Protein breitet sich also nun unter den Wirten aus, und Wirte hier waren die zur Auswahl stehenden SPF-Tiere – Mäuse, Ratten und Affen.

Die Ausbreitung eines Virus erfolgt im Allgemeinen:
1. über Tröpfchen – zum Beispiel beim Grippevirus;
2. über Blut – zum Beispiel beim Aids-Virus; oder 3. von

der Mutter auf den Säugling – zum Beispiel beim Hepatitis-B-Virus.

Unsere Wissenschaftler nun, oder die Laboranten, können während der Veränderung des Virus dessen Protein und das des Wirtes so auswählen, dass sie die Art und Weise der Ausbreitung bestimmen.

Das ist der Zeitpunkt, an dem die Entscheidung fällt zwischen dem Gewissen und den Interessen des Wissenschaftlers: Wählt man die Ausbreitung von der Mutter auf den Nachwuchs, muss man selbst bei den sich am schnellsten reproduzierenden Mäusen eine Schwangerschaftsperiode von 22 Tagen abwarten, bis der Fötus herangereift ist, auch Hühner brauchen 21 Tage zum Brüten. Eine Ausbreitung über das Blut zu wählen ist relativ gefährlich, wenn man nicht sauber arbeitet, kommt es leicht zu Verunreinigungen.

Um zu schnellstmöglichen Resultaten zu kommen, wird also normalerweise die schnellstmögliche Ausbreitungsart gewählt: die Ausbreitung über die Atemwege, die Weltgesundheitsorganisation hat dazu folgende Daten veröffentlicht:

2019-nCov gelangt über den ACE2-Protein-Rezeptor, der auf der Lunge und in den Atemwegen sitzt, in den menschlichen Körper. Infizierte Personen zeigen am Anfang normalerweise Fieber, Kraftlosigkeit oder trockenen Husten, auch zu verstopfter Nase oder erhöhter Nasensekretion kann es kommen.

Wie aber wählt das Virus derart exakt und treffsicher dieses offene Tor zum menschlichen Körper aus? In folgendem Aufsatz wird dieser Vorgang detailliert vorgestellt – ein Aufsatz, an dem ausgerechnet Shi Zhengli mitgearbeitet hat: …

2015 hat die renommierte Online-Zeitschrift Nature Medicine[*] *einen Artikel veröffentlicht, zu deren Hauptautoren Professor Shi Zhengli vom Virologischen Forschungsinstitut Wuhan der Chinesischen Akademie der Wissenschaften und vom Virenforschungsinstitut der Universität Wuhan gehört.*
In diesem Artikel heißt es, man habe herausgefunden, man brauche nur den ACE2-Rezeptor im S-Protein, den Fledermäuse im Körper tragen und der als Schalter diene, zu aktivieren, damit das Virus auf der Stelle Menschen infizieren könne. Durch technische Rekombination der Virusgene habe man das S-Protein der Fledermäuse mit dem SARS-Virus von Mäusen rekombiniert, das so gewonnene neue Virus könne sich mit dem ACE2 des menschlichen Körpers verbinden und wirkungsvoll und mit immenser Toxizität die Atemwegszellen des Menschen infizieren. Das von ihnen entdeckte neue Virus habe deutlich die Lungen der Mäuse geschädigt, und sämtliche Vakzine hätten ihre Wirkung verloren.
Dieses Experiment führte damals zu einer Riesendebatte in der medizinischen Welt Amerikas, Declan Butler, ein Medizinexperte, verfasste gleichfalls einen Artikel für Nature Medicine, *in dem er feststellte, dass derartige Experimente keinerlei Sinn hätten, aber mit großen Risiken verbunden seien. Wegen fehlender Technologie hatte damals das Team um Shi Zhengli mit einer kleinen Gruppe von Medizinern in North Carolina zusammengearbeitet. Als 2014 dem American Centre for Disease Control (CDC) bewusst wurde, dass dieses Virus möglicherweise als biochemische Waffe eingesetzt werden könnte, hat er sofort einen Stopp für derartige Projekte zur Veränderung von Viren verfügt und die finanzielle Unterstützung für die damit zusammenhängende Forschung eingestellt.*

Die Entwicklung solcher Forschung birgt ohne Frage ein enormes Risiko, weshalb sie der Artikel unter folgendem Link in Frage stellt: https://www.nature.com/.../engineered-bat-virus-stirs-debate-...

So weit nun also meine Grundsatzauseinandersetzung mit der Forscherin Shi Zhengli: Ihr Forschungslabor war im Besitz ursprünglicher, Fledermäuse als Wirt nutzender Virenproben von 2019-nCov, sie hatte Zugang zu einer Coronaviren-Datenbank, und sie beherrscht die Methoden zur Umgestaltung eines 2019-nCov.
Das ist das, was ich dazu sagen kann, die Abläufe selbst habe ich nicht gesehen und nicht analysiert.

Dieses neue Virus hätte in einem Labor der höchsten Sicherheitsstufe für immer fest verschlossen bleiben oder zerstört werden müssen, aber unglücklicherweise ist es entkommen, hat Zehntausende infiziert und Hunderte das Leben gekostet. Den Hauptverantwortlichen für dieses Desaster haben wir zwar im Blick und dingfest machen können, doch wir haben ihn noch nicht vernichtet. Deswegen stehen zahllose Ärzte und Rettungsmitarbeiter an vorderster Linie, um bei der Rettung von Menschenleben mitzuhelfen, das ist tatsächlich dieses »mit seinem Leben einstehen«, von dem Shi Zhengli gesprochen hat.

Zum Schluss möchte ich noch zwei Punkte ansprechen:
1. Selbst wenn Shi Zhengli noch hundertmal verwegener wäre, als sie ist, hätte sie es trotzdem keinesfalls gewagt, das Virus auf die Gesellschaft loszulassen, das wäre ein Verbrechen gegen die Menschheit, niemand, der in der Wissenschaft arbeitet, würde so etwas tun, es wäre eine Abkehr von unserem Eid: für die Gesundheit der Menschen da zu sein.

2. Das ist keine chinesische Verschwörung, das Projekt wurde 2014 von amerikanischer Seite finanziell unterstützt, und seine Beendigung ist ebenfalls von Amerika angeordnet worden – am wichtigsten aber, es gibt kein Team und keine Organisation, das oder die von solch einer Epidemie irgendwie profitieren könnte, denn sie trifft die gesamte Menschheit.

...

4

Die Wahrheit starb mit Li Wenliang

Heute hat uns der 33-jährige Arzt Li Wenliang verlassen, im Internet trauern fast 100 Millionen Menschen um ihn. Trauerblumen und Kerzen haben wie Schnee und Graupel die sozialen Plattformen unseres Landes eingehüllt, Internetpolizei und 50-Cent-Partei* wussten nicht mehr ein noch aus, kamen in der Realität mit dem Löschen nicht mehr hinterher und gaben schließlich auf. Den virtuellen Raum in die Realität verlegt, wäre dieser Trauerzug für einen Whistleblower weitaus imposanter gewesen als 1976 der Trauerzug für Mao Zedong. Mit dem alten Mao war ein Gott gestorben, mit dem jungen Li ist ein Herz gestorben, und zwar das Herz all derer, die die Epidemie quälte und die ihn als ihresgleichen betrauerten.

Ich habe einmal gesagt, meine Opposition zur Kommunistischen Partei ist nicht politisch begründet, sondern ästhetisch. Man muss nur einmal allein auf einem öffentlichen Platz vor vielen Menschen eine Wahrheit klar und entschieden aussprechen, schon kann man *in ästhetischem Sinn* zum Helden werden, dementsprechend bezahlte Li Wenliang seine Wahrheit, »eine normale Gesellschaft kann nicht nur mit einer Stimme sprechen«, mit seinem tragischen Tod. Dieser unachtsame Satz trifft alle diktatorischen Gesellschaften geradewegs ins Mark.

Am Nachmittag des 30. Dezember 2019 hatte Li Wenliang in einer WeChat-Gruppe folgende Warnung veröffentlicht:

»Auf dem Obst- und Meeresfrüchtegroßmarkt von Hua'nan wurden 7 Fälle von SARS diagnostiziert, sie wurden in der Notaufnahme unseres Krankenhauses in Houhu isoliert.« Dem hängte er eine MAPMI-Test-Diagnose an. Eine Stunde später ergänzte er: »Nach den neuesten Informationen ist eine Coronavirus-Infektion sicher, man ist gerade dabei, eine Genotypisierung des Virus durchzuführen … behaltet das für euch, eure Familien und Verwandten sollen auf sich aufpassen.«

Acht Ärzte hatten dieselbe Nachricht verbreitet und waren im Handumdrehen »Gerüchtemacher«, die gegen nationales Gesetz verstoßen hatten, sie wurden verwarnt und gezwungen, den Mund zu halten. Wenig später dementierte das chinesische Zentralfernsehen die Gerüchte. Am 3. Januar bestellte die Polizei Li Wenliang in die lokale Polizeiwache ein und sprach nach einer Anhörung eine Verwarnung aus:

Amt für öffentliche Sicherheit der Stadt Wuhan
Abteilung Zhongnan, Polizeiwache Zhongnanstraße

Verwarnung

Verwarnte Person: Li Wenliang, männlich, geboren: 12.10.1986, Personalausweisnummer: 210********, derzeit wohnhaft (eingetragener ständiger Wohnsitz): Wuhan, Bezirk Wuchang, Straße der Demokratie, Nr. 648 ********, Arbeitseinheit: Zentralkrankenhaus Wuhan-Stadt.
Gesetzesverstoß: Verbreitung unwahrer Behauptungen am 30.12.2019 in der WeChat-Gruppe »Klinischer Jahrgang 04 der Universität Wuhan« bezüglich der angeblichen Diagnostizierung von 7 SARS-Fällen auf dem Obst- und Meeresfrüchtegroßmarkt von Hua'nan.

Hiermit erteilen wir Ihnen für den Gesetzesverstoß der Verbreitung unwahrer Behauptungen im Internet eine Verwarnung und einen strengen Verweis. Ihr Verhalten bedeutet eine schwerwiegende Störung der gesellschaftlichen Ordnung. Ihr Verhalten hat den Rahmen des gesetzlich Erlaubten überschritten und bildet eine Zuwiderhandlung gegen entsprechende Regelungen der Verwaltungsstrafordnung der öffentlichen Sicherheit der Volksrepublik China, das ist rechtswidriges Verhalten! Das Amt für öffentliche Sicherheit erwartet Ihre aktive Kooperation, befolgen Sie die Empfehlungen der Zivilpolizei, und unterlassen Sie künftig weiteres rechtswidriges Verhalten. Sehen Sie sich dazu in der Lage?
Antwort: Ja (besiegelt mit Fingerabdruck).
Wir hoffen, dass Sie sich beruhigen, alles sorgfältig überdenken, und warnen Sie vorsichtshalber: Wenn Sie an Ihren Ansichten festhalten, keine Reue erkennen lassen und Ihre rechtswidrigen Aktivitäten fortsetzen, werden Sie entsprechende Bestrafung nach dem Gesetz erfahren! Haben Sie das verstanden?
Antwort: Ja (besiegelt mit Fingerabdruck).

Verwarnte Person: Li Wenliang (besiegelt mit Fingerabdruck)
Verwarnende Personen: Hu Guifang, Xu Jinhang
03.01.2020 (gestempelt Gesetzesvollzugsbehörde)

Li Wenliang nahm das offizielle Dokument entgegen, kehrte beschämt ins Krankenhaus zurück, wusste nicht, wie seine Schuld wiedergutmachen, und war sehr deprimiert. Kurz darauf, am 8. Januar, steckte er sich selbst bei der unachtsamen Untersuchung einer 82-jährigen Glaukom-Patientin an. »Damals hatte sie noch kein Fieber. Am nächsten Tag allerdings schon«, sagte Li Wenliang, »das CT zeigte eine virale Lungenentzündung. Aber unser Krankenhaus hatte noch kein Reagenz-Kit zur Testung der Krankheit, deshalb wurde bei ihr keine entsprechende Diagnose gestellt. Zu viele Menschen schenkten dem keine Beachtung, es gab auch keine besonderen Schutzmaßnahmen, und ich selbst war ebenfalls unvorsichtig, als ich mit der Kranken Kontakt hatte. Später bekam ich Fieber und hustete, am 12. Januar ging ich zur Behandlung ins Krankenhaus, und die Diagnose bestätigte den Verdacht ... auch meine Eltern waren infiziert ...«

Anschließend kam er auf die Intensivstation und wurde an ein Beatmungsgerät angeschlossen. Von seiner Verwarnung über die Infektion bis zu seinem Tod verging gerade mal ein Monat.

Aktuell sind im ganzen Land Dutzende Städte abgeriegelt, das heißt, mit den Städten mittlerer Größe sind es sogar Hunderte, mit den Kreisstädten Tausende. Beim weitaus größten Teil der Toten konnten wie bei der alten Frau, die Li Wenliang infiziert hat, die ersten Symptome nicht rechtzeitig diagnostiziert werden, »die Zahl der Todesopfer von COVID-19« wird deshalb für immer ein Geheimnis bleiben.

Li Wenliangs Zweitname ist »Zhenxiang«, die »Wahrheit«, und mit ihm ist die »Wahrheit« gestorben. Ein anderer »Zhenxiang« lebt dagegen noch, der SARS-Whistleblower von 2003, Militärarzt Jiang Yanyong, er ist jetzt fast neunzig. Er sagte: »Die Geschichte geht mit Riesenschritten wieder zurück.«

Li Wenliangs Informationsquelle war Ai Fen, die Leiterin der Notaufnahme im Zentralkrankenhaus von Wuhan. In einem Interview mit einem Journalisten begann sie frank und frei: »Ich bin keine Whistleblowerin, aber ich habe alles auf den Weg gebracht.« Sie war die Erste, der die von Li Wenliang weitergeleitete MAPMI-Test-Diagnose in die Hände fiel, die sie fotografierte, mit Rotstift die Worte »SARS-Coronavirus« umkringelte, das in einer WeChat-Gruppe von Ärzten postete und so deren Verbreitung auslöste.

Ihr war eine Anmerkung zum Test aufgefallen: »Das SARS-Coronavirus ist ein einzelsträngiger RNA-Virus mit positiver Polarität. Der Hauptübertragungsweg dieses Virus ist die Aerosolübertragung im Nahbereich oder Kontakt mit Atemwegssekret von Erkrankten, es kann eine spezielle, offensichtlich infektiöse Pneumonie auslösen mit möglicherweise multiplem Organversagen, auch als atypische Pneumonie bezeichnet.« Das jagte ihr einen derartigen Schrecken in die Glieder, dass ihr der kalte Schweiß ausbrach. Sie hatte im Grunde dieselbe Absicht wie Li Wenliang, sie wollte die Allgemeinheit warnen, aufmerksam zu sein und sich zu schützen; ihr passierte daraufhin zunächst auch das Gleiche wie Li Wenliang, der disziplinarische Verweis folgte auf dem Fuß, allerdings durch den Krankenhausdisziplinarausschuss der KPCh, also die innerparteiliche Kontrollinstanz für gravierende Dissidenz, denn Ai Fens Rang und Dienstalter waren deutlich höher als die Li Wenliangs.

Sie sah sich mit einem bis dato in seiner Rigorosität beispiellosen Verweis konfrontiert: »Direktor XXX kritisiert Ai Fen aus unserem Krankenhaus, als Direktorin der Notaufnahme des Zentralkrankenhauses der Stadt Wuhan sind Sie vom Fach, wie können Sie derart prinzipienlos und derart ohne jede Organisationsdisziplin derart rufschädigende Gerüchte in die Welt setzen?« Anschließend erging der Befehl an sie zurückzugehen, »die Gerüchte zu dementieren« und ungute Einflüsse aus der Welt zu schaffen: »Jeden einzelnen von den gut zweihundert Leuten der Abteilung werden Sie mündlich in Kenntnis setzen, nicht über WeChat oder per SMS, nur noch unter vier Augen dürfen Sie sprechen oder telefonisch, und es ist Ihnen nicht gestattet, irgendetwas über diese Lungenentzündung zu sagen, auch nicht Ihrem Mann.«

Ai Fen war konsterniert und gab Widerworte: »Ich habe diese Sache ganz allein zu verantworten, niemand sonst hat damit zu tun, nehmen Sie mich doch einfach fest und stecken Sie mich ins Gefängnis ...«

Ins Gefängnis kam sie nicht, aber sie war wie Li Wenliang physisch und psychisch schwer angeschlagen und musste wohl oder übel den Mund halten. Wie sie später erzählte, waren schon am 16. und am 27. Dezember 2019 in der Bezirksnotaufnahme des Zentralkrankenhauses in der Nanjinger Straße zwei Fälle von »unklarer Lungenentzündung« behandelt worden, und infolge des hohen Drucks und eines Dokuments, das von den Zentralbehörden an die lokalen Behörden zirkuliert worden war, dass »Gerüchte« unter allen Umständen zu unterbinden seien, geriet die ganze Sache dann mit jeder Tabuisierung immer weiter außer Kontrolle. Auch in ihrem Krankenhaus infizierten sich über zweihundert Menschen, etliche davon starben. Darunter Jiang Xueqing, der Leiter der Schilddrüsen- und Brustchirurgie. Am 21. Januar hatte die Notaufnahme bereits 1523 Erkrankte in Behandlung, dreimal so viele wie ein normaler Höchstwert, 655 davon hatten Fieber. Nach dem Lockdown später bildeten sich in der Dunkelheit »lange Schlangen, plötzlich fiel einer einfach um und war tot. Andere schafften es gar nicht mehr in die Schlange, sie starben im Fahrzeug«, erzählte Ai Fen dem Journalisten weiter. »Früher, wenn dir da ein Fehler unterlaufen ist, du zum Beispiel eine Injektion nicht rechtzeitig gegeben hast, musstest du immer damit rechnen, dass der Patient sich beschwert, jetzt ging niemand mehr gegen dich vor, alle waren auf einmal wie gebrochen, völlig daneben ... Starb ein Kranker, sah man Angehörige kaum noch weinen, es waren zu viele, einfach zu viele. Manche Angehörigen insistierten nicht einmal mehr bei den Ärzten darauf, ihre Leute doch irgendwie zu retten, vielmehr hieß es, ach, besser schnell erlösen – so weit war das gekommen. Denn zu diesem Zeitpunkt hatte jeder nur noch Angst, sich selbst zu infizieren ...«

Und das alles hätte nicht passieren müssen! Ai Fen, selbst Mitglied der Kommunistischen Partei, sagte, als es für Reue allerdings bereits zu spät war: »Hätte ich früher gewusst, was ich heute weiß, ich hätte doch nirgendwo hinter dem Berg gehalten, oder?«

Nachdem ihre Menschlichkeit schließlich über die Parteizugehörigkeit gesiegt hatte, stand Ärztin Ai Fen auf und gab der Wochenzeitschrift *Persönlichkeiten* ein Interview. Daraus wurde der aufsehenerregendste Inlandsbericht der gesamten Epidemie, er reagierte auf die Tragödie um Li Wenliang und verbreitete sie. Als eine Netzversion davon auftauchte, wurde diese auf der Stelle von der Netzpolizei gelöscht, und es erging eine Sperrwarnung – allerdings erfolgte die Reaktion zu spät, der Artikel *Die Frau, die alles auf den Weg brachte* überlebte bei seinem ersten Erscheinen zwar nur wenige Minuten, in diesen wenigen Minuten jedoch hatten bestimmte Internetfreaks, deutlich behänder und flinker als die Netzpolizei, ihn schon kopiert und nicht nur über viele WeChat-Nummern gleichzeitig versendet, sondern auch über die »Große Chinesische Firewall« hinweg auf ausländischen Plattformen gepostet. Die Netzpolizei machte sich erneut an die Arbeit, mit zehnfacher Verstärkung, machte Meldung an die Netzverwaltungsbüros im ganzen Land sowie die Zentrale der Inneren Sicherheit, die wie bei der »Jasmin-Online-Revolution« im Jahr 2011 an vielen Tatorten gleichzeitig zuschlagen und Verhaftungen vornehmen wollten – doch an diesen vielen Tatorten hielten sich noch mal so viel mehr Internetfreaks versteckt, in so dichten Massen, dass ihre Verbreitungsgeschwindigkeit hundertmal schneller war als die des Virus aus Wuhan – die Truppen der Netzpolizei wurden vertausendfacht, hinzu kamen 1000 mal 1000 von der 50-Cent-Partei – alles raste, drehte hohl, es war, wie Xu Zhangrun, der Professor der Pekinger Qinghua-Universität, in seinem bekannten Ausspruch sagte: »Ein wütendes Volk hat keine Angst mehr« – 10 000 mal 10 000 »kriminelle« Internetfreaks hatten den Bericht nahezu in Lichtgeschwindigkeit vervielfältigt und verbreitet und ihn dazu noch innerhalb weniger Stunden in vierzig Sprachen wie Englisch, Französisch, Deutsch, Spanisch, Portugiesisch, Japanisch, Koreanisch, Italienisch, Tschechisch, Polnisch, Hebräisch oder Vietnamesisch übersetzt. Und Abwandlungen der Version in modernem Chinesisch gab es in *Jiaguwen*, der alten chinesischen Orakelknochenschrift, in *Wenyanwen*, der klassischen chinesischen Schriftsprache, in Siegelschrift, senkrecht geschrieben wie in den alten Büchern, in einer Schrift wie auf alten Bronzen, in der *Xixia*-Schrift der Tanguten aus dem 11. Jahrhundert, in Blindenschrift, in Kantonesisch, im Sichuan-Dialekt, in den kalligraphischen Schriften des Altertums, als Kalligraphie im Stil von Mao Zedong, dazu als 2D-Barcode, als Zeichensalat, Strichcode, als Marschmusik, in Elbisch, in außerirdischen Sprachen und so weiter und fort – das imperiale Zensursystem, in Gang gebracht durch westliche Wissenschaft und Technik, drehte hohl und war lahmgelegt – bei diesem unsäglichen Desaster das Einzige, worüber man noch herzlich lachen kann. Die Menschen in China haben am Ende in einer Überflutungswelle gleich der des Virus aus Wuhan ihre Meinungsfreiheit erfolgreich eingefordert.

Diese Situation erinnert an eine Szene in García Márquez' Roman *Hundert Jahre Einsamkeit*: Als Urgroßmutter Úrsula Iguarán in sonnendurchglänzter Frühe aufblickt, erkennt sie, dass der weite Horizont von glitzernden Tautropfen übersät ist; nach einem kurzen Augenblick werden die Tautropfen größer, ein endloses Geschwirr von Käfern; einen weiteren Augenblick später werden die Käfer zu einer dichten Masse von Köpfen. Es waren die von Colonel Aureliano Buendía auf den Feldlagern des Bürgerkriegs hastig ausgesäten Früchte, die jetzt über das ausgedehnte Land auf den kleinen Ort Macondo zufegten – im Nacken trugen sie alle ein rotes Muttermal, das noch nach der Enthauptung da war – das in endloser Vielzahl weitergegebene Zeichen der Familie Buendía ...

5

Alltag in der Isolation

9 Uhr morgens, ich lag noch zusammengerollt unter der Bettdecke, als ich jemanden an die Tür pochen hörte. Ich schoss im Bett hoch, aus dem Schlafzimmer, wollte die Tür aufmachen wie immer, doch dann erinnerte ich mich, sie war mit Brettern verrammelt. Also fragte ich durch die Tür: »Wer da?«

»Wir sind von der Infektionsschutzzentrale, vor drei Tagen haben Sie über WeChat AliPay bei uns Schweinefleisch und Gemüse bestellt, das liefern wir jetzt. Öffnen Sie bitte das Oberlicht in der Küche.«

Wie aufregend! Ich hatte über eine Woche kein frisches Fleisch und Gemüse mehr gegessen! Glücklicherweise hatte es bei den Schwiegereltern einen Vorrat an Konserven gegeben mit fertigem, rot angebratenem Fleisch, Schweinefleisch in Sojasauce, auch Reis, Nudeln, Öl und Salz waren ausreichend vorhanden, Schnaps ebenfalls. Nur Gemüse und Obst gab es nicht, deshalb litt ich zuletzt an heftiger Verstopfung, saß jeden Tag zur gleichen Zeit auf dem Klo und konnte nicht. Irgendwann habe ich alle Kisten und Schränke durchstöbert und einen großen Beutel mit Stücken chinesischer Goldfadenwurzel* zutage gefördert und ungeduldig gleich zwei auf einmal davon geschluckt – als keine Erleichterung eintrat, noch eines, danach tat es einen Schlag, als tue die Erde sich auf, es knallte nur so aus mir heraus, als ich fertig war und wieder aufstand, wurde mir schwarz vor Augen, an meinen Ohren donnerte ein Zug vorbei. Ein Symptom der Wuhan-

Pneumonie ist Durchfall, als Nächstes geht man unter Krämpfen zu Boden – diese Assoziation versetzte mir einen derartigen Schrecken, dass ich es nicht wagte, die Medizin noch einmal zu nehmen, die Verstopfung blieb folglich.

Und ich bestellte online 3 Pfund Schweinefleisch, 5 Pfund weißen Rettich, 3 Pfund Karotten, 5 Pfund Chinakohl, 5 Pfund Kartoffeln, 1 Pfund Chili und 1 Pfund frischen Ingwer, für satte 400 Renminbi – konnte ja verstehen, dass in besonderen Zeiten die Preise galoppieren mussten, Hauptsache, die Lieferung kam rasch.

Ich machte mich also zur Küche auf, stieg auf den Herd und riss mit beiden Händen und einiger Gewalt das völlig verrußte Oberlicht auf. Ein kalter Wind pfiff herein, die beiden draußen dirigierten aus größtmöglicher Distanz eine zehn Meter lange Stange, an deren Spitze ein basketballgroßer Plastikbeutel baumelte, zielten genau und stießen geradewegs durch das Fenster. Bevor ich den Beutel auffangen konnte, war er gegen die Zimmerdecke gekracht und knallte anschließend zusammen mit der Hängelampe zu Boden.

Ich sprang hinunter und pöbelte sie an: »Was treibt ihr denn?!« Aber die beiden Lieferanten hatten mit der Stange über der Schulter bereits kehrtgemacht, ohne einen weiteren Gedanken an mich zu verschwenden. Ich musterte die Lieferung, die über den ganzen Boden verteilt war, außer einem Brocken Schweinebauch mit zwei Reihen Zitzen nur Winterpilze, Kartoffeln und Glassplitter, das war alles.

Changsha zählt zu den eher wohlhabenden Regionen, es fehlt nie an frischem Gemüse, aber Winterpilze, hatte ich Winterpilze gekauft? 400 Kuai und dann dieses bisschen? Das war klare Abzocke. Sofort war ich auf WeChat, um der Sache nachzugehen, keine Antwort. Während ich noch still an meinem Ärger kaute, entdeckte ich eine Meldung: Von einer Fahrzeugkolonne aus den südöstlichen Provinzen zur vereinten Unterstützung des Epidemiegebietes Wuhan wurden, als sie auf ihrer zügigen Nonstop-Fahrt Changsha passierte, von der Infektionsschutzabteilung zwei Ladungen abgezweigt – ausschließlich Winterpilze. Solch dreiste »Wegelagerei« durch eine Regionalregierung hatte sich zuerst in Dali in der Provinz Yunnan ereignet, wo auf einmal etliche Wagenladungen medizinisches Material auf dem Transport nach Sichuan abgezweigt wurden, in einem Rundschreiben der Zentralbehörden wurde das kritisiert, aber das medizinische Material blieb verschwunden, keine Möglichkeit, es zurückzubekommen.

Ich ließ das Bauchfleisch mit Zitzen samt Winterpilzen und Kartoffeln in einem großen Topf schmoren, in den nächsten Tagen würde ich ganz für mich allein meine Freude an dieser besonderen Spezialität haben: Winterpilze, durch Wegelagerei erbeutet und mit großem Profit an mich weiterverscherbelt. Der Schweinebauch allerdings war besonders zäh, nach drei Stunden im Schmortopf standen die Zitzen noch immer wie aufgeblasen senkrecht nach oben, was ziemlich unanständige Assoziationen hervorzurufen imstande war, und als ich versuchsweise einen Bissen davon probierte, hatte ich das Gefühl, auf einem Radiergummi herumzukauen. Diese Sau musste mindestens im Rang einer Urgroßmutter gestanden haben, zog man dazu ihre beiden Uniformknopfreihen in Betracht, war sie wenigstens Generalin gewesen. Mir fiel ein, wie ich mir zum ersten Mal in Deutschland Schweinefleisch gekauft und es zu Hause geschmort hatte, dieser ungewohnte Duft war mir aus meiner Jugend noch bekannt – und mir wurde schlagartig klar, wie wenig natürlich aufgezogene, echte Schweine und entsprechendes Fleisch es in China inzwischen gab, stattdessen wurde für Schweinefleisch ein Tier, ob nun durch Injektionen von Wasser oder Clenbuterol oder mit Hormonen im Futtermittel, innerhalb von drei Monaten schlachtreif gemästet.

Am Abend rief ich per WeChat-Video meine Frau an und erzählte ihr diese höchst ärgerliche Geschichte, sie tat alles, um mich wieder aufzumuntern, sagte, sie habe beim Infektionsschutzzentrum der Gemeinde für mich einen Antrag eingereicht und mit Nachdruck verlangt, ihren Ehemann zu ihr nach Hause zu lassen. Begründung: Ich hätte aus dem epidemiefreien Deutschland den weiten Weg auf mich genommen, um in das epidemische China zurückzukehren, eigentlich hätte ich nicht einen einzigen Tag in Isolation müssen, doch weil ich aufgrund der Einreisesperre nach Wuhan auf den Flug nach Changsha hätte umsteigen müssen, sei ich ohne jede Gelegenheit, mich zu äußern, gleich zweimal isoliert worden. Natürlich müsse in diesen außerordentlichen Zeiten Sicherheit an erster Stelle stehen, wir wollten unserem krisengeschüttelten Land auch keine Vorwürfe machen, aber »wie weit ist doch der Weg nach Haus« im eigenen Land, das sei weder emotional noch rational vertretbar.

Mich übermannte plötzlich Traurigkeit. Und meine Frau sagte: »Wie auch immer, wir müssen uns zusammenreißen, wo jetzt auch dein Vater von uns gegangen ist, ist die Wohnung auf einmal so viel leerer, mein Herz ist so viel leerer. Solange dein Vater krank im Bett lag, gab es ständig und jeden Tag dies und das zu tun, war anstrengend mit der Zeit, manchmal hatte ich genug, doch jetzt, wo er fort ist, konnte ich in der Nacht gleich gar nicht mehr schlafen, und dann habe ich sogar von ihm geträumt. Und danach von dir, du hast am Bettende gestanden. Mit Mundschutz. Ich sagte, da bist du ja endlich, was stehst du herum, du hast noch nicht die Hände gewaschen, dich desinfiziert und die Kleider gewechselt. Du hast nur gelächelt. Hast gelächelt, und ich habe sofort gewusst, was du vorhast, und dich unter die Bettdecke gelassen. Wir haben uns durch den Mundschutz geküsst und überall angefasst. Mit den Handschuhen. Aber es hat richtig gefunkt – ulkig, oder?«

Ich sagte: »Ein Jahr nicht zu Hause, Mundschutz hin und

Handschuhe her, kein Rinds-, kein Rhinozerosleder, nicht einmal Leder vom dämonischen Ochsenkönig könnte sich da noch der Macht des Eros in den Weg stellen, die ihn hart und steif reintreibt! Wenn die Krankheit bei uns festgestellt werden sollte, dann wenigstens bei uns beiden, auch Geister können verliebt sein, wir bringen dann eine Epidemieversion von Liang Shanbo und Zhu Yingtai* heraus, verwandeln uns in zwei Corona-Schmetterlinge, die hustend und flügelschlagend ihren Speichel verspritzen ... Natürlich dürfen wir unsere Tochter nicht anstecken ...«

Meine Frau schimpfte lachend »Knalltüte« und beendete das Video.

***

Heute ist also mein lieber Vater gestorben. Ich war der einzige Sohn, als mich meine Mutter mit über dreißig zur Welt brachte, ging er auf die vierzig zu, was in einem Dorf in den 1970er Jahren eine so absolute Seltenheit war wie eine Phönixfeder oder das Horn eines Einhorns. Und nun hatte ich keine Möglichkeit, am Sterbebett meine Sohnespflicht zu erfüllen. Das war traurig. Ich hatte Geschichte studiert, ich wusste, dass seit 1949 im Wechsel all der natürlichen und menschengemachten Katastrophen viel zu viele Menschen eines gewaltsamen Todes gestorben waren. Deshalb war schon kein Bedauern mehr.

Meine Frau aber hatte darauf geschaut, dass Vater mir per WeChat-Video mit dem letzten Aufflackern seiner Lebensgeister wenigstens noch mal zuwinken konnte. Die Wangen eingefallen, der Mund zahnlos, lächelte der alte Mann mit letzter Kraft, und mir kamen die Tränen. Meine Frau sagte: »Warum weinst du denn, viele Kranke, die Corona haben, müssen viel schneller von uns gehen, ihre Angehörigen müssen mehr als zwei Meter Abstand halten und können es kaum erwarten, dass die Bestatter kommen. Da hat dein Vater doch Glück gehabt.« Kaum allerdings hatte sie das Wort »Glück« ausgesprochen, konnte auch sie die Tränen nicht mehr zurückhalten.

Mein Vater war dreiundneunzig geworden. Als meine Mutter mit fünfundachtzig von uns ging, war er auf dem Land, im bergigen Waldgebiet Shennongjia, ganz auf sich gestellt und ohne Hilfe, zwar war er noch rüstig und gut zu Fuß und konnte sein Leben ohne Probleme meistern, trotzdem machte ich mir Sorgen. Vor fünf Jahren nahmen wir ihn bei uns in Wuhan auf, im Hochhaus, er meinte, noch nie im Leben so hoch gewohnt zu haben, und zeterte, er wolle zurück auf die Erde. Wir ließen es beide nicht zu, aber kein Mensch hätte damals gedacht, dass unser »Geht nicht« so schnell Realität werden würde: Am Tag vor meiner Abreise nach Deutschland zu meinem Austauschaufenthalt stürzte er beim Verlassen des Aufzugs und konnte sich nicht mehr bewegen. Meine Frau musste wohl oder übel ihre Stelle als Krankenschwester im Krankenhaus aufgeben und sich zu Hause ausschließlich um einen Alten und eine Kleine kümmern.

Ich sagte zu meiner Frau: »Ich stehe sehr in deiner Schuld.«

Sie sagte: »Sei nicht melodramatisch, wenn ich nicht vor drei Jahren die Stelle aufgegeben hätte, hätte ich mich jetzt vielleicht schon für immer verabschieden müssen, dieses Mal gibt es unglaublich viele schwere Infektionen und plötzliche Todesfälle beim medizinischen Personal. Am Anfang wusste man bei der Behandlung einfach zu wenig über die Begleitumstände, man ging vor wie 2003 bei der Ausbreitung von SARS und glaubte, es genügt, Mundschutz, Handschuhe und normale Schutzkleidung zu tragen, doch dann war das um ein Vielfaches ansteckender als SARS und man hätte von Kopf bis Fuß fest eingehüllt sein müssen, Tröpfcheninfektion, Schleiminfektion, selbst Blinzeln beim Weinen kann anstecken. Ich habe es ganz gut getroffen.«

Für etwa zwanzig Minuten hatten Vaters Kräfte noch gereicht, dann fiel sein Kopf, und es war vorbei. Meine Frau schloss ihm die Augen, setzte ihm seine falschen Zähne ein, machte Wasser heiß für eine Kompresse auf sein Gesicht, danach legte sie dem alten Mann etwas Make-up auf, unsere zehn Jahre alte Tochter, noch ohne Begriff für die Traurigkeit des Todes, rannte eifrig hin und her, half ihrer Mutter, frische Kleider herauszusuchen und sie dem Opa anzuziehen. So blieb er aufgebahrt bis abends um elf, bis schließlich jemand vom Krematorium kam. In dieser außerordentlichen Zeit wurde jeder Tote als Opfer des neuen Coronavirus behandelt, mit dem immer gleichen gelben Leichensack mit dem immer gleichen Reißverschluss. Der Mitarbeiter kassierte 5000 Kuai in bar, quittierte den Empfang, hinterließ eine Telefon- und dazu eine WeChat-Nummer und sagte: »Sämtliche Bestattungsinstitute in Wuhan schieben noch und nöcher Überstunden, abholen und einäschern ist eins, darüber vergeht keine Nacht. Die Asche wird vorläufig aufbewahrt, noch warm, zuverlässig werden auf der Stelle Name und Anschrift des Toten aufgeklebt, machen Sie sich keine Sorgen, da kann nichts verwechselt werden. Während der Epidemie werden zur Vermeidung von Massenansteckungen keine Kunden empfangen, die sich unerlaubt auf den Weg gemacht haben, um die Asche abzuholen, und das ohne Ausnahme. Nach der Epidemie wird die Regierung selbstverständlich die zahllosen Angehörigen benachrichtigen, wann sie gemeinsam wieder kommen, sich für eine Nummer anstellen und geordnet und diszipliniert die Urnen abholen können. Die Kosten pro Urne werden allerdings extra berechnet, sind also bei den 5000 Kuai für die Bestattung nicht inklusive.«

Meine Frau fragte: »Wie lange werden wir denn warten müssen? Und wenn es so weit ist und alle auf einmal zum Krematorium rennen, wird es dann da keine Massenansteckungen geben? Wie lange wird man anstehen müssen? Außerdem, bei meinem Schwiegervater wurde kein Corona diagnostiziert, zählt er überhaupt dazu?«

Der Mitarbeiter sagte: »Dann natürlich nicht. Solange bei ihm kein offizieller Nukleinsäuretest im Krankenhaus gemacht worden ist, gehört er keinesfalls dazu. Aber die Menschen sterben wie die Lichter ausgehen, die Buchführung ist ein einziges Chaos, wenn Sie als Haushaltsvorstand deshalb Peinlichkeiten vermeiden wollen«, flüsterte er ihr so leise wie möglich zu, »macht blinder Aktionismus keinen Sinn.«

Meine Frau sagte: »Sie kennen sich wirklich aus! Verbrennen Sie die Menschen denn inzwischen nicht schon ohne jede innere Anteilnahme?«

Der Mitarbeiter nickte. Als meine Frau sich schließlich vorbeugte, um den Reißverschluss noch mal zu öffnen und Vater ein letztes Mal zu sehen, hielt der Mitarbeiter sie zurück und sagte, besser nicht.

Meine Frau hatte die ganze Zeit über das Video vor sich gehalten. So haben wir als Familie Vater auf seinen letzten Weg bringen können.

Meine liebe Frau, meine gute Frau aus Hunan, erst in dunkelster Zeit zeigst du, was in dir steckt. Im Alltag oft zänkisch und hochfahrend, kannst du auf einen losgehen, dass es mir, dem Intellektuellen vom Lande, oft angst und bange wurde. Während deiner Schimpftiraden habe ich zigmal in Gedanken »Scheidung« geschrien – als du das gemerkt hast, hast du gesagt: »Was grummelst du denn vor dich hin? Was grummelt da deine Gosche vor sich hin? Wenn du's über dich bringst, dann spuck's aus.« Glücklicherweise habe ich mir das damals verkniffen. Deshalb kann ich dir heute sagen, auch im nächsten Leben würde ich dich, meine gute Frau aus Hunan, wieder heiraten.

Vater war nun fort, für immer. Meine Frau schloss die Tür und sagte: »Ich kann nicht mehr, ich muss schlafen.« Sie wollte das Video unserer Tochter geben, doch die lag schon, am Bettende zusammengerollt wie ein junger Hund, in tiefem Schlaf. Meine Frau schloss also das Video, meine Emotionen aber fuhren mit mir noch Achterbahn, ich machte deshalb eine neue Flasche Schnaps auf und goss gut zwei Doppelte in einem Zug hinunter ...

An dieser Stelle seiner Aufzeichnung fiel Ai Ding ein, dass der Zeitunterschied zwischen China und Deutschland im Winter sieben Stunden betrug, es bei Zhuang Zigui folglich noch früh am Abend sein musste, und er wählte ihn über Skype an.

Zhuang Zigui erschien mit erhobenem Schnapsglas und den Worten: »Ist zwar noch früh, aber ...«

Ai Ding unterbrach ihn: »Mein Vater ist gestorben.«

»Wie alt?«

»Dreiundneunzig.«

»Gesegnetes Alter.«

»Altes Schandmaul ...«

»Zhuangzi hat, als seine Frau gestorben ist, gesungen und auf einer Schüssel den Takt dazu geschlagen; und als ein enger Freund von Ruan Ji* starb, schrie er aus Trauer wie ein Esel, die meisten haben das für verrückt gehalten, aber das war doch nichts als die ewige Klage des Lebens: geboren, gewachsen, gegeben, genommen, wie Baum und Blatt, wie Ebbe und Flut, wie Wolke und Lehm.«

Ai Ding musste trotz seiner Trauer lachen. Danach tranken sie und unterhielten sich weiter wie durch einen Spiegel ...

***

Bei meinen Forschungen nach dem Ursprung des Virus aus Wuhan musste ich mein ganzes Hirnschmalz einsetzen, ich war kein Naturwissenschaftler, und vielleicht war es völlig sinnlos, aber die Tür war verrammelt, der Fernseher kaputt, außer Schnaps und Lesen hatte ich nichts, um die Zeit totzuschlagen.

Heute hat mir meine Frau per WeChat erzählt, bei ihr spuke der Totengott herum, »du kannst ihn nicht sehen, aber er starrt dich die ganze Zeit an. Aus dem Haus gegenüber hat er vier Leute geholt, wieder eine ganze Familie.« Und wieder war der Grund, dass dem Viertel zu wenig Plätze im Krankenhaus zustanden, »ein Wagen kommt und bringt jemanden hin, aber er kann nicht aufgenommen werden und muss zurück, mit dem Ergebnis, dass ein ›Verdachtsfall ohne Diagnose‹ zu Hause in Isolation bleibt, und eine Woche später haben sie noch drei weitere weggebracht.«

Meine Frau erzählte das ganz ruhig, als ginge es um völlig Selbstverständliches.

»In Wuhan ist der Tod Alltag«, sagte sie, »vom Hochhaus, von der Brücke springen, das ist ganz normal geworden, ich will dir nur einen Fall erzählen. Ein Wanderarbeiter konnte nicht mehr in seinen Heimatort Xiangyang in Hubei zurück, schlief nachts in einer Tiefgarage, bis schließlich seine Vorräte aufgebraucht waren. Dann hockte er sich zum Betteln an die Auffahrt einer Hochstraßenkreuzung, aber niemand kam, den ganzen Tag nicht, kein Mensch, kein Auto, niemand, den er anbetteln konnte. Gegen Abend tauchte dann ein alter Mann auf, und er freute sich schon, aber als der Alte bei ihm war, erfuhr er, dass bei ihm das Virus festgestellt worden war und er aus Angst, die ganze Familie anzustecken, heimlich fort ist, er wollte sich umbringen, auf der Brücke, und hatte deshalb nicht einmal Kleingeld bei sich. Der Wanderarbeiter war so verzweifelt, dass er in Tränen ausbrach, der Alte weinte gleich mit, sagte aber: ›Du bist noch jung, du bist noch nicht krank, du musst weiterleben.‹ Der Arbeiter sagte: ›Das ist nicht einfach, so ganz allein und mit nichts und noch mal nichts! Mir ist kalt, ich habe Hunger, würde mich aber trotzdem nicht einmal trauen, deine wattierte Jacke zu nehmen, ich hätte Angst, mich anzustecken.‹ Der Alte sagte: ›Immerhin, du willst also noch nicht sterben, ich werde einen kurzen Brief für dich schreiben, unter der Adresse findest du meine Familie, wenn du ihnen den gibst, geben dir meine Kinder ein bisschen Geld.‹ Der Arbeiter fragte, wie weit das sei. Der Alte sagte: ›In zwei, drei Stunden bist du dort.‹ Der Arbeiter sagte: ›Ich schaffe keine zehn Minuten mehr, da springe ich lieber gleich als Erster – kannst du mit dem Handy ein Video machen? Ich sage ein paar Sätze, die stellst du ins Internet, vielleicht können es meine Leute zu Hause ja sehen.‹ Der Alte sagte: ›Einverstanden, da kann ich ja wohl schlecht nein sagen.‹ Daraufhin sind sie zusammen hoch, bis zur Mitte des Brückenbogens, wo ein eisiger Wind heulte, der Alte hält das Handy hoch, und der Wanderarbeiter zerbricht sich eine Weile den Kopf, bringt aber nichts Rechtes zustande. Irgendwann sagt der Alte: ›Wenn du nicht bald was sagst, ist der Akku leer.‹ Da ruft der Wanderarbeiter: ›Alle sind tot‹ und springt. Der Alte hat es gefilmt und gesendet, den Ort, wo es passiert ist, angegeben und ist mit dem Ruf: ›Wer sterben muss, stirbt, ihr anderen passt auf euch auf‹ ebenfalls gesprungen.«

Dazu ein Gedicht der bekannten Gelehrten Ai Xiaoming – sie hat viele herausragende Dokumentarfilme gedreht, und entsprechend sind auch ihre Gedichte dokumentarisch anlegt:

Sie sind von uns gegangen

Herr Tian aus Wuhan sagt
auf dem Foto der Dritte von links ist ein Nachbar
vorgestern von uns gegangen, hinterließ Eltern und
   Kinder
die Vierte von links seine Frau
die Tochter im gleichen Alter wie mein ältester Enkel

Herr Wang aus Wuhan sagt
mein Klassenlehrer der Oberstufe ist von uns gegangen
im Sommer habe ich ihn noch besucht
er lud uns zum Essen
als er mich bis zur Kreuzung brachte
weiß es wie heute, er sagte
es ist so schrecklich heiß heut
wärst wohl besser nicht gekommen

Die weinende Frau hinter dem Leichenwagen sagt
Qinqin, so ist dein Papa von uns gegangen
du hast jetzt keinen Papa mehr

Liu Wenxiong, Arzt aus Xiantao, ist von uns gegangen
am 21. Januar behandelte er 180 Patienten
3181 in einem Monat
stellte abends noch Telefondiagnosen
nach einem Monat machte er zwei Tage Pause
am dritten ging er mit Schmerzen in der Brust ins Kran-
    kenhaus

Die Ärztin Xia Sisi ist von uns gegangen
hinterließ ein Kind, zwei Jahre
ihr rundes Mondgesicht erinnerte mich an mich als Kind
sie wurde 29, warum 29
eine Zahl ohne Sinn und ein ewiger Schmerz

Ein Imker ganz weit weg
gab seine Völker auf und ist von uns gegangen
die Bienen schwirrten zwischen den Blumen
der Honig war schon in den Gläsern
die Straße blieb leer, und er wartete nicht mehr

Mama sagte, als sie von uns ging
Mädchen, es tut mir leid
dass ich schon gehen muss
such dir einen guten Mann und heirate
ich werde euch nicht zur Last fallen

Als der Großvater von uns ging
hinterließ er keinen letzten Willen
hohes Fieber hatte das Virus in ihm verbrannt
als Todesursache stand: Parkinson

Ein Vater ist von uns gegangen, leise und still
auf seinem Handy eine Reihe von Hilferufen
ich habe Fieber, ich habe Fieber
Antwort des Wohnviertels: nichts zu machen
kein Krankenhaus hat ein Bett

Der Vater ist von uns gegangen
einen Haustürschlüssel nahm er nicht mit
manch einer wollte nicht gehen
der wurde hoch- und aus der Wohnung gezerrt
ich hörte einen Mann den ganzen Weg schrein
lasst mich den Fernseher ausmachen
lasst mich die Tür abschließen
lasst mich das Handy holen

Ach, wieso schlägst du ihn
schlägst ihn, duckst ihm den Kopf
hinknien soll er, die Maske aufsetzen

Jemand aus einem Klinik-Container sagt
ich hatte sieben Zimmernachbarn
alle sind von uns gegangen

Der Arzt sagt zu einem Angehörigen, Sie müssen jetzt
   stark sein
ihm geht es sehr schlecht
der Angehörige sagt zum Kranken
hör auf den Arzt, mach dir keine Gedanken
der Kranke sagt, meinen Leichnam vermach ich dem Staat
aber meine Frau?

Jeden Tag höre ich, dass wer von uns gegangen
ich bete, niemand, den ich kenne
du aber bist mir vielleicht ein Freund
sagst, ich gehe, und gehst und hinterlässt im Frühjahr
auf dem Papageiensand der Gräser duftendes Grün[*]

Und dann der verständige Junge
deckte den plötzlich toten Opa mit der Bettdecke zu
ich hoffe, jemand begleitete ihn, als er ging
weit fort in das Land,
wie es hieß, der unbegrenzten Möglichkeiten.

Jedes Mal wenn eine chinesische Waise eintrifft
kommen viele potenzielle Eltern zum Flughafen
im Frühjahr war hier munteres Treiben
Viren flanierten hier fröhlich umher

Jemand verbreitet, Geld werde abgehoben
jemand verbrennt auf der Straße Papiergeld
für die, die von uns gegangen,
und wohl auch für das neue Coronavirus

Musst du gehen, geh schnell
musst du nicht gehen, komm unbedingt zurück
wenn schwarzer Rauch aufsteigt, ist da ein Wunsch
alle sollen ihn hören, die von uns gegangen

Zur Zeit der Blüte sei wieder hier und trink
verschenk deine Festbonbons, schließ in den Arm, wem
   du nicht mehr Lebwohl sagen konntest, Freunde, Ver-
   wandte
umarme einmal Wuhan, dein Heimweh

Am Ende dieses Gedichts liefen mir unversehens Tränen über das Gesicht, vielleicht war es dieses letzte Wort, »Heimweh«, das mich so bewegte, obwohl am Ort meines Heimwehs so viele Menschen starben, möchte ich ihn doch zu gern umarmen.

Während ich noch trüb vor mich hinsann, meldete sich meine Frau über WeChat und erzählte, der von ihr eingereichte Antrag sei vom Wohnviertel für eine offizielle Antwort an die Infektionsschutzzentrale des Bezirks Jianghan weitergeleitet worden, überdies habe man sich telefonisch mit Hunan hier bei mir in Verbindung gesetzt und beide Seiten seien einverstanden, nach der vierzehntägigen Quarantäne mein Weiterreiseverbot aufzuheben.

Ich fragte: »Und wenn ich unterwegs abgefangen werde, was dann?«

Meine Frau sagte: »Wenn du fortdarfst, werden sie dir einen Passierschein mit einem offiziellen roten Stempel ausstellen, und sie werden dir ein Spezialfahrzeug schicken, das dich zum Bahnhof Changsha bringt. Nachmittags um zwei Uhr fährt der letzte Schnellzug, allerdings nicht direkt nach Wuhan, du musst am Bahnhof Wuchang aussteigen, zurzeit gibt es in Wuhan keinen Stadtverkehr, aber du kennst dich ja aus, du musst einfach selbst schauen, wie du nach Hause kommst. Geht es nicht, meldest du dich.«

Nur noch zwei Tage also, mein persönliches »Schwer der Weg nach Sichuan« würde zu Ende gehen, leider war ich kein Li Bai*, ich kann nicht etwas schreiben wie »Ach und weh, welche Höhe und Gefahr! Schwerer als zum Himmel ist der Weg nach Sichuan!« – Doch eigentlich müsste es für mich ja auch heißen »Schwer der Weg nach Hubei«, »Schwer der Weg nach Hunan«, ein Weg schwerer als der andere. Ich war jetzt seit achtzehn Tagen wieder in meinem Land, und endlich kam von der Regierung »die Diagnose«: Rückkehr nach Hause kein Problem. Dank dir, meine liebe Frau.

6

Der Infizierte ohne Symptome

Frühmorgens um 5 Uhr wurde ich wach, stand auf, räumte auf, stopfte all meine Habseligkeiten in meinen Trekkingrucksack, die Computertasche würde ich mir vor die Brust hängen. Zum Glück hatte ich hier nicht auf meine Frau gehört und nicht den Riesentrolley mitgenommen, der wäre bei dem Herumgerenne jetzt doch im Weg gewesen.

In knapp zwei Wochen hatte ich fünf Flaschen *Xiangjiang*-Hefeschnaps, eine Flasche *Erguotou*-Hirseschnaps und eine Flasche *Luzhou Laojiao*-Hirseschnaps meines verehrten Herrn Schwiegervaters niedergemacht, im Schnitt war das ein Viertelliter am Tag. Noch so schummrig im Kopf, habe ich aber immer weiter Tagebuch geschrieben, alles andere war egal. Nur die teuren Sachen, den *Wuliangye* und den *Maotai*, die habe ich nicht angerührt, das tat allerdings auch nicht not. Vor Jahren hatte einmal ein Schriftsteller namens Lao Wei ein Buch mit Geschichten vom Bodensatz der chinesischen Gesellschaft geschrieben und darin einem Säufer unter anderem folgende Überzeugung entlockt*: »Soll ein Säufer eine bestimmte Marke wählen, dann geht es ihm wie der Hausfrau im Supermarkt, alles in Hülle und Fülle, ein Schlaraffenland.«

Ich brachte das Bett in Ordnung und deckte es mit einem Überzug gegen Staub ab, wischte den Boden, putzte die Fenster. Bis alle drei Zimmer gründlichst in Ordnung waren, brauchte ich zwei Stunden; danach trank ich ein Glas Wasser, nahm noch mal ein Stück Goldfadenwurzel zu mir und hockte mich aufs Klo. Nach erfolgreicher Entladung füllte ich zwei Schüsseln Instantnudeln nach. Um 9 meldete sich meine Frau, in ihrer Stimme schwang Aufregung mit. Sie sagte, sie sei wieder eine Woche nicht unten gewesen, aber heute habe der kleine Supermarkt am Eingang für zwei Stunden auf und sie werde, koste es, was es wolle, Gemüse kaufen gehen und Fleisch, um für mich am Abend ein passables Willkommensessen zu machen.

Ich gab ihr per Video ein paar Schmatzer, unsere Tochter kam dazu und sagte: »Papa, ist wirklich einsam hier ohne dich.«

Mir schossen die Tränen in die Augen. Ich schluchzte: »Es ist ein Riesenglück, dass wir gesund sind und nichts passiert ist.«

Meine Tochter fragte: »Papa, was hast du?«

Meine Frau unterbrach schnell das Gespräch.

So weit das Tagebuch. Plötzlich traf noch eine Nachricht von Zhuang Zigui ein, ohne Hand und Fuß, reichlich mysteriös, womöglich eine Fehlsendung:

Dich selbst zu fragen, ob du ein Mann bist, der weiß, was das ist: Erniedrigung, und ob du schon einmal irgendwas Umstürzlerisches getan hast, das ist das Allerwichtigste. Ein Schriftsteller hat den Kampf für Gerechtigkeit in den Knochen, wie das bei andern ist, spielt keine Rolle, du selbst bist der, der den Angriff auf den Weg bringen muss. Die Diktatur will jedem Menschen die Freiheit rauben, doch die Freiheit ist vom Himmel verliehen, für sie kämpfst du, nicht für den Westen, nur in letzter Zeit verlierst du dich dabei in den Wortgefechten zwischen Präsident Trump und den Mainstream-Medien ...

Nachdem alles erledigt war, lümmelte sich Ai Ding aufs Sofa und wartete. Gegen 12 Uhr konnte er draußen Schritte hören, er sprang auf und stellte sich hinter die Tür. Von außen wurde damit begonnen, krachend und knirschend die Längs- und Querbretter aus Holz, mit denen die Wohnung verrammelt worden war, wegzubrechen, die Nägel schienen tief zu sitzen, nach einer Viertelstunde endlich sagte draußen jemand: »Hallo, hallo, sind Sie da?«

Er antwortete: »Ja.«

Draußen: »Machen Sie bitte die Tür auf.«

Er schloss auf, und als er die Tür öffnete, wirbelte ihm so unversehens ein heftiger Windstoß um die Ohren, dass er wie betrunken torkelte, als er hinaustreten wollte, hieß es von draußen »Moment noch«, und er sah, wie zwei Gestalten in blauer Schutzkleidung, eine links, eine rechts, hervorschossen, eine stangenartige Pestizidspritze direkt auf ihn zuhielten und ihn mit Desinfektionsmittel einnebelten. Nachdem er von oben bis unten und rundherum gründlich abgespritzt war, waren Mund, Nase und Ohren an der Reihe. Fast hätte er, da der Anus ja doch die schmutzigste und giftigste Körperöffnung war, gefragt, ob sie den nicht vielleicht auch einsprühen wollten, aber er verkniff es sich.

Es ging weiter mit Temperaturmessen, Ausweiskontrolle und dem Ausfüllen eines Formulars wegen auswärtiger Quarantäne. Nach Abschluss der Formalitäten übergab ihm endlich ein Mann mittleren Alters, der sich als Wang, Direktor der Seuchenschutzzentrale des Wohnviertels, vorstellte, einen Passierschein mit rotem Dienststempel und winkte angelegentlich ein kleines Motorrad der Marke Jialing, made in China, herbei.

»Das ist das Spezialfahrzeug?«, fragte Ai Ding.

»In diesen Ausnahmezeiten dürfen keine Privatfahrzeuge fahren, ohne Ausnahme, unserem Wohnviertel wurden aber nur zwei Taxis zugewiesen, und die kommen mit den täglichen Krankentransporten nicht hinterher. Deshalb nehmen Sie bitte damit vorlieb. Steigen Sie schnell auf, es ist nicht mehr viel Zeit.«

Er setzte eine N95-Schutzmaske auf, rieb die Hände mit Desinfektionsmittel ein, schulterte seinen Rucksack, hängte sich die Computertasche schräg über die Schulter, setzte sich auf den Rücksitz des Motorrads und schlang seine Arme mehr als unwillig um die dicken Hüften des Fahrers. Direktor Wang stellte ihn vor: »Das ist Wang Erxiao, aus einem alten revolutionären Stützpunktgebiet, dem Taihang-Gebirge in Shanxi, nach Changsha auf den Bau gekommen, als das Virus kam, konnte er nicht zurück, ist im Viertel geblieben und hilft jetzt hier aus.«

»In diesen Ausnahmezeiten so eng aneinanderzupappen, und wenn wir uns anstecken?«, fragte Ai Ding noch einmal.

»Wang Erxiao ist garantiert nicht krank«, versicherte Direktor Wang.

»Schluss mit dem Gequatsche!«, rief mit einem Mal der Fahrer. Unvermittelt startete das Motorrad, zog ein paar Kurven und schoss wie eine Granate auf die Straße hinaus. »Die Fahrt kostet zweihundert!«, rief er dann.

»Halsabschneider!«

»Was denn? Auch arme Leute müssen leben!«

Verärgert packte Ai Ding den Fahrer mit beiden Händen an der Hüfte. Das Motorrad begann zu schlingern, der Fahrer herrschte ihn an: »Wir fahren gleich über die Hochstraßenkreuzung, wollen Sie uns in den Tod reißen?«

»Das ist Abzocke!«

»Ein bisschen vielleicht. Aber ich riskiere auch mein Leben, wenn ich das mache. Also gut, hier auf der Straße ist keine Menschenseele, keine Autos, keine Verkehrspolizei, ich singe für Sie ein altes Revolutionslied aus den 1930ern, in meinem Heimatdialekt, aus dem Widerstandskrieg gegen Japan, da haben Sie, mein Freund, nebenbei noch ein bisschen Unterhaltung. Extraservice.«

»Fahr zur Hölle!«

Bruder Aff' wird Rotarmist, Rotarmisten woll'n ihn nicht,
dem Bruder steht der Rotarsch vor, ein zu leichtes Ziel;

Bruder Aff' trifft Politruk, Politruk ist selber Aff',
und weil Aff' den Affen liebt, darf der Affe zur Armee;

Bruder Aff' späht Feindgebiet, unterwegs auf halbem Hang,
dem Bruder steht der Rotarsch vor, der Japs, der hat es mitgekriegt;

Bruder Aff' nimmt Beine in die Hand, Japs mit Bajonett ihm nach,
für Partei und Revolution gab Held Affe Leib und Leben ...

***

Wang Erxiao muss mit Ai Ding als Sozius auf dem Motorrad wie der Teufel zum Südbahnhof von Changsha gefahren sein. Aufgrund seiner erfolgreichen Abzockerei war er so guter Laune, dass er das alte Revolutionslied aus seiner Heimat in Shanxi ein ums andere Mal schmetterte, und im Nu war die lange Brücke über den Xiangjiang überquert. Der Wind spielte mit dem Fluss, der Horizont war weit, eine in allen Farben des Regenbogens irisierende Wolke drängte aus der Ferne heran und verschmolz mit der Orangeninsel in der Mitte des Xiangjiang. Ai Ding fiel ein, dass der junge Mao Zedong in seiner Zeit an der Lehrerakademie in Changsha oft hierherkam, um zu schwimmen und mit Kommilitonen über wichtige Weltereignisse zu diskutieren, wobei er selbst damals noch nicht ahnen konnte, dass er einmal als Ausgeburt eines Diktators in die Geschichte eingehen sollte. Sogar der geldgeile Wang Erxiao stoppte urplötzlich und gänzlich unerwartet an ebendieser Stelle Maschine und Gesang, gab sich gebildet und erklärte, in der Mittelschule hätten sie das Gedicht *An der Orangeninselspitze* des alten Mao durchgenommen. Dazu zeigte er in Richtung der Wolke in den Regenbogenfarben: »Wahnsinn! Ein ziemlich dicker Packen 100-Yuan-Scheine da am Himmel! Es ist schon so, Vater und Mutter sind einem nicht so teuer wie der Kopf des Vorsitzenden Mao mitten drauf auf den Geldscheinen.«*

Ai Ding bekam eine Gänsehaut und sagte: »Weiter, Mann, und fahr vorsichtig.« Er war gerade noch bis »vorsichtig« gekommen, da begann das Motorrad zu schlingern, als wolle es ein Z schreiben. Es wurden daraus eine ganze Reihe von Zs, dann zischte es wie ein Schwertstreich schief zur Seite. Ai Ding brüllte »Bremsen!«, doch Wang Erxiao schien nichts zu hören, war plötzlich stocksteif, der Hals wie bei einem heulenden Hund starr nach oben gebogen, ohne jedoch einen Ton von sich zu geben. Als Nächstes begann er zu zittern, Ai Ding klammerte sich fest – und begann ebenfalls zu zittern, als hätte ihn ein Stromschlag getroffen. Geistesgegenwärtig ließ er die Hüfte des anderen los, richtete sich auf, beugte sich über ihn hinweg und griff nach dem Lenker. Sie krachen auf den Grünstreifen und gingen wie in einem Ringkampf zu Boden.

Ai Ding war mit einem Satz wieder oben, Wang Erxiao hingegen zuckte weiter, also zog er das Motorrad hoch, das auf dem rechten Fuß des anderen lag, Wang Erxiaos Mund war weit aufgerissen, seine Nasenlöcher und seine Kehle wirkten wie zugestopft, er trat um sich, als ginge es um sein Leben, der Körper blieb starr, es schien, als wolle er, was ihn zustopfte, mit aller Macht herausdrücken. Seine Augäpfel waren kurz davor herauszufallen. Schließlich holte er tief Luft, hielt sie eine halbe Sekunde an und spieh, sehr lange – ein grauenvoller Gestank, der aus einem ganzen Leben zog, übler als ein Haufen Scheiße, nachdem nichts mehr kam, zuckten seine Schultern ein letztes Mal, der Kopf fiel zur Seite und es war zu Ende.

So starb jemand ohne Symptome an der Wuhan-Pneumonie, noch vor wenigen Minuten war es ihm recht gut gegangen, er war laut singend dahingerast, hatte von Reichtum geträumt, und Ai Ding klammerte sich an seine dicken Hüften. Doch jetzt, jetzt stand Ai Ding völlig neben sich, er blickte sich instinktiv um, der Grünstreifen war umgeben von einem Auf und Ab von Hochhäusern, Straßen gingen in alle Richtungen, doch nirgendwo war eine Menschenseele. Er schaute zum Himmel und redete wie im Schlaf: »Zu hoch, zu hoch.« Er befand sich am Grund eines tiefen Brunnens, warum trug ihn diese hohe, diese zu hohe Existenz da oben nicht hinauf ...

Er zückte sein Handy und wählte die 110, danach die 120, niemand nahm ab; daraufhin rief er Direktor Wang an, der ihm versichert hatte, mit Wang Erxiao sei alles in Ordnung, als am anderen Ende gefragt wurde, wer dran sei, legte er sofort auf. Wie aus dem Schlaf geschreckt, war ihm auf einen Schlag klargeworden, welcher Ärger ihm drohte, diesmal war er ein waschechter »Verdachtsfall«, er hatte mit einem Corona-Toten in engstem Kontakt gestanden und müsste in Quarantäne.

»Auf keinen Fall, das ertrag ich nicht noch einmal, ich muss nach Hause«, murmelte er vor sich hin. »Ich hatte Kontakt mit ihm, keine Frage, aber ich habe Handschuhe und eine Maske getragen, ich bin dick angezogen, da sollte eigentlich nichts sein.«

Also hockte er sich in die Mitte des Grünstreifens, kramte

aus dem Rucksack das Desinfektionsmittel heraus, rieb sich Hände und Gesicht ein, dann alle Stellen am Körper, die bloßgelegen hatten oder -gelegen haben konnten, zog Maske, Handschuhe, Jacke, Hose, Strümpfe und Schuhe aus, warf sie weg, zog frisch ausgerüstet wieder in den Kampf, richtete das Motorrad auf und wischte es vom Lenker über das Fahrgestell bis zum Vorder- und Rücksitz gründlich mit Alkohol und Desinfektionsmittel ab. Zuletzt drehte er sich in fünf Metern Entfernung um, legte die Handflächen zum Gruß zusammen und verabschiedete sich von dem anderen auf dem Boden: »Es tut mir echt leid, mein guter Wang Erxiao, die zweihundert bleibe ich schuldig, ich zahle, wenn wir uns das nächste Mal sehen.«

Er zurrte den Gürtel fest wie ein Straßenräuber, startete die Maschine und machte sich auf den Weg. Vor ihm lag eine schnurgerade Hauptstraße, wie der Blitz war er am Südbahnhof von Changsha. Mit dem Hochgeschwindigkeitszug würde er in anderthalb Stunden in Wuhan sein. »Man kann sich nicht um alles kümmern«, murmelte er erneut vor sich hin, »ich muss nach Hause.«

Aber wegen des ganzen Hin und Hers kam er zu spät. Eigentlich hätte er noch acht Minuten gehabt, doch die Fahrkartenschalter schlossen zehn Minuten vor Abfahrt. Er überließ das Motorrad sich selbst, stürzte direkt zur Fahrkartenkontrollstelle, ohne Fahrkarte jedoch wollte man ihn nicht durchlassen. »Ist es denn gar nicht möglich, das Ticket im Zug zu kaufen? Seien Sie doch so gut!« Er reichte dem anderen seinen Passierschein und seinen Personalausweis, seine Stimme erstickte fast unter Tränen. Der andere ging nicht darauf ein. »Ich habe kein Fieber!« Der andere schüttelte den Kopf. Dann war ein lautes, langgezogenes Pfeifen zu hören, der Zug verließ den Bahnhof.

***

Ai Ding, Pechvogel auf ganzer Linie, schob nun sein Motorrad wie ein Wanderarbeiter, der keinen Job an Land ziehen konnte, großer Rucksack auf dem Rücken, verschwitzt, plan- und ziellos, taumelte er mehrfach und musste sich an den Straßenrand setzen, wo er sich selbst klatschend ohrfeigte. Nicht einmal den Anruf seiner Frau nahm er entgegen. Als Direktor Wang, Wang Erxiaos Vermittler, anrief, brüllte er: »Verdammte Scheiße, was haben Sie gemacht?!«

Zu seiner Überraschung antwortete Direktor Wang: »Gemacht, gar nichts. Was da heute passiert ist, tut mir aber sehr, sehr leid.«

Ai Ding traute seinen Ohren nicht. Als Nächstes witterte er eine Falle. Doch dann hörte er Direktor Wang sagen: »Die Regierung hat die Videoaufzeichnungen der elektronischen *Skynet*-Überwachungsanlage an der Xiangjiang-Brücke schon ausgewertet und ist völlig im Bilde über das, was passiert ist. Das war ein Unfall, an Ihnen bleibt da nichts hängen.«

»Aber an Ihnen bleibt die Krankheit von Wang Erxiao hängen!«

»Herr Dozent, solche unverantwortlichen Bemerkungen müssen doch nicht sein! Ich bin kein Arzt, und selbst wenn ich Arzt wäre, er hatte schließlich keinerlei Symptome, wie hätte man da etwas erkennen sollen? Und, auch ich bin betroffen, ich bin ab sofort für vierzehn Tage in Selbstisolation zur Beobachtung. Machen Sie sich aber bitte keine Sorgen, die Sache ist erledigt. Die Regierung wird zu einem geeigneten Zeitpunkt seine Angehörigen informieren.«

»Wenn ich mich infiziert habe, tragen Sie dafür die volle Verantwortung.«

»Das wird nicht der Fall sein. Die Regierung, Herr Dozent, weiß auch von Ihren Aktionen auf dem Grünstreifen, der Desinfektion und dem Wechsel der Kleidung, nach wiederholter Begutachtung und Untersuchung sind wir einhellig zu der Ansicht gelangt, dass Ihre Maßnahmen sinnvoll waren und den aktuellen Standards des nationalen Seuchenschutzes entsprochen haben. Sie können sich nicht infiziert haben! Deshalb darf ich Ihnen im Auftrag der Seuchenschutzzentrale des Wohnviertels mitteilen: Der bestehende Beschluss zur Aufhebung Ihrer Quarantäne behält seine Gültigkeit.«

»Das geht nicht, ich komme zurück.«

»Wozu denn?«

»Ich bin durch Sie ein ›Verdachtsfall‹ geworden …«

»Durch Wang Erxiao, nicht durch mich.«

»Und wer hat Wang Erxiao vermittelt?«

»Niemand. Er ist auf Sie zugekommen.«

»Er war das von Ihnen mir vermittelte ›Spezialfahrzeug‹.«

»Kolossaler Witz! Die Spezialfahrzeuge unseres Wohnviertels sind doch keine Motorräder, unsere beiden Epidemiesonderfahrzeuge kommen desinfiziert, und Vorder- und Rücksitz, also Fahrer und Fahrgast, sind durch kugelsicheres Glas voneinander getrennt.«

»Schämen Sie sich gar nicht?«

»Passen Sie auf, was Sie sagen, ich lasse mich nicht beschimpfen. Wang Erxiao ist ganz klar auf Sie zugekommen, ich wollte das eigentlich verhindern, aber weil ihr beide gleich so die Köpfe zusammengesteckt habt, schien mir die Sicherheit in Gefahr, in zu großer Gefahr …«

»Gütiger Himmel! Sie schämen sich wirklich nicht.«

»Ich habe nicht nur einmal gesagt, dass Sie langsam machen sollen, aber Sie haben immer wieder betont, dass Sie zu Frau und Kind nach Wuhan wollen, unbedingt und so schnell es geht. Ich habe mich also in Ihre Lage versetzt und bin für einen Moment schwach geworden, aus Angst, dass Sie den letzten Schnellzug verpassen könnten … nun ja, seit ich Parteikader bin, war das wohl meine größte Pflichtvergessenheit …«

»Wang, Sie werden schon sehen, ich komme sofort zurück.«

»Wozu denn das?«

»Wenn ich da bin, klären wir die Sache.«

»Ich bin in Quarantäne, ich darf Sie gar nicht sehen.«

»Ich werde mit Ihnen weitere vierzehn Tage in Quarantäne verbringen.«

»Die Ressourcen unseres Wohnviertels sind begrenzt, es gibt keine Notwendigkeit, Herr Dozent, dass Sie die Sache für uns weiter verkomplizieren.«

»Ich gehe wieder in die Wohnung meiner Schwiegereltern, was ist daran kompliziert für das Wohnviertel?«

»Jemand muss die Tür wieder von außen verrammeln.«

»Ich werde Sie verklagen!!«

»Klagen Sie, klagen Sie, es ist nicht leicht, ein guter Mensch zu sein.«

Damit beendete Direktor Wang das Gespräch. Wutschnaubend machte Ai Ding mit der Maschine auf der Stelle kehrt und machte sich auf den Rückweg. Als er über die Xiangjiang-Brücke kam, stellte sich ihm jedoch ein Polizeiwagen frontal in den Weg. Zwei Polizisten mit blauen Ganzkörperschutzanzügen stiegen aus und kontrollierten mit großem Getue seinen Personalausweis und den Passierschein, öffneten den Rückraum ihres Autos und zwangen ihn mitsamt Motorrad hinein. Den ganzen Weg über schimpfte und brüllte er, die Polizisten saßen nur schweigend da.

Am Eingang der Polizeiwache des Wohnviertels wurde Ai Ding wieder mit Desinfektionsmittel übersprüht, mit einem Stirnthermometer wurde Temperatur gemessen, anschließend fürs Erste Handy und Computer konfisziert und er in eine Arrestzelle gesteckt, um über Nacht seine innere Hitze abklingen zu lassen. Am nächsten Morgen brachte man ihn in aller Frühe zum Verhör beim politischen Instrukteur der lokalen Wache, wo er durch eine Glasscheibe hindurch sofort wieder ungeduldig losbrüllte: »Ich will eine Klage einreichen!«

»Das hier ist kein Gericht, was denn für eine Klage? Die Krankheit kann es nicht sein.«

»Natürlich ist es die Krankheit. Aufgrund der Empfehlung von Direktor Wang bin ich in engen Kontakt mit dem Corona-Toten Wang Erxiao gekommen und deshalb jetzt ein ›Verdachtsfall‹. Ich muss einen Nukleinsäuretest machen, und wenn ich positiv getestet werde, verlange ich, auf der Stelle zur Behandlung ins Krankenhaus gebracht zu werden, und ich will, dass die Verantwortlichkeit von Direktor Wang genauestens untersucht wird.«

»Direktor Wang ist auf eigene Veranlassung in Quarantäne, er ist ebenfalls ein Betroffener.«

»Das ist mir egal.«

»Woher nimmst du verdammtes Arschloch diese Chuzpe? Direktor Wang spricht in den höchsten Tönen von dir, er hat sich echt ins Zeug gelegt, damit wir dich so schnell wie möglich nach Hause lassen.«

»Ohne Test traue ich mich nicht nach Hause, wenn ich Frau und Kind anstecke …«

»Sie haben kein Fieber, und Sie atmen völlig normal.«

»Wang Erxiao hatte bis zu den letzten Minuten vor seinem Tod auch kein Fieber, und auch er atmete völlig normal. Das Virus hat eine Inkubationszeit, und symptomfreie Kranke gibt es so viele, wie ein Rindvieh Haare hat.«

»Das hier ist eine Polizeiwache, kein Krankenhaus.«

»Können Sie sich denn nicht mit einem Krankenhaus in Verbindung setzen?«

»Gehören Sie vielleicht zu den oberen Zehntausend? Die Krankenhäuser quellen inzwischen über, außerdem werden die medizinischen Ressourcen knapp, das medizinische Personal arbeitet rund um die Uhr, und es kann nicht einmal allen

Einheimischen geholfen werden, jeden Tag sterben mindestens ein paar hundert – aufgrund wovon wollen da Sie unsere Ressourcen für sich beanspruchen, einer von auswärts, aus einer anderen Provinz, und noch dazu aus Hubei, der Provinz, die die Menschen im ganzen Land in diesen Schlamassel überhaupt gestürzt hat? Ein Nukleinsäuretest? Ein ziemlich großes Wort gelassen ausgesprochen. Ein Reagenz-Kit dafür kostet ein paar hundert Kuai. Wollen Sie das aus eigener Tasche bezahlen?«

»Kein Problem, ich bezahle das aus eigener Tasche. Egal wie die ›Diagnose‹ ausfällt, von einem Prozess werde ich mich nicht abbringen lassen. Und wenn ich gewinne, muss Direktor Wang die Kosten übernehmen.«

»Und wenn Sie verlieren?«

»Selbst tot müsste ich das gewinnen. Und wenn ich an der Krankheit sterben sollte, hat Direktor Wang sich indirekt noch eines Mordes schuldig gemacht.«

»Scher dich zum Teufel!«

»Bestimmt nicht!«

»Ihr Ernst?«

»Ich habe Frau und Kind, ohne Test wage ich mich nicht fort.«

»Also gut. Wenn Sie unbedingt hierbleiben wollen, verhaften wir Sie wegen ›ordnungswidrigen Verhaltens‹. Wer während der Epidemie Partei und Regierung zusätzlichen Ärger macht, wird ausnahmslos als ›besonders schwerer Fall‹ behandelt, Sie können gern hier für fünf Jahre ins Umerziehungslager, das sollte kein Problem sein.«

Ai Ding brüllte los wie ein Tiger, hätte er ein Messer zur Hand gehabt und wäre da keine Glaswand gewesen, er wäre auf den anderen losgegangen. Doch so hätte auch ein Tiger letztlich nicht mehr als brüllen können. Der politische Instrukteur stand auf und sagte: »Wir sind Ihnen schon sehr weit entgegengekommen.« Damit war er fort. Ai Ding wurde eine Lunchbox durch ein Fenster gereicht, er wies sie scharf zurück. Der Überbringer sagte: »Machen Sie sich doch nicht selbst das Leben schwer.«

Kurz nach Mittag erhielt Ai Ding sein Handy zurück. Er konnte es kaum erwarten, WeChat zu öffnen, seine Frau hatte eine Sprachnachricht hinterlassen: »Sie haben mich angerufen. Komm zurück, dann sehen wir weiter, Liebster, mach bitte keinen Stress, deine Tochter und ich, wir vermissen dich.«

7

Durch menschenleere Gegenden

Nachmittags um zwei lenkte Ai Ding schließlich ein. Direktor Wang rief an: »Herr Dozent, ich hatte doch auch keine Wahl, wer kann schon die Verantwortung für ein Menschenleben übernehmen? Auch ich habe Frau und Kind, was sollen sie tun, wenn plötzlich etwas passiert? Versetzen Sie sich doch bitte auch in meine Lage, und überlegen Sie sich, dass es zwischen uns eigentlich keinerlei Zwistigkeiten gibt, wozu uns also gegenseitig zugrunde richten? Es macht keinen Sinn, einen auf menschliche Bombe zu machen, wo ich nicht beim Kampfmittelräumdienst bin, korrekt?«

»Lassen Sie doch das alberne Gerede. Was soll ich jetzt tun? Die Bahn ist eingestellt, auch sonst fährt nichts mehr.«

»Die Regierung hat entschieden, dass Wang Erxiaos Hinterlassenschaft, das Kleinrad der Marke Jialing aus chinesischer Produktion, Ihnen vorläufig belassen werden kann. Nach der Epidemie sprechen wir über einen Sonderpreis. Von Changsha kann man es über die Autobahn mit einem normalen Auto in etwas mehr als einer Stunde nach Yueyang schaffen. In Yueyang überquert man die Provinzgrenze und ist mit einem Fingerschnipp in Wuhan. Gehen wir davon aus, dass das Motorrad doppelt so lange braucht, sollten Sie ohne Probleme heute noch nach Hause kommen können.«

»Die Autobahnen sind doch zu.«

»Sie erhalten eine Sondererlaubnis, ein Polizeiwagen wird Sie zur Auffahrt geleiten.«

»Das Motorrad hat kein Benzin mehr.«

»Bei unserer Polizeiwache gibt es eine Tankstelle, dort dürfen Sie volltanken, kostenlos. Aber beachten Sie bitte: Unterwegs dürfen Sie ohne triftigen Grund nicht anhalten, Sie dürfen in kein Restaurant gehen, keine Unterkunft aufsuchen und zu niemandem in der lokalen Bevölkerung Kontakt aufnehmen.«

»Wie ist es mit einem Imbiss?«

»In der Tankstelle ist ein kleiner Laden, wenn Sie tanken, dürfen Sie dort auch einkaufen. Am besten stellen Sie eine genaue Liste zusammen, dann können Sie alles in einem Rutsch erledigen.«

Als er allmählich ruhiger wurde, merkte Ai Ding, wie hungrig er war. Seine verhangene Stimmung heiterte sich auf, er stopfte zwei Lunchboxen der Polizei in sich hinein und ging anschließend in deren Begleitung tanken und einkaufen; dann brachte ein Polizeiwagen ihn zur Mautstelle an der Autobahn, das Motorrad wurde abgeladen, und er schob es durch ein provisorisches geöffnetes Seitentor. Die gesichtslosen Polizisten winkten ihm zu, sie steckten von oben bis unten in Schutzkleidung, und er fühlte sich in der völligen Verlassenheit zwischen Himmel und Erde wie ein Astronaut kurz vor dem Start.

Ai Ding war klar, dass diese Straße durch das landesweite elektronische Auge *Skynet* lückenlos überwacht wurde, und er wagte nicht zu trödeln. Außerdem war, wie es schien, nicht nur die Stadt Changsha gänzlich leer, sondern auch die gesamte Autobahn nach Yueyang – damit nahm ein unvergleichliches Schauspiel seinen Anfang, auf einer Schnellstraße, auf der normalerweise der Verkehrsfluss niemals zum Erliegen, niemals ins Stocken kam, nichts als ein Mann und ein Gefährt, hätte er statt auf dem Motorrad auf einem Pferd gesessen, er hätte der Reiter einer Poststation aus alter Zeit sein können. Die Abendsonne ging zwischen Fluss und Gebirge unter wie ein Geisterschiff, das nach und nach seine Strahlkraft verlor, und über diesem Geisterschiff stand zwischen nach unten wogenden Brandungswellen die Sichel des Mondes, die Sterne sahen aus wie Münder, in der Ferne nur zu erahnen, gingen sie auf und zu in einem lautlosen Totengesang. Ai Ding, für den sich das Blatt gewendet hatte und der in den Genuss des Privilegs eines »offiziellen Geleitschutzes« gekommen war, Ai Ding, der jetzt nur noch zusah, dass er vorwärtskam, erreichte am frühen Abend gegen fünf Uhr, die Dunkelheit verabschiedete bereits den Tag, die alte Stadt Yueyang am Ufer des Dongting-Sees. Da weiter vorne eine Straßensperre aufgebaut war, wo es kein Durchkommen gab, fuhr er von der Autobahn ab, um seine Fahrt auf der normalen Landstraße fortzusetzen.

Als Ai Ding dort den weltberühmten Turm von Yueyang passierte, konnte er natürlich nicht wie Fan Zhongyan*, der große Literat der Nördlichen Song-Dynastie, nach Lust und Laune einfach hinaufsteigen und im Angesicht der bewegten Wasserfläche ein paar Zeilen für die Ewigkeit schreiben wie:

... Sorgt sich, bevor das Reich sich sorgt,
Freut sich, erst wenn das Reich sich freut.
Ach! Ja! Wollt sein mit wem,
wenn nicht mit ihm ...

Aber zumindest musste er doch anhalten und sah bewundernd zu dem majestätisch-dunklen Schatten auf. Dabei fiel ihm eine Ankündigung auf der Turmmauer ins Auge:

Kontrollen zwischen Yueyang in Hunan
und den Grenzorten der Provinz Hubei

In diesen Tagen verbreitet sich über zahlreiche
WeChat-Gruppen aus Yueyang die Falschmeldung,

»Yueyang ist abgeriegelt, die Autobahn ist abgeriegelt, niemand kommt nach Yueyang hinein«. Der zentrale Seuchenschutz der Regierung gibt dazu folgende öffentliche Stellungnahme ab:
1. Seuchenschutz und -kontrolle hat höchste Priorität, notwendig ist der Schutz vor Ausbreitung nach innen wie nach außen. Von Silvester [in China, der 24. Januar], an gilt in allen Kreisstädten, Ortschaften und Dorfverbänden im Verwaltungsgebiet von Yueyang an der Grenze zur Provinz Hubei eine gegenseitige Isolation, Reisen bedürfen einer Ebene-1-Genehmigung durch die Wohnviertel oder Gemeinden, Ab- und Rückreise haben schnell zu erfolgen, unbegründete Aufenthalte auswärts sind nicht gestattet.
2. Diesseits der Grenze ist jeder öffentliche Nah- und Fernverkehr eingestellt. Die neun gemeinsamen Grenzpunkte mit Hubei wie die Orte Hongqiao und Nanjiang unter der Verwaltung des Kreises Pingjiang wurden ausnahmslos geschlossen. Die vier Ortschaften mit gemeinsamer Grenze mit Hubei und die nah an der Region Wuhan gelegene Stadt Xiangling sind befestigte Schutzzonenschwerpunkte der Provinz, sie dürfen verlassen, aber nicht betreten werden.
3. Unsere Stadt wird als Nadelöhr auf dem Weg von Hubei nach Hunan, mit der Eisenbahntrasse Peking–Kanton und der Autobahn Peking–Hongkong–Macao durch unsere Provinz, vorläufig nicht geschlossen, jedoch werden an den Straßenkreuzungen der Stadt, insbesondere bei den Straßen mit gemeinsamer Grenze mit Hubei, insgesamt 35 Untersuchungs- und Kontrollposten eingerichtet, die Autobahn ist noch nicht abgeriegelt. Aber jedes Fahrzeug auf dem Weg nach Yueyang ist zu einer Sicherheitskontrolle verpflichtet, Menschen und Fahrzeuge werden desinfiziert, und die Körpertemperatur ist zu messen.

Das war ein seit einem guten halben Monat überholter Aushang, seither war man überall im Land mehr als 3000 Jahre zurückgegangen, zur Frühlings- und Herbstperiode, als die »Feudalstaaten« im Namen zahlloser »Himmelssöhne von Zhou«* gegeneinander Grenzen zogen und sie bewachten – Ai Ding allerdings, auf dem Weg aus Yueyang hinaus, wusste davon am Anfang noch nichts, er checkte auf seinem Handy im Internet die Landkarte, von Yueyang nach Xiangling waren es nur 42 Kilometer, Xiangling wiederum lag am nördlichsten Zipfel von Hunan, der tief ins Landesinnere von Hubei hineinragte, von Wuhan war das noch knapp 200 Kilometer entfernt – vorausgesetzt die Maschine schaffte 50 Kilometer in der Stunde, konnte er vor Mitternacht zu Hause sein.

Also fuhr er auf die Staatsstraße 107 und gab ordentlich Gas, der schneidende Wind ging ihm durch und durch. Auf der Strecke hielt er an keiner roten Ampel, denn außer roten Ampeln war da nichts. Irgendwann sah er in der Ferne zwei Laster quer auf der Straße, jemand stand auf einer der Frontpartien und schwenkte die Rote Flagge mit den fünf Sternen. Ai Ding bremste vorsichtig ab, mit einem Salto war der Flaggenträger auf dem Boden, blieb in einer Entfernung von gut fünf Metern stehen und fragte laut: »Woher?«

»Changsha.«

»Wohin?«

»Wuhan.«

»In dieser Zeit nach Wuhan, ist das kein Irrtum?«

»Meine Familie ist in Wuhan.«

»Waass! Der ist aus Wuhan!«

Plötzlich kroch ein gutes Dutzend auf der Lauer liegender Dorfbewohner aus den Lastern, alle in Regenmänteln, mit Mundschutz, in den Händen Lanzen mit roten Troddeln, und nahmen Ai Ding genauso in die Mitte wie in alten Filmen die Boxer-Aufständischen die ausländischen Teufel, die sie vernichten wollten. Danach verschwand er hinter Pestizidspritzern, ganze fünf Minuten war er vom Desinfektionsnebel verschluckt wie ein Makake, der durch Wolken und Nebel schwebt*. Er hörte nur *bong*, einen Gong an seinem Ohr, dann *di-di da-da*, ein Trompetensignal, und schließlich brüllte jemand: »Verehrte Älteste und Mitbürger in Quarantäne, hört bitte, jeder und jede bei sich zu Hause, gut zu! Soeben haben wir einen aus Wuhan abgefangen, der sich hier herumtreibt, einen von denen, die 1,4 Milliarden Chinesen diese Katastrophe mit dem neuen Coronavirus eingebrockt haben, wir führen gerade seine Desinfektion und Befragung durch! Das ist höchst gefährlich, Genossen, ein unvorsichtiger Augenblick, und du fällst tot um! Trotzdem, keine Sorge, in diesem kritischen Moment der chinesischen Nation wird die Parteizelle unseres Dorfes, wie es in unserer Nationalhymne so schön heißt: mit unserem Fleisch und Blut unsere neue Große Mauer bauen, und alle im Dorf, Männer, Frauen, Junge und Alte, werden dahinter sicher sein. Sollten es diese Viren wagen anzugreifen, werden wir von der Kommunistischen Partei die Ersten sein, die sie willkommen heißen ...«

Patschpatsch, einhelliger Applaus kam aus den Türspalten, Fensterspalten, Dachspalten des gesamten Dorfes, danach erhoben Parolen sich himmelwärts: »Nieder mit den Hubeiern! Nieder mit den Wuhanern! Lang lebe die Kommunistische Partei! Lang lebe Papa Xi! Unterstützt die Parteizelle! Auf den Sieg des Volkes, ins Grab mit der neuen Virus-Pneumonie!«

Ai Ding, zum allgemeinen Hassobjekt geworden wie eine Ratte, die durch die Straßen läuft, musste zu seinem Pech in dieser Seuchenschutzpropagandaschlacht nun herhalten als Negativbeispiel, als ein Mitspieler, dem ohne jeden Grund zahllose Male mit den rot betroddelten Lanzen in den Hintern gestochen wurde. Erst als alles vorbei war, erfuhr er, dass in diesem Dorf vor noch nicht allzu langer Zeit etliche krank geworden und gestorben waren, trotzdem hatte es weiter

Dorfbewohner gegeben, die sich mitten in der Nacht hinausstahlen und gegen die Vorschriften am See ihre Fischernetze auswarfen – von der patrouillierenden Volksmiliz erwischt, waren sie übel verdroschen und ihre Fische und Netze konfisziert worden.

Nachdem man Ai Ding zur Genüge schikaniert hatte, kontrollierten die Leute endlich flüchtig Passierschein und Personalausweis, nichts war zu beanstanden. Die Rote Flagge wurde zwei weitere Male geschwenkt, und er fuhr mit gesenktem Kopf zwischen den beiden Lastern hindurch. Es ging weiter durch die Nacht, seine Stimmung war jäh auf einen absoluten Tiefpunkt gesunken. In dem Moment schickte ihm ein großer Lautsprecher auf der Frontpartie eines der Laster auch noch einen Knittelvers zum Seuchenschutz hinterher:

Lauft zu Haus nicht kreuz und quer
schlaft und nehmt die Zeitung her,
macht die Teller voll, die Töpfe leer.
Nicht Gerüchte, keine Schauermär',
und vergesst das niemals mehr.

***

Ai Ding brachte ein paar weitere Kilometer hinter sich, allmählich normalisierte sich seine Gefühlslage wieder, und er gab kräftig Gas, er nahm gerade an Fahrt auf und holte heraus, was ging, als unversehens aus der Ferne zwei schneehelle Suchscheinwerfer vorbeistrichen, für einen Augenblick musste er geblendet die Augen schließen und bremste hastig ab. Ein Trupp mit erhobenen Holzschwertern, der seitlich hervorbrach, die Gesichter von höchst merkwürdigen Theatermasken verdeckt, stellte sich ihm in den Weg: »Woher?«

»Changsha.«

»Wohin?«

»Xiangling.« Ai Ding hatte kurz gezögert, er wollte diesmal lieber vorsichtig sein.

»Passierschein?«

Er händigte ihn aus.

»Personalausweis?«

Er händigte auch den aus.

»Sie sind aus Wuhan?«

»Zur Zeit lebe ich in Xiangling«, sagte er in einer plötzlichen Eingebung, »in diesen Zeiten nach Wuhan wäre ja lebensgefährlich.«

»Der Passierschein gibt an, dass Sie schon vierzehn Tage in Quarantäne waren, getestet wurden und dass Ihre Körpertemperatur normal ist. Aber desinfiziert werden müssen Sie trotzdem.«

»Ich bin bereits desinfiziert worden.«

»Vorhin, das war ein Dorf der Han*, hier ist ein Dorf der Miao, das ist etwas anderes.«

Daraufhin packte die Chefmaske mit jeder Hand eine Sprühflasche und feuerte wie mit zwei Großkaliberpistolen von beiden Seiten gleichzeitig, spritzte von Kopf bis Fuß alles fein säuberlich ab – aber damit nicht genug, wurde Ai Ding außerdem befohlen, den Mund aufzumachen, beide Pistolen pufften hinein, dann erst sah man die Gefahr gebannt. Zuletzt wurde ihm überraschend auf die Schulter geklopft und er zu einer Versammlung eingeladen.

»Es ist schon spät«, sagte er.

»Grad mal neun vorbei, das ist doch nicht spät.«

»Ich habe noch etwas zu erledigen.«

»In diesen Zeiten ist das Wichtigste, was zu erledigen ist, das Virus.«

Ai Ding brannte vor Ungeduld, doch ihm blieb nicht anderes übrig, als sich in die lokalen Gepflogenheiten zu fügen. Sein Handy vibrierte, es war seine Frau, er wagte nicht dranzugehen.

Die Chefmaske stellte sich vor: »Ich heiße Shen Ding, unser Name unterscheidet sich nur in einem Schriftzeichen, und doch haben wir völlig verschiedene Hintergründe. Wir sind Miao, unser Dorf hier ist aus der Zeit von Kaiser Wanli aus der Ming-Dynastie*, wir sind aus Fenghuang, der Phönix-Stadt der Miao, einst hierher umgesiedelt, den Grund für die Umsiedlung kennt heute niemand mehr. Und: Shen Congwen*, unser großer Schriftsteller aus der Phönix-Stadt, ist ein Verwandter von uns Shens, den Ahnentempel im Dorf haben wir mit einer Gedenktafel für ihn, diesen unseren großen Vorfahren, und mit seinen gesammelten Werken ausgestattet.« Danach ließ Shen Ding eine weitere Theatermaske holen und setzte sie Ai Ding auf: »Das ist eine Maske aus der Nuo-Oper*, die vertreibt Dämonen, haben Sie das gewusst?«

»In *Reisen durch Xiangxi* hat Shen Congwen darüber geschrieben«, antwortete Ai Ding. »Bei euch hier ist wirklich alles ganz anders als in dem Nachbardorf vorhin.«

»Die Miao haben Kultur, im Gegensatz zu den Han. Die Miao ehren ihre Ahnen, die Han begraben ihre Ahnen, und bei jeder Gelegenheit heißt es ›nieder mit Blablabla‹, ›begrabt lebendig sowieso‹, wie die Wilden, wirklich wahr.«

Der Versammlungsplatz befand sich auf der Landstraße, zwei Scheinwerfer trafen sich in der Straßenmitte über zwei Hockern, etwa zwanzig Dorfbewohner mit Masken standen verstreut herum. Alle klatschten Beifall, der Dorfchef Shen Ding betrat die provisorische Bühne und begann eine Rede:

»Seit das neue Coronavirus zum Angriff geblasen hat, haben Partei und Regierung alle Hände voll zu tun mit der allgemeinen Gesamtlage, um die Lage im Kleinen können sie sich nicht mehr kümmern, deshalb hat man von oben eine Isolierung der Dörfer verfügt und die Durchführung uns selbst überlassen. Und wir lösen auch jedes Problem, das aufkommt, selbst, es ist heute hier genauso, wie es im *Daodejing** über ein ›kleines Reich mit spärlichem Volk‹ geschrieben steht. In unserem ›kleinen Reich‹ der Miao-Minderheit sind seit der Abriegelung des Dorfes gut zwanzig Menschen gestorben, und kein einziger ›Verdachtsfall‹ hatte die Möglichkeit einer ›Diagnose‹, denn die da oben haben uns im Krankenhaus keine Plätze zugeteilt. Bringt man in aller Eile trotzdem einen Kranken nach Yueyang, kommt man garantiert nicht durch die benachbarten Dörfer der Han durch, dafür gibt es keine Direktive von oben, und wir schaffen es nicht einmal als Gruppe, uns durchzuschlagen.

Wenn das so bleibt, werden wir noch mehr Tote haben. Aber aus den WeChat-Gruppen, in denen die Dörfer sich austauschen, weiß ich, dass in den beiden Han-Dörfern rechts und links von uns sogar noch mehr gestorben sind als bei uns. Unser Dorf nach außen abzuriegeln ist unproblematisch, das Problem sind die Haushalte und Familien, dort haben wir keine Möglichkeit zu isolieren, wir essen alle am gleichen Tisch und aus einem Topf, es muss nur einen ›Verdachtsfall‹ geben, und schon ist eine ganze Familie angesteckt. Was also tun?«

Die Dorfbewohner flüsterten miteinander, schließlich schickten sie einen nach vorne, der sagte: »Was tun? Uns damit abfinden. Wir können nur Fieber messen, jeder, jeden Tag, und rechtzeitig, und wenn es Symptome gibt, sofort isolieren.«

Shen Ding nickte und fuhr fort: »Essen können wir nicht getrennt voneinander, aber wie wäre es mit schlafen?«

Wieder tuschelten die Dorfbewohner miteinander, und wieder wurde schließlich jemand nach vorne geschickt, der sagte: »Sollten wir getrennt tun.«

»Die Älteren werden damit kein Problem haben – aber die Jüngeren?«

»Seit ein paar Jahren ist die Politik der Geburtenkontrolle weniger streng geworden, uns Miao ist man noch weiter entgegengekommen, bei uns darf ein Paar seither wieder zwei bis drei Kinder haben, die Genossinnen halten nicht mehr ihren Bauch, die Genossen nicht mehr ihre Schwengel im Zaum, das Ergebnis: Wir sind deutlich mehr geworden, und der Lebensstandard ist gesunken. Wenn wir uns während der Epidemie jetzt alle zurückhalten, könnte man das als eine Art ›Rückgabe einer Überlast‹ ansehen.«

»Klingt sehr vernünftig, schonen wir also unsere Kräfte. Zu viel Ejakulation schwächt die Abwehrkräfte, und das Virus ist mit nur einem Kontakt im Körper.«

»In diesem Fall gehen wir heute Abend mit dem Gong von Haus zu Haus, um das bekanntzugeben; danach wird in jeder Nacht die Volksmiliz die Wohnungen inspizieren, sollten sie auf vorschriftswidriges Liebemachen stoßen, ist eine Buße von zweihundert Kuai fällig.«

»Ich bitte die Abgeordneten des Dorfes die Hand zur Abstimmung zu heben ... Einstimmig angenommen. Gut, wenn mir jemand Papier und Pinsel bringt, schreibe ich einen Zweizeiler mit einem eingängigen Spruch, den hängen wir am Dorfeingang auf.«

Darauf trug man gemeinsam und vorsichtig einen halbmannsgroßen Pinsel herbei und breitete gigantische Papierbögen auf der Straße aus, allein Shen Ding sah man im Scheinwerferlicht die Maske abnehmen, die Ärmel hochkrempeln und schließlich in einem Schwung schreiben:

Getrennt geschlafen, ohne Kuss der Mund, daran stirbt
  man nicht, man bleibt gesund!
Es stirbt, wer Zimmer teilt und Betten, darauf kann man
  wetten!

Ringsum Klatschen und Bravorufe. Anschließend betrat, selbst jetzt nachts mit Sonnenbrille, einer von auswärts mit einer *Sanxian*, einer dreisaitigen Laute, die Bühne. Shen Ding stellte ihn Ai Ding vor: »Das ist Zhang Nai Song, ein Künstler aus Gansu, er ist auf dem Weg vom Norden in den Süden vor kurzem in unserem Dorf gestrandet, das Virus war ihm auf den Fersen, jetzt sitzt er vorläufig hier fest.«

Zhang Nai Song verbeugte sich in alle Richtungen, fingerte einen Flachmann aus der Hosentasche, legte den Kopf in den Nacken und nahm einen großen Schluck, dann begann er, die Laute zu spielen, und trug folgenden Sprechgesang dazu vor:

Wilde Tiere sind arm dran,
Wildbret kommt ins Restaurant,
Corona steckt die Lunge an,
Hirn und Hände, wasch dir das Gesicht,
nicht klar im Kopf, wer vom »Herrn« Corona spricht

Neu-Corona macht sich breit,
das Tier hält uns im Käfig heut.
Die Alten können keine Maske zahlen,
man nimmt, kein Witz, Orangenschalen.
Dorf und Dorf, verbunden einst und jetzt getrennt,
dass man selbst Parteivertreter nicht mehr kennt.

Hausherr an allen Virusfronten tonangebend
die Amme, straf der Himmel sie, begräbt die Katze lebend
Hubschrauber »durchbrechen« die Blockaden,
wenn nicht der Wohlfahrt, zu wessen Wohl sie das wohl
*   taten?*
Das Rote Kreuz korrupt, Reporter lässt man nicht herein
Chauffeure, Mundschutz in der Hand – soll für die Bosse
*   sein.*

Gegen Viren Kräutersud, bei Atyp gibt's »Intimlotionen«,
Man schießt mit Smog Raketen und mit Spatzen auf
*   Kanonen.*

Die Jagd auf Färberwaid raubt dir den Schlaf, bist du
  denn toll,
Frisst Mondkuchen für Kräutersud*, weißt du noch, was
  das soll?
Doch ist das nicht, wovon ich gerne red',
nur, wo ich grad' ein Schnäpschen heb',
hat sich gleich der Kopf gedreht ...*

Ai Ding hatte gebannt zugehört. Als der Versammlungsplatz sich leerte, war es fast halb elf. Shen Ding redete auf ihn ein zu bleiben: »Außer unserem Dorf gibt es an dieser Straße keinen anderen Ort mehr, wo ich Ihnen guten Gewissens raten könnte, die Nacht zu verbringen. Dazu stecken wir zwischen den beiden Han-Dörfern, zwischen Wolf und Tiger sozusagen, da weiß man nicht, auf welche Dämonen Sie noch treffen könnten.«

Beunruhigt nickte Ai Ding. Dann wurde dafür gesorgt, dass er sich im Dorfkomitee niederlassen konnte, Wand an Wand mit Zhang Nai Song. Nach all dem Hin und Her war er todmüde, er erklärte seiner Frau in einer WeChat-Nachricht noch, was los war, legte sich nieder und schlief. Im Halbschlaf bekam er mit, wie draußen ein Gong geschlagen wurde und anschließend ein Mann und eine Frau riefen: »Das Dorfkomitee gibt in einer Eilmitteilung bekannt, dass von heute Nacht an wegen der Ausbreitung der Epidemie Frau und Mann in getrennten Zimmern schlafen müssen. Verboten ist, sich zu umarmen, verboten ist, sich zu küssen, Genossinnen, ihr müsst Abstand halten, Genossen, ihr müsst standhaft bleiben, verhindert unter allen Umständen, dass spontane Leidenschaft eine nicht wiedergutzumachende Tragödie auslöst! Die Dunkelheit wird vorübergehen, das Licht wird zurückkehren, wenn die Epidemie vorbei ist, wird alles gut ...«

***

Am nächsten Tag wurde es gerade hell, als Ai Ding auf Zehenspitzen zur Weiterreise aufbrach. Das Miao-Dorf lag noch in völliger Stille, ein paar Hunde wuselten am Fuß einer Mauer herum, als sie ihn sahen, bellten sie nicht etwa, sondern wedelten mit dem Schwanz, das rührte ihn. Und es heiterte ihn auf, er hatte das Gefühl, dass ihm das Glück bringen werde. Weil er fürchtete, das ganze Dorf aufzuschrecken, schob er seine Maschine durch die kleine Dorfstraße, selbst auf der Landstraße ging er noch ein Stück zu Fuß, bevor er aufsaß und den Motor startete.

Kaum hatte er allerdings richtig beschleunigt und mal gerade zweitausend Meter zurückgelegt, sah er, als er zufällig den Kopf hob, am Himmel, wo sich die ersten Sonnenstrahlen zeigten, ein gutes Dutzend fallschirmgroße Gasballons schaukeln, von allen hingen dunkelrote Banner, auf den ersten Blick dachte er, es gebe irgendeine große Festivität, nach genauerem Hinsehen jedoch wusste er es besser. Ai Ding wich auf einen Schlag alle Farbe aus dem Gesicht, und kalte Schauer überliefen ihn. Das waren Seuchenschutzslogans:

Corona, ist doch nichts dabei, gehorcht nur alle der
  Partei
Ohne Mundschutz aus dem Haus, ist kein Mensch, ist
  eine Laus
Gesund bleibt jeder brav zu Haus, auch Schwiegermütter
  bleiben drauß'
Wer aus Hubei und nicht Meldung macht, vor solchen
  Zeitbomben habt acht
Kommst krank nach Haus und steckst die Eltern an,
  schöner Sohn, doch Undank ist der Welten Lohn
Kommst krank aus Wuhan, schöner Egoist, nach Hause,
  wo du nicht willkommen bist
Wer, was wir sagen, heut' vergaß, auf dessen Grab
  wächst nächst' Jahr Gras

*Wer Fieber hat und nichts zu sagen müssen meint, ist den
  Massen ein versteckter Klassenfeind
Zu Neujahr auf 'nen Sprung herein, das ist ein Feind,
  lasst keinen Feind herein*

Dann gab es noch einen längeren Slogan, dessen Banner mit dem unteren Rand schon über den Boden schleifte. Ai Ding musste von seiner Seite aus eine ganze Weile hinsehen, bis er ihn ganz entziffert hatte:

Die sich heut' nicht von der Straße trollen, sind Geister, die dir an dein Leben wollen

Ihm fuhr gehörig der Schreck in die Knochen. Weiter vorne auf der Landstraße stand quer über den Weg ein hoher Zaun, der sich nach rechts und links meilenweit dahinschlängelte, er riegelte das Dorf »Der-Osten-ist-rot« ab, durch das er eigentlich hatte fahren wollen. Er wagte sich gar nicht vorzustellen, was ihm alles blühen konnte, wenn er die einige hundert Meter entfernte »Grenze« zwischen dem Miao-Dorf und dem Han-Dorf überqueren würde. Also machte er kehrt. Die Wachen beim Dorf der Miao waren inzwischen aufgestanden und auf ihren Posten, darunter waren aber zum Glück zwei, die er am Vorabend kennengelernt hatte und die ihn ohne weiteres ins Dorf hineinließen.

Er konnte nur zum Dorfkomitee zurück. Zhang Naisong, der Künstler aus Gansu, öffnete gerade die Tür, um frische Luft zu schnappen, und Ai Ding entbot ihm, als begegne er seinem Retter, schon aus einiger Entfernung, Faust in der Hand, einen respektvollen Gruß. In einem Abstand von fünf Metern blieben beide stehen, Ai Ding stellte das Motorrad ab, nahm seinen Rucksack herunter, machte einen großen Ausfallschritt nach vorne und streckte das Bein vor, so weit es ging, als Naisong das sah, tat er es ihm gleich, bis ihre Zehen aneinanderstießen, für eine Minute verharrten sie in dieser Berührung, in Zeiten der Epidemie Ersatz für festen Händedruck oder inniges Umarmen.

Naisong meinte: »Es ist ja verständlich, mein Freund, dass es dich so nach Hause zieht, aber ohne ein Wort des Abschieds zu gehen ist nicht sehr freundlich.«

Ai Ding bat um Vergebung. Naisong nickte, ging ins Haus zurück, brachte einen waschschüsselgroßen dünnen Pfannkuchen, forderte ihn auf: »Fang, mein Freund«, und schleuderte ihn ihm entgegen, Ai Ding holte ihn aus der Luft herunter wie ein Frisbee und biss herzhaft hinein. Nai Song fuhr fort: »Der Ort dort vorne hieß ursprünglich ›Kotweiler‹, vor Jahrzehnten ist der Vorsitzende Mao auf dem Weg in seine Heimatstadt Shaoshan vorbeigekommen, und mit einem Mal war er rot und nannte sich fortan ›Der-Osten-ist-rot-Dorf‹, schwere Rotschwänze. Kaum hier, hatte ich das Pech, von ihnen geschnappt zu werden, wurde als ›Verdachtsfall‹ isoliert, in einer Hundehütte, mit Hundefutter, dafür hab ich pro Nacht dann noch zweihundert gelöhnt. Am dritten Abend hab ich ein Schläfchen der Volksmiliz genutzt und bin ab über den Zaun.«

Ai Ding wischte sich im Nachhinein eine Handvoll kalten Schweiß ab und meinte: »Ganz schön gefährlich!«

Naisong meinte: »Für dich, ja. Für mich nicht mehr. Ich habe mich hier bei den Miao eingerichtet, solange das Virus nicht weg ist, gehe ich nirgendwohin.«

»Ich muss aber.«

»Zur Zeit wird die Macht überall nach unten delegiert, Selbstverwaltung in jedem Dorf, deshalb ist es schwieriger, das Dorf ›Der-Osten-ist-rot‹ zu passieren, als sich über die Landesgrenze zu schleichen.«

»Ich habe einen in Changsha ausgestellten Passierschein, der sollte mich eigentlich sicher bis über die Provinzgrenze bringen.«

»Wow, tatsächlich? Das ist ja wie ein vom Staatsrat eigens bewilligtes Diplomatenvisum, da werden sie dich schon durchlassen.«

»Und wenn sie mich doch festhalten?«

Naisong murmelte eine Ewigkeit unschlüssig vor sich hin, holte dann Papier und Stift und zeichnete eine Weile auf seinen Knien, was er schließlich mit den Worten überreichte: »Nach dem Dorfende fährst du noch 1600 Meter, dann rechts von der Landstraße runter, drei Kilometer Feldweg, dann noch mal ein paar hundert Meter an einem Acker entlang, so umgehst du den ›Roten Osten‹ und kommst über die ›Dorfgrenze‹ zwischen unserem Miao-Dorf und Majiahe. Majiahe gehört den Hui, den Moslems, die sind einfach gestrickt, bei deiner Geschichte, mein Freund, werden die froh sein, wenn du schnell wieder weg bist.«

Ai Ding nahm die handgezeichnete Karte, und unvermittelt liefen ihm Tränen übers Gesicht. Er schob die Hände in die Ärmel und verbeugte sich dreimal Richtung Naisong. Naisong erwiderte den Gruß umgehend. Ai Ding machte kehrt und war fort, er ging genau nach Plan vor und schaffte es wie vorgesehen über die Grenze.

Inzwischen war heller Mittag, Ai Ding war nach einer Abzweigung in Majiahe wieder auf der Landstraße zurück und gab Gas. Vorne links lag der Dongting-See, in den Fahrtwind, der an den Ohren vorbeirauschte, schien sich schon das Rauschen der Wellen zu mischen, der Horizont war weit, Ai Ding lud sich erneut eine Straßenkarte aus dem Netz: Er musste noch an dem Dorf Ershao vorbei, dann war er in Xiangling an der Grenze zwischen den beiden Provinzen.

»Er-shao« war eine Abkürzung aus »di-*er*-ge«, »das Zweite«, und »*Shao*-shan«, der Name einer Kreisstadt in Xiangtan, ursprünglich hatte das Dorf »Er-huang«, »Zweit-öd«, geheißen, der Anlass der Namensänderung in »Zweit-shao« entsprach dem beim Dorf »Roter Osten«: Vor Jahrzehnten war der Vorsitzende Mao auf dem Weg in seine Heimat Shaoshan hier vorbeigekommen, aus welchem Anlass er auch bei einer Familie Besuch machte, in den Kochtopf schaute und fragte, ob sie genug zu essen hätten. Die Dorfbewohner antworteten, so viel, dass sie niemals alles aufessen könnten, ein Mu Land bringe immerhin gute fünfzigtausend Pfund Reis, nicht einmal die himmlischen Heerscharen könnten bei einem Besuch auf Erden das alles aufessen. Der Vorsitzende lachte blinzelnd, blieb bei der Familie, kostete vom höllisch scharfen »Gedämpften Fischkopf mit gehacktem Pfeffer« und schrieb zuletzt in guter Laune und großer Aufmachung auf eine Schriftrolle die Oberste Direktive »Essen sei wie Arbeit, viel bei viel, bei wenig wenig«.

Der Wachposten bei Ershao übertrieb es nicht und tat nur, was vorgeschrieben war: Desinfektion, Fiebermessen, Papiere, nicht einmal als sein Blick auf das Wort »Wuhan« im Personalausweis fiel, gab es einen Schock. Bei der anschließenden Überprüfung des Passierscheins wurden sorgfältig die Dienststempel auf der Rückseite geprüft und durchgezählt, Changsha, Yueyang, das Han-Dorf, das Miao-Dorf, Majiahe, bei jeder Durchquerung eines Grenzgebiets musste ein Stempel drauf, das war fast schon wie bei den Auslandsvisa für Länder außerhalb der Europäischen Union, wo auch keines fehlen durfte.

Ai Ding rechnete für sich schon mit dem Schlimmsten, und tatsächlich sah der Wachposten auf und meinte: »Es fehlt der vom Der-Osten-ist-rot-Dorf.«

Ai Ding rechtfertigte sich: »Ich bin über Majiahe gekommen.«

»Und wozu der weite Umweg?«

»Wegen der schönen Landschaft.«

»Überall sterben die Leute, da schaut man sich doch nicht die Landschaft an!«

Ai Ding blieb die Antwort schuldig, der Wachposten spitzte die Lippen und wies auf den Slogan auf rotem Stoff vor der Straßenblockade. Links stand »Brech dir die Knochen, traust du dich raus, ein Widerwort, ich schlage dir die Zähne aus« und rechts »Heut kehrst du bei Freunden ein, morgen ist der Hund allein«.

Mehrere große Kerle, jeder eine Tragestange aus Bambus quer vor der Brust, sammelten sich um ihn. Ai Ding beschwerte sich schnell: »Wie soll sich einer auskennen bei diesem Wirrwarr von Dörfern!«

Der Posten gebot dem Haufen Einhalt: »Man braucht einen Grenzübertrittsstempel von jedem Dorf an der Landstraße, und zwar ohne Ausnahme, nur so kann die Regierung für den Fall, dass Sie plötzlich krank werden, sich Klarheit über das Wie und Warum verschaffen. Verstehen Sie das nicht?«

Ai Ding schlotterten die Knie, und er wusste nichts zu antworten. Er musste wohl oder übel eine weitere Stunde damit vergeuden, den gleichen Weg zurückzufahren. Zum dritten Mal betrat er das Miao-Dorf, die Hunde waren immer noch an der Mauer, die Türen fest verschlossen, und wieder blieb ihm das Dorfkomitee. Er klopfte an die Tür, trat fünf Meter zurück, und sein Guanyin, Bodhisattva des Mitgefühls und Retter in der Not, tauchte mit einem »tja, tja« vor ihm auf.

»Immer noch nicht weg?«

Diesmal machte Naisong zuerst den großen Ausfallschritt nach vorne und schob das vordere Bein immer weiter vor, Ai Ding tat es ihm nach, und beider Zehen hatten anstelle von Händedruck oder Umarmung eine Minute Kontakt.

Ai Ding erzählte, was passiert war. Naisong meinte: »Aber deine Papiere sind doch in Ordnung, mein Freund.«

»Aber wenn es trotzdem Probleme gibt? Dich haben sie doch auch hier isoliert.«

»Ai ja!«

»Nichts ›Ai ja‹, du bist viel herumgekommen, und du bist ein heller Kopf.«

»So, ja, hm – gut, dann gib mir deinen Passierschein.«

Naisong machte kehrt und ging ins Zimmer, wurstelte eine gute halbe Stunde herum, bis er schließlich zurückkam und meinte: »Jetzt mach aber, dass du wegkommst, wenn du noch mal hier auftauchst, Bruder, kann ich mich nur noch an einem Balken aufhängen.«

Ai Ding war perplex, als er sein Papier wiederhatte und einen Blick darauf warf: »Naisong, mein Freund, du bist ein Gott, alle Achtung!«

»Ich hab den Stempel aus Seife gemacht, das sollte funktionieren.«

8

Auf beiden Seiten der »Landesgrenze«

Kurz vor der Abenddämmerung war das heißersehnte Xiangling, das »Nordtor von Hunan«, nun endlich erreicht. Vier Ortschaften in Xiangling grenzten an Hubei. In weiter Ferne war darüber hinaus jenseits des reißenden Yangtse und seiner Nebenflüsse diesseits der Grenze schon der »Rote Felsen« in Hubei zu erkennen (ebenjener Felsen, an dem die gleichnamige »Große Schlacht am Roten Felsen« stattfand, von der auch in dem historischen Roman *Die Drei Reiche* erzählt wird). Einst war der songzeitliche Dichter Su Dongpo* vom kaiserlichen Hof hierher verbannt worden, und als er eines Nachts sturzbetrunken in einem kleinen Ruderboot trieb, hinterließ er das unsterbliche Gedicht *Erinnerung an den Roten Felsen*:

Ostwärts zieht der Strom, die Wogen hin,
die Taten der Altvorderen.
Westlich vom alten Fort, heißt es, ragt der Rote Fels
des Fürsten der Drei Reiche
Gen Himmel stößt Gefels, Wellen branden,
türmen tausend Wehen Schnee
Ein Land wie hingemalt und Helden viele in der Zeit.

Ai Ding konnte man nicht zu diesen Helden zählen, doch auf dem Weg durch dieses historische Gebiet hatten plötzlich auch ihn sehnsüchtige Gedanken an eine weit entfernte

Vergangenheit überkommen. Er musste über sich selbst lachen. Ein Grenzkontrolleur, der gerade dabei war, ihn mit Desinfektionsmittel einzunebeln, sah ihn die Augen grinsend zusammenkneifen und fragte ihn verdutzt, worüber er lache. Er antwortete, ohne groß nachzudenken, mit einer weiteren Verszeile aus Su Dongpos Gedicht: »So viel Leidenschaft, muss lachen über mich, früh wird mir ergrau'n das Haar.«

Der Kontrolleur meinte: »Durch dieses neue Corona schweben wir alle in größter Lebensgefahr, da haben Sie noch ›so viel Leidenschaft‹? Und: ›Lachen über mich‹? Da fehlt es bei Ihnen wohl an der Menschlichkeit.« Ai Ding sagte ihm, das sei ein Gedicht von Su Dongpo. Der Kontrolleur sagte, bevor er hier Gedichte zum Besten gebe, solle er erst einmal einen guten Menschen abgeben, oder ob er, offenbar ein Ausbund von Leidenschaft, die sich mit fremden Blumen schmücke, etwa würdig sei, Su Dongpos Gedichte zu rezitieren. Ai Ding blieb die Antwort schuldig und wurde puterrot.

Nachdem die ganze Kontrollprozedur vollzogen war und der Kontrolleur nichts auszusetzen gefunden hatte, mahnte er Ai Ding, die Provinz umgehend zu verlassen und sich nicht grundlos in Xiangling aufzuhalten. Der wischte sich den kalten Schweiß von der Stirn und verschwand in einer Staubwolke. Der Grenzübergang hier, wo in großen Mengen schwarzer Tee produziert wurde, war streng bewacht, zur Geisterstadt geworden, auf deren Straßen es außer Polizeiautos und Leichenwagen kein Zeichen menschlichen Lebens mehr gab. Ai Ding begriff: Aufgrund der geographischen und verkehrstechnischen Nähe und der extrem günstigen Lage verdienten sich zahllose Menschen aus Xiangling ihren Lebensunterhalt in Hubei und Wuhan. Und aus Wuhan, seinem Umland sowie einer ganzen Reihe von geschlossenen Orten davor und dahinter waren die Menschen zum Jahreswechsel in Scharen nach Hause geeilt, tickende Zeitbomben einer wie der andere, und das hatte alle in ein schier endloses und lebensgefährliches Oszillieren hineingezogen.

Ai Ding sah zu, dass er so schnell wie möglich aus dem Stadtbezirk kam, im Handumdrehen hatte er Ochsenstadt erreicht, die nördlichste Ortschaft von Hunan, gleich hinter der Autobrücke lag auf der anderen Seite schon das Hubei unterstellte Ochsendorf, unterhalb der Brücke und an beiden Brückenköpfen waren in beiden Provinzen Grenzkontrollstellen eingerichtet, wo man strenger unter die Lupe genommen wurde als bei Grenzkontrollen im Zweiten Weltkrieg. Rund um die Kontrollpunkte patrouillierte haufenweise bewaffnete Volksmiliz mit roten Binden am Oberarm. Die über Meilen dahinmäandernde, völlig chaotische Provinzgrenze, die bislang nie genau gezogen worden war, machte jetzt einen klaren Unterschied zwischen Hier und Dort. Sogar Gräben und Stacheldrahtnetze waren gezogen worden, und auf beiden Seiten bewachten Dorfbewohner mit Schäferhunden, wie der Grenzschutz auf Streife, Tag und Nacht in Schichten ihr Revier bis aufs Messer. Selbst fluchterprobte Katzen, Hunde, Ratten, von einem Menschen gar nicht zu reden, würden hier, falls sie über die Grenze kämen, sofort aufgegriffen und an Ort und Stelle umgebracht.

Ai Ding stoppte seine Maschine an der Kontrolle. Der Grenzer warnte ihn: »Hier ist der letzte Provinzgrenzposten auf dieser Seite, haben Sie sich das gut überlegt, Genosse? Sind Sie erst auf der anderen Seite der Brücke, gibt es kein Zurück mehr.«

»Was soll das heißen?«

»Die Epidemieabwehr befindet sich derzeit im Stadium größter Anspannung, ›Schutz nach außen, Schutz nach innen‹ haben für die Parteiorganisation bei uns höchste Priorität. Die wichtigste Aufgabe für uns in Xiangling ist, jeden Kontakt zwischen den Menschen aus Hunan und Hubei rigoros zu unterbinden. Sie sind aus Hubei, aber in einer besonderen Situation. Da Sie eine Sondererlaubnis aus Changsha haben, die Provinz zu verlassen, können auch wir Sie nicht aufhalten. Ich muss Sie jedoch von Folgendem in Kenntnis setzen: Die Politik unserer Partei hier lautet ›Raus geht, rein nicht‹.«

»Und wenn sie mich auf der anderen Seite nicht reinlassen?«

»Es sind Ihre Landsleute, es ist euer Hubei und es ist euer Virus, dass so viele Menschen gestorben sind, habt ihr zu verantworten, alles das gleiche Ungeziefer, warum sollten die Sie also nicht reinlassen.«

»Das, das ... wie können Sie so etwas sagen? Ich bitte Sie, in die Mitte der Brücke zu gehen und mit der Person auf der anderen Seite zu sprechen, geht das?«

»Sie wollen, dass ich rüberrufe? Das geht nicht, das Virus wird durch Aerosole übertragen, überlebt zwei Stunden an der Luft.«

»Sie stehen dann doch ziemlich weit weg, außerdem tragen Sie eine N95-Schutzmaske, da passiert doch nichts.«

»Wir hier in Hunan sind Landsleute unseres Großen Vorsitzenden Mao, ich werde nicht für einen aus Hubei mein Leben aufs Spiel setzen.«

»Na, dann ..., dann rufen Sie doch auf der anderen Seite an, ist das denn vielleicht möglich?«

»Nicht möglich.«

Ai Ding war mit den Nerven am Ende, aber er musste sich beherrschen. Er wandte den Blick ab. Wie aus aufgeschlagenen Eiern lief gerade das Licht der untergehenden Sonne über eine Bergkette aus Geschirr und Essensresten nach einem Saufgelage, der dunkle Himmel, eine umgestülpte Schüssel, überdeckte alles, Flicken an ihrem Boden waren schwach glimmende Sterne. Was sollte er tun? In seinem Kopf rotierte es in Höchstgeschwindigkeit.

»Ich gehe selbst zur Mitte der Brücke und rufe von dort aus, wenn ich nicht weiterkann, darf ich dann zurückkommen?«

»Das geht. Wenn Sie von der anderen Seite ausdrücklich zurückgewiesen werden, dann ist eben nichts zu machen. Haben Sie Bekannte in Xiangling?«

»Nein.«

»Wenn Sie nicht über die Grenze kommen, vermitteln wir Ihnen ein von der Regierung zu diesem Zweck ausgewähltes Gasthaus.«

»Danke.«

Ai Ding stellte sein Motorrad fürs Erste am Kontrollposten ab, schulterte seinen Rucksack und ging allein gute dreißig Meter weiter, bis er in der Mitte der Brücke eine unübersehbar aufgemalte rote Linie sah. An genau dieser roten Linie blieb er stehen, formte mit seinen Händen eine Flüstertüte und rief: »Ich bin aus Hubei! Ich will zurück nach Wuhan! Hört ihr mich?«

Da keine Antwort kam, rief er alles noch mal und noch mal, am Ende war er heiser, als aus einem Lautsprecher auf der anderen Seite endlich gefragt wurde: »Warum wollen Sie zurück?«

»Ich bin auf der Rückreise aus Deutschland, meine Familie ist in Wuhan, meine Frau und meine Tochter warten auf mich.«

»Sagen Sie das noch mal: Warum wollen Sie zurück? Für Ihre Familie, für Ihre Heimatstadt, für die bleiben Sie bitte erst mal besser weg.«

»Genossen, Landsleute, Parteimitglieder, seien Sie unbesorgt bitte, gesünder als ich kann man gar nicht sein, in Changsha war ich vierzehn Tage in überwachter Isolation, und unterwegs bin ich ein Dutzend Mal desinfiziert und getestet worden, ich habe weder Fieber, noch huste ich. Ich habe einen von der Seuchenschutzzentrale ausgestellten Passierschein bei mir, auf der Rückseite des Passierscheins habe ich von jedem Kontrollpunkt einen Transitstempel, das alles beweist so einschlägig wie der Ausreisestempel von Berlin und der Einreisestempel von Peking, dass ich Ihnen hinsichtlich meiner Person keine Geschichten erzähle, medizinische Untersuchungen und politische Befragungen haben ebenfalls keine Auffälligkeiten ergeben ...«

»Sparen Sie sich den Unsinn! Ich sage Ihnen, besser bleiben Sie, wo Sie sind, wenn Sie aber unbedingt rüberwollen, dann kommen Sie eben, und ich werde schon sehen, was Sie wirklich wollen!«

Ai Ding sagte mehrmals »danke«, bis ihn heftiges Schluchzen überfiel und die Stimme versagte. Er wollte gerade umkehren, um sein Motorrad zu holen, als er eine leise Stimme sagen hörte: »Landsmann, Landsmann, fall bloß nicht auf die rein!«

Ai Ding sah im Augenwinkel einen Kleintransporter rechts am Brückengeländer stehen, ein Mann mit einem Pferdegesicht streckte aus der Fahrerkabine seinen Kopf heraus. Er zögerte kurz, dann ging er hinüber. Das Pferdegesicht zog die Autotür, auf und Ai Ding setzte sich auf den Rücksitz, sie sprachen getrennt durch eine Glasscheibe miteinander. Das Pferdegesicht: »Ich bin von der anderen Seite aus Rotfels, meine Frau ist aus Xiangling auf dieser Seite, wir sind seit gut zehn Jahren verheiratet und haben eine zehnjährige Tochter.«

»Fast wie bei mir.«

»In den vergangenen Jahren waren wir zu Neujahr immer auf beiden Seiten unterwegs, entweder haben wir den letzten Abend des Jahres bei der Schwiegermutter auf dieser Seite gefeiert und den Neujahrstag bei meinen Eltern auf der anderen oder umgekehrt. Weil meine Schwiegermutter sich eine schwere Erkältung eingefangen hat, sind wir diesmal, die ganze Familie, schon früher von Rotfels hergekommen und wollten eigentlich nach der Bescherung für die alte Dame am Silvestertag gleich wieder zurück, doch dann haben sie vor Silvester auf einmal Wuhan dichtgemacht, anschließend die ganze Provinz, überall war nur noch ein einziges Durcheinander, totaler Lockdown. Und bis wir alle wieder klar im Kopf waren, hatte ich noch mal ein paar Tage verloren ...«

Weiter ging es wie folgt: Das Pferdegesicht fuhr mit Frau und Tochter im Wagen am Fünften des neuen Jahres, schon auf einem Höhepunkt der Epidemie, aus dem Stadtbezirk Xiangling über Ochsenstadt nach Hause. Normalerweise kam man auf der Landstraße 107 ungehindert durch, es gab keine Kontrollstellen, doch dieses Mal waren an beiden Brückenköpfen Barrieren und Wachposten aufgebaut. Die Familie wurde von Hunan aus noch anstandslos durchgewinkt, so dass niemand sich etwas dachte und sie direkt auf Hubei zuhielten, doch dann wurden sie aufgehalten.

»Ausweis?«

Händigte das Pferdegesicht aus.

»Ihr seid zu dritt.«

»Meine Frau ist dabei, meine Tochter hat noch nicht das Alter für einen Ausweis.«

»Wohnsitzbescheinigung?«

Das Pferdegesicht händigte die aus.

»In Ordnung, fahren Sie bitte zurück.«

»Aber ich bin ein Rotfelser, wir wollen nach Hause.«

»Das geht nicht.«

»Was soll das heißen?«

»Das *soll* gar nichts heißen. Geht nicht heißt geht nicht.«

»Und aus welchem Grund?«

»Alle brauchen immer einen Grund! Wenn ich das jedes

Mal erklärte, müsste ich es jeden Tag tausendmal erklären, da werde ich ja verrückt. Fahren Sie also zurück oder nicht?«

Kaum hatte das Pferdegesicht verneint, richtete sich unmittelbar vor seiner Windschutzscheibe eine meterlange Eisenstange mit einer gigantischen Spitze pfeilrecht auf, und er rief vor Schreck: »Doch, doch.«

Geschockt drehte das Pferdegesicht um und kehrte auf diese Seite der Brücke zurück, seine Frau seufzte:

»Wenn wir nicht zurückkönnen, können wir eben nicht zurück, ist es nicht egal, wo wir uns aufhalten?«

Das Pferdegesicht nickte und dachte eigentlich, das wäre es gewesen. Wie hätte er auch ahnen sollen, dass der Wagen jetzt noch einmal aufgehalten würde.

»Ausweis?«

Händigte das Pferdegesicht aus.

»Ihr seid zu dritt.«

»Meine Frau ist dabei, meine Tochter hat noch nicht das Alter für einen Ausweis.«

»Wohnsitzbescheinigung?«

Das Pferdegesicht händigte die aus.

»In Ordnung, Sie dürfen zurückfahren.«

»Was soll das denn heißen?«

»Sie sind aus Hubei, die Partei hat uns die Aufgabe übertragen, jeden Kontakt zwischen Hunan und Hubei zu unterbinden.«

»Und wie soll das gehen? Meine Frau und ich sind seit zehn Jahren verheiratet, schauen Sie, wie alt unsere Tochter ist.«

»Ihre Frau und Ihre Tochter können nach Xiangling zurück, aber für Sie ist hier Schluss.«

»Ich bin der Ehemann dieser Frau aus Xiangling.«

»Trotzdem, nichts zu machen.«

»Na, dann, dann kann ich sie denn noch mit dem Auto zur Schwiegermutter zurückbringen?«

»Nein, Ihr Autokennzeichen ist aus Rotfels, damit können Sie die Provinzgrenze nicht überqueren.«

»Gerade eben konnte ich die Provinzgrenze noch überqueren, die Politik der Partei kann sich doch nicht von einem Augenblick zum anderen ändern.«

»Die Politik der Partei ist für alle Ewigkeit unveränderlich wie die Sonne, doch mit dem neuen Coronavirus ändert sich alles.«

»Und dann?«, fragte Ai Ding.

»Dann steckte ich auf dieser siebzig Meter langen Autobahnbrücke fest, bis heute, ich kann mich und den Wagen circa fünfzig Meter hin- und herbewegen, aber ich kann auf keine der beiden Seiten.«

»Schläfst du im Auto?«

»Mir bleibt gar nichts anderes übrig.«

»Und was isst und trinkst du?«

»Einmal in der Woche bringt meine Frau was zum Kontrollpunkt.«

»Was ist mit einem Klo?«

»Im Kofferraum gibt es Müllsäcke. Das eine Mal pro Woche nimmt meine Frau auch die mit.«

»Und wann hat das ein Ende?«

»Meine Frau sagt, irgendwann ist alles zu Ende.«

»Unter solchen Umständen muss man ja krank werden, wenn man es noch nicht ist.«

»Komm mir bloß nicht mit Krankheit! Wenn ich wirklich krank werde, dann spring ich von der Brücke.«

»Pass bitte gut auf dich auf. Ich hab Medikamente aus Deutschland gegen Erkältung in meinem Rucksack, zwei Schachteln schenk ich dir.«

»Das ist sehr nett von dir.«

»Ich muss mich bei dir bedanken. Es hat nicht viel gefehlt und es wäre mir vielleicht gegangen wie dir.«

»Wäre es dir wie mir gegangen, hätte ich dich natürlich aufgenommen, wäre nur beim Schlafen etwas eng geworden.«

***

Helles Licht von Straßenlaternen, die Mondsichel stieg auf, heller noch als das Straßenlicht, aber kalt wie Eiswürfel. Ai Ding fuhr zurück nach Ochsenstadt, um ein hochpreisiges Hotel zu beziehen, 500 Renminbi die Nacht, das die Regierung während der Epidemie für »Verdachtsfälle« auf Durchreise bereithielt. Die Betten waren dafür sehr sauber, Internet war kostenlos, und täglich zweimal wurde Essen aufs Zimmer gebracht.

Ai Ding kontaktierte über WeChat-Video schnell seine Frau, erklärte in Grundzügen die Situation, alle drei waren sehr besorgt und ratlos. Seine Frau meinte: »Eigentlich ist es ja nicht wirklich eine Überraschung. Mich hätte es eher überrascht, wenn du ohne Probleme bis nach Hause gekommen wärst.«

Ai Ding meinte: »Aber was machen wir jetzt? Mein Passierschein hilft mir in Hunan, für den Grenzübertritt ist er wertlos.«

Seine Frau meinte: »Ich rufe noch mal bei der Seuchenschutzzentrale unseres Viertels an und bitte sie, auch einen für Hubei auszustellen. Ich lasse ihn dir über WeChat zukommen.«

Ai Ding meinte: »Wird das keine Probleme machen?«

Seine Frau meinte: »Die Behörden auf beiden Seiten standen ja schon in Kontakt miteinander, das sollte gehen.«

Anschließend seufzte seine Frau und meinte: »Weißt du, ich bin ziemlich hin- und hergerissen, bist du draußen, ist das gefährlich und schwierig, aber wir können hoffnungsvoll nach vorne schauen. So wie es dir gerade geht, du musst nicht frieren, nicht hungern und bist nicht krank, ist das gar nicht so schlecht. Und jeder Tag ist auch ein Tag weniger, das Virus kann ja nicht ewig bleiben, nicht wahr? Würdest du jetzt aber eines Tages wirklich in diesem Zimmer stehen, müsste ich mir womöglich mehr Sorgen machen.«

»Warum das denn?«

»Vieles, was in den letzten Tagen passiert ist, erzähle ich dir besser gar nicht. Nur so viel: Der kleine Supermarkt am Eingang unseres Viertels ist vorgestern geschlossen worden. Grund war, dass eine Frau in den Vierzigern aus dem hinteren Wohnhaus, eine Frau Luo, dort eingekauft hat. Sie wollte gerade Instantnudeln aus einem Regal nehmen, als sie plötzlich mit Krämpfen zu Boden fiel und ihr die Augen wie kleine Schellen aus dem Kopf traten. Und ich war nebendran, ich war so erschrocken, dass ich nur noch geschaut hab, dass ich rauskomme. Zwei Regale wurden umgestoßen und fielen auf sie. Ich hab nichts mehr haben wollen und bin ab nach Hause, zwei Nächte hab ich kein Auge zugetan … ich hab die Sache online verbreitet, wollte alle daran erinnern, wie sehr man aufpassen muss, einen Augenblick später war alles gelöscht …«

Ai Ding hätte gern gesagt »Wenn ich zurück bin, wird alles gut«, schüttelte aber nur den Kopf und sagte nichts, denn ihm war klar, auch nach seiner Rückkehr wäre nichts einfach wieder gut. Seine Frau sagte: »Geh früh schlafen« und beendete das Video.

Ai Ding duschte, legte sich aufs Bett und surfte weiter im Internet. Ein Kader des Parteikomitees von Hubei hatte überraschend in ein anonymes Interview eingewilligt, mit der Wochenzeitschrift *Schultert die Lanzen*, und darin gesagt:

Wuhan hat die drittmeisten Krankenhausbetten und Mediziner, Medizinerinnen, Pfleger und Schwestern

im ganzen Land. Folglich waren, als der explosionsartige Anstieg von Verdachtsfällen begann, als Erstes die Reagenz-Kits ausgegangen, dann die Nukleinsäuretests, auch CTs konnten nicht mehr für alle gemacht werden. Am 31. Januar trat bei meiner Mutter symptomatisches Fieber auf, sie ging zu einer Ambulanz und stellte sich in die Schlange, bis sie fast einen Schwächeanfall bekommen hätte.
Wir sprachen damals auch bei der Leitung unserer Einheit vor, ehrlich gesagt nur um unsere Beziehungen spielen zu lassen, aber die üblichen Beziehungen brachten schon nichts mehr. Es war immerhin der oberste Leiter einer direkt der Provinz unterstellten Organisation, an den ich mich wandte, sie gehört zu einer Hauptbehörde auf Provinzebene, und nicht einmal ihm gelang es, trotz langer Suche, ein Krankenhausbett für mich zu finden. Damals dachte ich noch, wenn nicht mal jemand aus der Führung fündig wird, sind Privilegien wohl nutzlos, und alle kommen womöglich nach festen Regeln über reguläre Kanäle ins Krankenhaus. Erst später erkannte ich, dass dem keineswegs so war, es gab einfach viel zu wenig Krankenhausbetten, sie waren wertvoller als Gold und seltener als Diamanten.
Wir gerieten damals in eine geradezu irrsinnige Panik und konnten nicht begreifen, was los war. In den Medien wurde berichtet, es gebe nicht einmal mehr bei den Bestattungsunternehmen genug Personal … Grauen vor der Krankheit verband sich mit der Unmöglichkeit, ins Krankenhaus zu können, dazu kamen täglich die Hilferufe in den Weibo-Foren, man hatte das Gefühl, alles bricht auseinander. Ich war extrem deprimiert in jenen Tagen, fand nächtelang keinen Schlaf.
Ich muss einfach sagen, bei dieser Prüfung haben die Provinz Hubei wie die Stadt Wuhan eine absolut unge-

*nügende Leistung abgeliefert. Eine Prüfung in normalen
Zeiten zu verhauen, wen kümmert's, denn in normalen
Zeiten die Prüfung zu bestehen sagt letztlich auch gar
nichts, erst in kritischen Momenten zeigt sich, was wirklich Sache ist.*
*Gestern habe ich so was wie einen Aphorismus gelesen,
der ein sehr ungutes Gefühl bei mir hinterließ: »Kein
Winter geht nicht vorbei, kein Frühling kommt nicht wieder.«*[*] *Ich machte da gerade noch Überstunden, weil ich
noch Schreibarbeiten zu erledigen hatte, und habe den
Satz gleich übernommen. Doch dann überlegte ich mir,
wie viele Menschen Eltern und Kinder verloren haben,
für sie wird es immer Winter bleiben.*

Unter dem Interview folgte ein sehr beliebter Kommentar,
unterschrieben mit dem Namen des Dichters Wang Zang*:

*Wer nie ein Messer gespürt, kennt nicht diesen Schmerz,
sogar die allmächtigen Kader des Provinz-Parteikomitees
spüren jetzt unerträglichen Schmerz, kein Wunder, kann
Professor Xu Zhangrun sagen: Ein wütendes Volk hat
keine Angst mehr. Mein Gedicht heißt dagegen –*

Ein Volk in Angst ist dem Selbstmord nah

*Ich fürchte, ich verliere die einzige Macht
Ich muss schnell Selbstmord begehen
Sonst werde ich eines Tages ermordet
Oder von einem Richter verurteilt zum
Selbstmord
Heißt das nicht für mich, vor Kummer
Auch im Tode nicht die Augen schließen?
Zudem*

*Kann nur ich
Mich töten, ganz
Tötet mich sonst wer
Komm ich zurück in seinen Träumen*

Obgleich erschöpft, veröffentlichte Ai Ding noch einen kurzen Kommentar zu diesem Gedicht. Als er am nächsten Morgen erwachte und erneut nach dem Eintrag schaute, stellte er fest, dass Wang Zangs Selbstmordgedicht wie sein Kommentar und alles andere gelöscht waren, und er hatte eine Sperrwarnung erhalten. Es gab dieser Tage einfach zu vieles, was einen wahnsinnig machte, aber man musste es irgendwie aushalten.

Punkt zwölf klopfte jemand an die Tür und rief, er bringe Essen. Als Ai Ding öffnete und zur Seite trat, damit der andere den Servierwagen ins Zimmer schieben konnte, war er vor Schreck wie von Sinnen: »Sie sind doch Wang, Wang, Wang ... «

»Wang Erda, Aushilfskoch im Hotel.«
»Ach was? Wirklich?«
»Gibt es ein Problem?«
»Sie sehen genau aus wie ein Bekannter von mir.«
»Wer denn?«
»Wang Erxiao.«
»Das ist mein Zwillingsbruder.«
»Na so was! Und sind Sie krank?«
»Sie sind doch hier der Kranke.«
»Nein, ich bin nicht krank. Aber Wang Erxiao ist krank geworden.«
»Ach?! Und wie geht es ihm?«
Fast hätte Ai Ding gesagt: »Er ist gestorben«, doch er überlegte es sich anders und sagte stattdessen: »Er ist in Quarantäne.«

Wang Erda atmete auf: »Das ist ja nichts Besonders mehr. Heutzutage ist ja bald jeder in Quarantäne.«

»Haben Sie mal zu ihm Kontakt gehabt?«

»Ich kann ihn weder über WeChat noch über das Handy erreichen.«

»Er ist im Krankenhaus.«

»Hat es dieser Taugenichts noch ins Krankenhaus geschafft?«

»Wegen des Virus konnte er nicht zurück und blieb als Hilfskraft bei der Seuchenschutzzentrale in der Diamantberg-Straße, er hat dort die besten Beziehungen zu allen möglichen Leuten, und als er dann zum Verdachtsfall wurde, kam er gleich ins Krankenhaus.« Ai Ding zuckte nicht einmal mit der Wimper, als er sein Lügenmärchen auftischte, und Wang Erda glaubte ihm.

Das Gespräch zwischen den beiden wurde immer vertrauter. Es stellte sich heraus, dass die Zwillinge noch 2017 in einer kleinen Firma in Liao-Stadt im Kreis Guan der Provinz Shandong gearbeitet hatten, die Lagerstahl produzierte, irgendwann lieh sich die Firma, um Verluste zu kompensieren, bei einer kriminellen Organisation vor Ort einen Wucherkredit von 1,3 Millionen zu einem Jahreszins von 120 Prozent, die Firmeninhaber zahlten 1,8 Millionen zurück und übergaben ein Haus als Pfand, trotzdem fehlten noch immer über hunderttausend. Deshalb schickte die Unterwelt ein paar gedungene Schuldeneintreiber in die Firma.

Ai Ding kam das irgendwie bekannt vor, plötzlich rief er: »Das war doch dieser Mordfall, der Mann hieß Yu Huan, der das ganze Land schockiert hat?«

»Genau. Yu Huan hat einen von denen umgebracht, wir waren dabei. Am ersten Tag kamen sie ins Geschäft und packten Yu Huans Mutter, also unsere Chefin, an den Haaren und fragten, ob sie das Geld hat, die Chefin sagte nein, und einer von denen ist zum Kacken aufs Geschäftsklo, danach haben sie der Chefin den Kopf in die Kloschüssel gedrückt und sie die Scheiße fressen lassen. Als sie fort waren, wählten wir immer wieder die 110 und die Hotline des Bürgermeisters, aber nirgends ging einer ran. Am nächsten Tag kamen sie elf Mann hoch, stellten Yu Huan und seine Mutter im Büro und bearbeiteten sie mit Füßen und Fäusten, der Anführer der brutalen Terrorbande, er hieß Du, ließ die Hosen fallen, fummelte der Chefin mit seinem Teil im Gesicht herum und verpasste ihr Ohrfeigen mit der Schuhsohle. Er sagte, wenn du kein Geld hast, warum verkaufst du nicht dich? Die andern geben achtzig, ich hundert.

Als ich sah, wie ungemütlich das wurde, rief ich heimlich die Polizei zu Hilfe. Die 110 kam, ging ins Büro, hörte sich an, was beide Parteien zu sagen hatten, sagten etwas von ›Schulden eintreiben geht in Ordnung, Gewaltanwendung nicht‹ und waren wieder fort. Ich stellte mich ihnen draußen in den Weg, ich sagte: ›Wenn ihr weg seid, sind die beiden tot, fort kommt ihr nur über meine Leiche.‹ Aber der Polizeiwagen fuhr einfach.

Inzwischen war Yu Huan ausgerastet, hatte sich ein Obstmesser vom Tisch gegriffen und fragte den kriminellen Haufen, ob es das jetzt war. Die stürzten sich wortlos auf ihn, Yu Huan sah rot und stach vier auf einmal nieder. Der Oberboss hielt sich den Bauch, ist aber noch selbst mit dem Auto ins Krankenhaus, am Ende lagen ihm die Eingeweide auf dem Boden, und er war tot.«

»Wie es danach weiterging, weiß ich«, sagte Ai Ding, »in der Zeitung *Das Wochenende im Süden* wurde darüber berichtet, fast zwei Millionen Internetnutzer haben Yu Huan und seine Mutter unterstützt. Die Behörden haben Yu Huan zuerst lebenslänglich gegeben, später haben sie sich dem Druck gebeugt und das in fünf Jahre umgewandelt.«

»Was du aber nicht weißt: Weil ich mich dem Polizeiwagen in den Weg gestellt habe, ging die Bande danach auf meinen Bruder und mich los, uns blieb nichts übrig, als über Nacht nach Shanxi in unseren Heimatort abzuhauen, ein paar Tage später sind wir weiter nach Hunan. Eine Baufirma in Changsha hatte eine freie Stelle, deshalb blieb Erxiao dort, und ich fand einen Job in Xiangling.«

Ai Ding verspürte mit einem Mal höchsten Respekt. Diese beiden Brüder sahen gleich aus, aber geistig war dieser hier dem anderen haushoch überlegen.

***

Mit Einbruch der Dunkelheit griff sich Wang Erda Schnaps und etwas Schweinekopffleisch und schlüpfte, als die Bahn frei war, in Ai Dings Zimmer. Ai Ding war bester Dinge, denn gerade hatte ihm seine Frau völlig überraschend schon den Passierschein für Hubei geschickt. Nach einer halben Flasche Schnaps erklärte sich auch Erda bereit, ihm zu helfen, den Schein herunterzuladen und auszudrucken. Zudem sagte er: »Wenn du hilfst, dann richtig, bring Buddha heim bis ganz ins Paradies. Ich frag mal für dich in Hubei nach, wenn dort alles passt, ziehst du sofort los, wenn nicht, bleibst du erst mal noch. Was meinst du?«

Zur Freude über diese weitere gute Nachricht gesellte sich in Ai Dings Herzen nun doch ein dunkles Schuldgefühl. Er hatte keine Ahnung, bei welcher Gelegenheit er Erda über Erxiao noch reinen Wein einschenken sollte. Auch die zweihundert Kuai Fahrgeld, die er Erxiao schuldig geblieben war, standen noch aus, beim endgültigen Abschied hatte er mit gefalteten Händen schließlich gesagt: »Ich zahle, wenn wir uns das nächste Mal sehen« – war jetzt nicht dieses »nächste Mal« gekommen? Nein, noch nicht.

Am nächsten Tag stand Erda sehr früh auf und ging für Ai Ding zum Brückenkopf auf der anderen Seite, um die Lage zu sondieren, doch er biss auf Granit. »Kennen Sie nicht die Nationalhymne? Kennen Sie das nicht, ›in größter Bedrängnis ist Chinas Volk‹?« Und mit drohendem Unterton fuhr der Kerl fort: »Von oben gibt es einen unmissverständlichen Befehl: Und wenn es der Provinzgouverneur von Hunan ist, niemand darf hier durch.«

»Es geht aber nicht um den Provinzgouverneur von Hunan. Hier geht es um einen von euch, einen aus Hubei, und er hat einen Passierschein.«

»Ein Passierschein, der in irgendeinem Stadtviertel von Wuhan ausgestellt wurde, gilt auch nur dort; ein Passierschein für ganz Hubei muss vom Seuchenschutz auf höchster Provinzebene ausgestellt werden.«

»Bisschen hoch die Hürde.«

»Die Höhe der Hürde passt Ihnen nicht? Hiermit erkenne ich Ihnen die Zugehörigkeit zur Provinz Hubei ab.«

»Ich bin aus Shanxi.«

»Oh, ach so, ja. Ich erkenne also dem Inhaber dieses Passierscheins seine Zugehörigkeit zur Provinz Hubei ab.«

»Sind Sie Sprecher des Außenministeriums?«

»Selbstverständlich nicht. Ein Sprecher des Außenministeriums würde deutlich härter durchgreifen als ich.«

Erda riss sich wütend die Maske herunter, fauchte den Kerl an, machte auf dem Absatz kehrt und rannte. Der andere setzte ihm nach. Erda raste in einem Affenzahn zur roten Linie in der Brückenmitte, bremste dort abrupt ab, streckte dem Kerl, der angerannt kam, den Hintern entgegen und ließ einen fahren, dass es zum Himmel stank. Dem anderen blieb die Luft weg, und er musste husten. Erda schrie: »Verdammter Scheißkerl aus Hubei, bist wohl hinter mir her, um mich anzustecken!« Das löste auf der Seite Hunans großes Gelächter aus.

Dann schrillten Trillerpfeifen, die Lautsprecher sprangen an, auf beiden Seiten der rot markierten Provinzgrenze versammelte sich das Personal in Höchstgeschwindigkeit, es begann ein unterhaltsames Wortgefecht, dessen Beleidigungen sich bis zu den jeweiligen Vorfahren ausdehnten. Erda stampfte mit dem Fuß und hob zu seiner Schimpftirade an: »Meine Herren, bin grade vorhin da rüber, nur weil ich in bester Absicht ein bisschen vermitteln wollte, sie sollen einen aus Wuhan zurücknehmen. Und da kommt der da, der, kaum dass er den Mund aufmacht, gleich alle Vorfahren aus Hunan ficken will! Ich sage ihm, auch der Vorsitzende Mao ist ein Vorfahr aus Hunan, traust du dich bei ihm auch? Und er sagt: Ich ficke alle eure Vorfahren außer dem Vorsitzenden Mao. Dann sagt er noch, und wenn es der Provinzgouverneur ist, hier kommt niemand durch. So ein superarrogantes Pack. Du verdammter Scheißefresser von einem Bauern aus Ochsendorf, kaum hat der Laufbursche ein bisschen was zu sagen auf seinem erbärmlichen Posten da, schon macht er sich zum Sprecher des Außenministeriums?«

Von der anderen Seite wurde zurückgewettert: »Du Furzesel aus Shanxi, lass dein Gewieher, kein Herrchen steht hinter dir und hilft.«

»Hinter mir steht Ochsenstadt, mal einen Eselsschwanz gelutscht?«

»Ein Ochs ist wie der andere, wir sind alle Bauern, wenn du meinst, dass wir Scheiße fressen, dann tut ihr das auch.«

»Wir sind eine Stadt, ihr seid ein Dorf, das ist ein Unterschied in Rang und Qualität. Oben essen wir Fleisch, ihr unten fresst Scheiße. Ihr mitsamt euren Vorfahren habt schon immer die Scheiße von uns und unseren Vorfahren gefressen. Und das Virus, das kommt auch von euch, und wenn bei euch erst ein Großteil tot ist, dann geht es uns an den Kragen.«

»Du, du, du …«, mehr brachte der andere nicht mehr heraus, wusste dann lediglich noch eine Unzahl Ausdrücke für männliche und weibliche Geschlechtsorgane zu brüllen. In dieser Hinsicht ist der chinesische Volkswortschatz ausgesprochen reichhaltig, was im Einzelnen geschrien wurde, soll hier aber nicht weiter aufgeführt werden. Kurzum, am Ende waren alle Ochsener derart in Rage, dass ihre blutunterlaufenen Ochsenaugen blitzten, und vom Fuß der Brücke strömten die kräftige Jugend, die Männer und Frauen aus ganz Ochsendorf mit Tragestangen, langen Stöcken, Spießen unaufhaltsam die Brücke hinauf. Eine unübersehbare Menge schwarzer Köpfe mit blitzend weißen Masken brüllte von ihrer Seite im Chor: »Kinder und Enkel sollt ihr nicht haben – Ochsenstadt! Die Männer Banditen, die Frauen Nutten – Ochsenstadt! Verreckt am Virus – Ochsenstadt!«

Das, könnte man sagen, war geeignet, Himmel und Erde ins Wanken zu bringen. Weil auf dieser Seite die Kraft fehlte, dagegen anzuhalten, wurde telefonisch die Polizei verständigt. Die 110 fuhr auf beiden Seiten auf, die Wagen stoppten am Rand des Geschehens, und man beobachtete zunächst eine ganze Weile, bevor es schließlich zu der sehr langsamen Durchsage kam: »Während der Epidemie sind Menschenansammlungen und dörfliche Späße wie die Provokation von Streit verboten, gehen Sie bitte sofort auseinander und nach Hause. Andernfalls werden Sie bestraft, wie es das Gesetz vorschreibt.«

Erda eilte zurück zum Hotel und musste Ai Ding, selbst noch ganz amüsiert, auf der Stelle von diesem Spaß erzählen, der jedoch nur ein bitteres Lächeln zeigen konnte. Der Weg in die Heimat war ihm nun verschlossen, ein Ende der Epidemie war nicht abzusehen. Was sollte er jetzt tun? Auf Dauer konnte er nicht in dem teuren Hotel wohnen. Erda las seine Gedanken und schlug ihm vor, mit in sein Apartment zu ziehen: »Es gibt ein Schlafzimmer, ein Wohnzimmer und eine Küche, du nimmst das Wohnzimmer, ich das Schlafzimmer, du verbringst die Zeit in der Regel zu Hause, ich arbeite im Hotel, so können wir schon die nötige Distanz wahren.«

»Wird der Seuchenschutz damit einverstanden sein?«

»Das bekomme ich schon hin, ich tu, was ich kann, und bürge für dich, das sollte sich machen lassen.«

»Warum tust du das alles für mich?«

»Nun, du bist ein Freund von Erxiao. Vor allem aber kann man sich zu zweit die Zeit leichter vertreiben.«

»Die Miete zahle dann ich.«

»Jeder die Hälfte.«

»Dann bezahle ich die laufenden Ausgaben.«

»Auch da machen wir halbe-halbe.«

»Ich weiß gar nicht, wie ich dir danken soll, dass du mich herrenlosen alten Hund bei dir aufnimmst, das ist so großzügig, so großherzig, dass ich dir das in diesem Leben nicht mehr vergelten kann, aber wenn diese Epidemie irgendwann vorüber ist, nehme ich dich mit zu mir nach Hause, um mich wenigstens ein bisschen erkenntlich zu zeigen.«

»Kein Problem.«

Just in diesem Augenblick meldete sich Ai Dings Frau über WeChat, so dass sie Erda über Video gleich kennenlernen konnte. Als sie von der »plötzlichen Wendung« erfuhr, musste sie sich die Tränen fortwischen, so traurig war sie, und Ai Ding brachte ebenfalls keinen Ton mehr heraus. Erda sah das, legte die Hände zum Gruß ineinander und verabschiedete sich. Mann und Frau fehlten eine Weile die Worte, dann tauchte die Tochter auf und rief »Papa«, und als Ai Ding antwortete, rannen auch bei ihm Tränen. Die Tochter erschrak ein wenig und sagte: »Papa, komm her, lass mich dich streicheln.« Er sagte »gut« und hielt seinen Kopf ins Video. Er hörte nur noch, wie seine Tochter meinte: »Papa, du kommst jeden Tag näher, jeden Tag kommst du näher.« Ai Ding nickte prompt, und das Video brach ab.

Nachdem die Verbindung wieder stand, meinte Ai Ding: »Was du gesagt hast, meine Kleine, ist ganz richtig. Vor einem

Monat war ich noch Tausende Meilen weit weg in Deutschland, jetzt bin ich schon an der Provinzgrenze, nur noch hundert Meilen weg, und sobald sich alles normalisiert, bin ich mit der Schnellbahn in knapp einer Stunde zu Hause.«

Seine Frau meinte: »Für diesen Weg von einer knappen Stunde, schätze ich mal, wirst du noch einen Monat auf Achse sein.«

»Vielleicht nicht so lange.«

»Schau'n wir mal.«

»Ja, schau'n wir mal. Du weißt ja, wenn im Altertum ein Gelehrter in die Hauptstadt fuhr, um an einer kaiserlichen Prüfung teilzunehmen, war er locker ein halbes Jahr unterwegs. Tauchte dann sein Name auf der ›Goldenen Liste‹, dem Aushang mit den bestandenen Examen, nicht auf, brauchte er für einen zweiten Besuch in der Hauptstadt noch mal ein gutes halbes Jahr. Deshalb heißt es so schön bei Li Shangyin*:

Die Zeit meiner Rückkehr, die du erfragst, steht nicht fest,
Nacht und Regen in Sichuans Bergen, es schwellen die Herbstweiher an,
Dereinst schneiden zurück wir die Kerze am Fenster im Westen,
und ich erzähle von Regen und Nacht in den Bergen von Sichuan.«

»Mein lieber Mann, der Bücherwurm – ich liebe dich.«

Und die Tochter krähte hinterher: »Wir beide lieben dich!«

Auf diese Weise verloren die Tage und das Gemüt ihre Hektik. Ai Ding zog zu Erda, und jeder von ihnen richtete sich in einem Zimmer ein, Erda ging jeden Tag frühmorgens ins nahezu leere Hotel zur Arbeit, er war Koch und für die Hygiene im ganzen Haus zuständig. Seine zwischenmenschlichen Kontakte beschränkten sich auf zwei von der Sicherheit und eine junge Frau an der Rezeption, alle vier trugen Masken und Schutzbrillen, hielten Abstand und kommunizierten nur mit Gesten. Erst wenn Erda abends wieder nach Hause kam, legte er die Schutzsachen ab und plauderte mit Ai Ding über den Tisch hinweg beim Schnaps. Wenn sie Lust dazu hatten, legten die beiden noch nach Mitternacht ein entsprechendes Outfit an, stiegen aufs Motorrad und fuhren durch die Nacht. In dieser ungewöhnlichen Zeit des Lockdowns nahmen es die dichtgestaffelten Kontrollstellen nur um diese Uhrzeit nicht mehr so genau. Erda kannte die Gegend wie seine Westentasche, deshalb übernahm er das Fahren, und Ai Ding sah, sobald er sich auf dem Soziussitz an den kräftigen Hüften vor ihm festhielt, jedes Mal Erxiao wieder vor sich und musste an »Bruder Aff' wird Rotarmist, Rotarmisten wollen ihn nicht« denken sowie an den blitzartigen Ausbruch der Krankheit und seinen tragischen Tod. Er bekam augenblicklich Gänsehaut. Glücklicherweise stand er immer unter Alkoholeinfluss, da scheint der Unterschied zwischen Mensch und Geist nicht mehr so groß.

Auch Leichenwagen bahnten sich nachts noch ihren Weg, hielten eine Weile vor diesem Haus, eine Weile an jenem Straßenrand und nahmen Leichen auf, als wären es Postpakete, niemand weinte, niemand nahm Abschied, es war wie in einer bizarren Stummfilmzeit. Manchmal verbargen sich die beiden in der Dunkelheit und sahen heimlich zu, einmal fragte Ai Ding: »Ob die alle Corona haben? Warum sind sie nicht im Krankenhaus?«

Erda sagte: »Im Stadtzentrum gibt es ein Krankenhaus, nur dafür, um Patienten mit hohem Fieber zu isolieren, aber es geht kaum jemand hin, weil es keine Nukleinsäuretests gibt und man auch dort die Krankheit nicht feststellen, geschweige denn heilen kann. Deshalb gibt es in ganz Xiangling null Infektionen.«

Einmal fuhren sie auch aus Ochsenstadt hinaus nach Wuyun am Pantao, wo direkt am anderen Ufer, auf der Seite von Hubei, der »Rote Felsen« liegt, über ihnen stand der helle Mond, in weiter Ferne konnten sie die glitzernde Mündung erkennen, wo Pantao und Yangtse zusammenflossen, die Wellen schimmerten wie Fischschuppen, wie Diamanten, wie Federn, wie fein geschnitzte Miniaturschiffchen. Als Su Dongpo, weil über die große Schlacht am Roten Felsen, an der mehr als eine Million Krieger teilgenommen hatten, im Laufe der Zeit niemand mehr ein Wort verlor, sturzbetrunken wie er war, sein Gedicht schrieb, um ihrer zu gedenken, erwähnte er, etwas ganz Besonderes, sogar »Federfächer und seidenen Turban« sowie »die kürzliche Heirat mit Xiao Qiao«, der schönen Frau des Helden. Ai Ding seufzte: »Tausend Jahre wie ein Tag, und kein zweiter Su Dongpo auf Erden.«

Erda lobte: »Gutes Gedicht.«

Ai Ding lächelte spöttisch: »Ein Furz.«

9

Das Virus verlässt das Land

Der Wind wehte heftig vom Fluss her, die beiden kehrten schnell um. Endlich zu Hause, war es 3 Uhr morgens. Erda schloss sofort die Tür hinter sich und ging zu Bett, er musste am nächsten Morgen früh raus. Ai Ding dagegen war nach dem Ausflug noch so aufgekratzt, dass er den Computer einschaltete und die Firewall überwand, um Zhuang Zigui in Berlin über Skype anzuwählen. Zhuang war zu hören, aber das Video ging nicht: »Lange nicht gesehen! Bist du inzwischen zu Hause, Ai Ding?«

»Nein«, entgegnete der deprimiert. Danach hielt er kurze Rückschau auf sein Pech der letzten Tage.

Zhuang meinte entgeistert: »Immer noch so schlimm?«

»Ja, ist es, ist es. Und in Deutschland?«

»Ich habe von etwas im Süden gehört. In Berlin ist noch alles in Ordnung.«

»Wie alles in Ordnung? Dieses Zeug verbreitet sich irre schnell, pass bloß auf, wenn du rausgehst, setz unbedingt Maske und Schutzbrille auf und wasch dir die Hände immer gleich mit Desinfektionsmittel.«

»Wenn ich hier mit Maske rausgehe, denken alle, ich bin krank.«

»Woher weißt du denn, dass du nicht krank bist? Hast du einen Test gemacht?«

»In Berlin-Tegel wurde mir Fieber gemessen, alles normal. Als ich nach Brüssel zur Buchmesse geflogen bin.«

»Wann das denn? Du nimmst noch an Buchmessen teil?«

»Die Veranstalter haben ein paar Tage gezögert, dann haben sie aber doch entschieden, alles wie geplant laufen zu lassen, eine Buchmesse für Zehntausende Menschen, die bereitet man eine ganze Weile vor, sie abzusagen bedeutet ordentlich Verlust.«

»Sie nicht abzusagen bedeutet größeren Verlust. Es ist mittlerweile mehrere Monate her, dass diese Lungenentzündung in Wuhan festgestellt wurde, und auch der Lockdown der Stadt dauert inzwischen schon gut einen Monat, da haben sich doch mindestens ein paar hunderttausend Reisende aus den Epidemiegebieten über die verschiedensten Grenzübergänge Chinas in alle möglichen Weltregionen aufgemacht.«

»Ja, verdammt, ich erinnere mich, als China mehrere Dutzend Großstädte abriegelte, wurden alle internationalen Flughäfen bewusst offen gehalten, und ein Haufen Menschen strömte fluchtartig aus dem Land ... eine echte Gefahr.«

»Und du bist nicht in Gefahr?«

»Ich habe gestern an der Eröffnungszeremonie teilgenommen, gute fünfzehntausend Menschen und einige hundert Buchverkaufsstände in einem riesigen Gebäude, das aussieht wie eine fliegende Untertasse. Niemand hat eine Maske getragen, ich hatte zwar eine dabei, war mir dann aber peinlich, sie rauszuholen.«

»Dann bist du geliefert.«

»Was heißt, ich bin geliefert? Telefoniere ich nicht gerade mit dir?«

»Wenn du wieder heimkommst, halt dich am besten von Frau und Tochter fern, geh für vierzehn Tage in freiwillige Quarantäne.«

»Jetzt mach doch keinen Aufstand, Ai Ding, du bist in sehr viel größerer Gefahr als ich.«

»Ich halte wie ein aufgeschrecktes Kaninchen ständig die Ohren steif, deshalb ist mir bisher nichts passiert.«

Plötzlich sprang das Video an. Zhuang Zigui kam näher und betrachtete sich Ai Ding: »Hast du schon was getrunken?«

»Ist eine Weile her.«

»Ich bin jetzt im Hotelzimmer, komm, ich trink noch was mit dir. In Brüssel gibt es irre viele Sorten von Kinderbüchern, die meisten weltweit, deshalb kommen auf die Buchmesse ungewöhnlich viele Kinder. Und weil ich ja chinesisch aussehe, hat eines der Kinder doch tatsächlich mich gefragt, ob Corona nicht einfach eine Grippe ist. Ich sagte: ›Nein, denn an Corona sterben Menschen.‹ Das Kind schüttelte den Kopf und sagte: ›Schon, aber mein Vater sagt, auch an Grippe sterben jedes Jahr Menschen.‹«

»Das ist echt übel, Zhuang, so ist Europa dem Untergang geweiht ... ich hoffe nur, dass dir nichts passiert.«

»Die Chinesen hier tragen alle Masken und horten Unmengen von Desinfektionsmitteln, weil alle von dem großen Elend in China wissen. Auch ich hab immer was zum Desinfizieren bei mir und geh alle naslang aufs Klo und besprüh mir Mund, Nase und Augen damit ...«

»Du musst aber auch die Ausländer warnen. Von dir ist so viel übersetzt, du musst zumindest deine Leser warnen.«

»Ich bin kein Spezialist, mir fehlt jede Überzeugungskraft. In einem Bericht der WHO über die Epidemie heißt es, außerhalb von China gibt es weltweit alles in allem 191 bestätigte Fälle von COVID-19-Erkrankten, das ist nicht einmal ein Prozent von China. Die Sprecherin des Außenministeriums Hua Chunying hat dann ja auch eingeworfen: ›Gerüchte und Panik sind schrecklicher als Viren.‹«

»Hier im Land herrscht längst Chaos, wie in einem Krieg, es gibt zahllose Tote!«

»Weiter hat sie gesagt: ›Die WHO befürwortet nicht, ist sogar dagegen, ein Reiseverbot für China zu verhängen, und sie hat wiederholt erklärt, Chinas Maßnahmen sind entschlossen und wirksam und man sei ganz und gar zuversichtlich, dass die chinesische Seite die Epidemie besiegen werde. Einige im Seuchenschutz starke und hinsichtlich ihrer Vorsorgeeinrichtungen fortschrittliche Industrienationen haben die Führung bei der Umsetzung übertriebener Einschränkungsmaßnahmen übernommen, was im Gegensatz zu den Empfehlungen der WHO steht. Selbst einige amerikanische Medien und Spezialisten sind der Auffassung, dass übertriebene Einschränkungsmaßnahmen das Gegenteil dessen sind, was die WHO will ...‹«

»Mir kommt gleich das Kotzen.«

»Für die Ausländer hier ist das überhaupt nicht zum Kotzen, sie vertrauen der WHO, aber nicht unbedingt der Kommunistischen Partei.«

»Diesem Äthiopier Tedros Adhanom Ghebreyesus also? Der ist doch praktisch ein von Seiner kaiserlichen Majestät entsandter UNO-Parteizellensekretär.«

»Das ist doch Unsinn. Wenn ich dir da folge, könnten andere durchaus auf den Gedanken kommen, was Hua Chunying sagt, ist richtig: ›Gerüchte und Panik sind schrecklicher als Viren.‹«

»Wer sorgt denn für ›Gerüchte und Panik‹?«

»Trump zum Beispiel, dieser amerikanische Präsident ist wie du, auch der redet Unsinn, Baozi-Kaiser Xi* und Dickwanst Plim Plum-Un sind da im Vergleich direkt solide.«

Darüber ärgerte Ai Ding sich so, dass er das Video Knall auf Fall beendete. Er hatte die Ironie in Zhuang Ziguis Bemerkung nicht herausgehört. Diese Art der Ironie ist ein Charakteristikum der Sichuaner – eine Art von »Galgenhumor« wie bei Jin Shengtan*, einem Gelehrten der Ming-Dynastie. Bevor er im Zuge einer Strafaktion gegen Literaten wegen eines Protests gegen einen korrupten Beamten geköpft wurde, rief er noch aus: ›Augenblick, ich habe ein seit Generationen überliefertes Geheimrezept, es wäre schade, es mit ins Grab zu nehmen.‹ Der Henker fragte: ›Was denn?‹ Shengtan antwortete: ›Wenn man Erdnusskerne und trockenen geräucherten Tofu zusammen kaut, schmeckt es wie Schinken.‹«

Der Kommunistischen Partei Chinas, die bald hundert Jahre auf dem Buckel hat, wäre ohne Mao Zedong vor langer Zeit bereits durch die Guomindang, die Nationalpartei Chinas, der Garaus gemacht worden. Mao Zedong hatte sich eine Taktik der irregulären Kriegführung ausgedacht, die später den schönen Namen »Guerillakrieg«* bekam. Noch wichtiger aber war, dass er unaufhörlich die Parteiorganisation an der Basis stärkte: »Parteizellen werden auf Kompanien gebaut, Parteigruppen auf Gruppen.« Eine Gruppe in der Armee sind nur ein Dutzend Leute, so dass eine Parteigruppe mit drei Personen im Zentrum alle anderen Kämpfer jederzeit unter Kontrolle hat und alle dazu bringen kann, enthusiastisch zur Organisation zu stehen. Bei geringsten Zweifeln, gar nicht zu reden von Ungehorsam, wurde ein politischer Linienkampf eröffnet, wobei im Extremfall der eine oder andere auch durch Mord zum Schweigen gebracht wurde, die Verwandtschaft blieb dabei nicht außen vor. – und das wirkt bis heute: Als das Virus aus Wuhan zum Angriff blies, war es ganz wie damals, nur dass jetzt der Vorsitzende Xi im Zentralkomitee der Partei die Befehle gab. Millionen Parteiorganisationen in Dörfern und Wohnvierteln in ganz China reagierten aufs Wort, verfolgten eine militärische Politik der verbrannten Erde, überschwemmten in Wort und Schrift alles mit roten Schlagworten und Slogans und schworen, das Virus mitsamt allen Kranken im gewaltigen Ozean eines Volkskriegs zu ertränken:

*Wer das Virus los sein will, folge der Partei, ein Weg, ein
   Ziel, kein Blick zurück dabei
Willst am Virus du zugrunde gehn, beim Liebemachen
   wird das schnell geschehn*

Ich brech dir die Knochen, traust du dich raus, ein Widerwort, ich schlage dir die Zähne aus
Großvater, Großmutter, Masken oder Atemmaschinen, die Wahl liegt ganz bei Ihnen
Wer sich versteckt und schließt sich nicht ein, wird der Letzte seiner Sippe sein
Mahjong mit Freunden, Partys draußen geben: So spielst du nicht nur mit deinem Leben
Wer jetzt allein isst, wird auch künftig essen, wer noch Verwandte haben will, muss Besuche jetzt vergessen
Dies' Jahr ein Besuch daheim, wird nächst' Jahr am Grab dann sein
Klopfst du heute dort und hier, steht morgen Corona vor der Tür
Besuche sind gegenseitiger Massenmord, Tafelrunden versuchter Selbstmord
Jetzt zum Essen laden, heißt Mord im Sinne haben

Gegenüber den ausländischen Teufeln aus dem Westen hingegen verhielt man sich anders, es gab, könnte man sagen, einen klaren Unterschied zwischen Innen und Außen: nach innen strikt, nach außen locker. Zhuang Zigui schickte Ai Ding den Link zu einem Video, das gerade in Europa hochpopulär war, und schrieb dazu: »Die *Xinhua*-Nachrichtenagentur hat das noch mal herausgegeben, ein Highlight der chinesischen Auslandspropaganda, hat es doch die Internetzeitschrift *The Paper* noch mit ein paar Details zu einer längeren Version aufgepeppt, schätzungsweise gibt es wenigstens ein paar Dutzend verschiedene Versionen, und ich hab keine Ahnung, welches dieser Machwerke ich hier genau weiterleite.«

Ai Ding sah sich die Sache umgehend an:

Ein junger Mann, zeitgemäßer Look, chinesisches Aussehen, geht mit schweren Schritten, als würde eine schwere Bürde auf ihm lasten, Richtung Stadtzentrum von Florenz.

Vor einer Steinmauer, vor der schon Michelangelo gestanden haben dürfte, stellt er sich auf und blickt mit gewölbter Brust in die Ferne. (*Stimme aus dem Off: Seinen Gedanken wachsen Flügel, keinen Augenblick später ist er zurück in der Heimat, die langsam von Osten her aufsteigt, ach, Mutters Ermahnungen hallen ihm im Ohr.*) – Ai Ding recherchierte kurz, der Mann war in Italien geboren, chinesischer Abstammung in zweiter Generation und kein »chinesischer Student im Ausland«, wie im Film behauptet wurde. – Dann setzt der junge Mann eine N95-Maske auf, verbindet sich mit einem langen schwarzen Stoffband die Augen und steht lange still und unbeweglich da wie eine Statue. Neben ihm lehnt senkrecht ein Schild, das sofort ins Auge fällt, darauf heißt es in drei Sprachen, Englisch, Chinesisch und Italienisch: »Ich bin kein Virus, ich bin ein Mensch, bitte diskriminiert uns nicht!«

In dieses weltbekannte Zentrum der Renaissance pilgern jedes Jahr unendliche Touristenströme, darunter unglaublich viele Künstler, die ihre Performances aufführen, so dass anfangs niemand auf den jungen Mann achtet. (*Stimme aus dem Off: Mit dieser geräuschlosen und doch nachdrücklichen Aktion kämpft er für alle Chinesen gegen Vorurteile und Rassendiskriminierung, welche die Panik vor der Epidemie mit sich gebracht hat.*) Erst allmählich bleiben Menschen bei ihm stehen, Fotos werden gemacht, und man flüstert sich ins Ohr.

Mit einem Mal geht eine schöne, weiß gekleidete junge Frau zu ihm hin, umarmt ihn, ihre Freundinnen tun es ihr gleich, umarmen und drücken ihn, streicheln ihn freundlich, streichen ihm über Haar und Schulter, am Ende liegen sich alle in den Armen. Natürlich sind aufgrund der typisch italienischen leichten Erregbarkeit auch Tränen und Küssen unvermeidlich. (*Stimme aus dem Off: Freunde Chinas gibt es auf der ganzen Welt! Im vergangenen Jahr hat der Vorsitzende Xi Jinping zum ersten Mal Italien besucht und ist von diesem großen Land aufs herzlichste empfangen worden, Regierung und Bevölkerung sind begeistert von der Idee der Neuen Seidenstraße, auch wenn derzeit vorübergehend ein Rückschlag zu verzeichnen ist, wird, sobald die Dunstschleier sich wieder verzogen haben, 2020 das chinesisch-italienische Jahr für Kulturreisen mit Sicherheit wieder einen Aufschwung erleben.*)

Schließlich nimmt man ihm in diesem Meisterwerk der Emotionen, in dem immer mehr Bürger aus Florenz den »Bin-kein-Virus-bin-ein-Mensch« umarmen, sogar Maske und schwarzes Band ab, um ihn besonders auf diese Stellen zu küssen. (*Stimme aus dem Off: Das ist der größtmögliche Beistand für ihn, und es ist der größtmögliche Beistand für China.*) ...

Als Nächstes wird die Hauptfigur dieser »Please-Hug«-Aktion auf der Webseite der *China News* interviewt und erklärt, an diesem Tag seien um die dreißig, vierzig Menschen zu ihm gekommen und hätten ihn umarmt, was seine Erwartungen bei weitem übertroffen habe: »Immerhin gibt es in diesen Zeiten ja viele Menschen, die glauben, ›*die* Chinesen haben das Virus‹. Wir haben das Video gedreht, weil jeder wissen soll, dass selbstverständlich nicht alle Chinesen das Virus in sich tragen. Die Italiener sollen sich, auch das wollten wir, vor uns nicht fürchten, sie sollen uns gegenüber keine Vorurteile haben. Rassismus verbreitet sich schneller als Viren.«

Gegen Ende des Videos hat sich die Aktion »Please Hug« über ganz Europa ausgebreitet, chinesische Studierende in Spanien gehen mit Maske und dem Schild »#NoSoyVirus (#IchbinkeinVirus)« auf die Straße und bekommen dafür zahllose Umarmungen; eine junge Chinesin hält in Italien auf dem mit Besuchern vollgestopften Platz vor dem Mailänder Dom ein Plakat in der Hand mit der Aufschrift: »Bitte umarmt mich, ich bin Chinesin, aber kein Virus«, lächelt schweigend und zieht damit Menschen unterschiedlichster Hautfarbe an, die nacheinander zu ihr gehen und sie umarmen; in Paris hat eine andere junge Chinesin beim Eiffelturm ein Papierschild in der Hand, auf dem steht: »Bitte umarmt mich, bitte keine Panik, ich bin kein Virus!« Damit ergattert sie jede Menge Lächeln, Tränen und Umarmungen für sich ...

Wie natürlich jeder weiß, wurden, gut drei Wochen nachdem diese für eine Weile sehr populäre »Please-Hug-Serie« vorüber war, Italien, Spanien und Frankreich von der Katastrophe des Virus aus Wuhan schwer heimgesucht, die Länder rangierten in Europa auf Platz eins bis drei der diagnostizierten Infektionen und Covid-Todesfälle. Seit dem Zweiten Weltkrieg hatte Italien nicht mehr in so kurzer Zeit so viele Särge produzieren müssen. Hu Xijin, Chefredakteur der *Global Times**, die unter der Flagge der *Chinesischen Volkszeitung* segelt, publizierte dazu einen Kommentar:

Italien ist mittlerweile vollkommen »hubei-isiert«, »wuhan-isiert«, das ist umso tragischer, als es unmöglich die Unterstützung erhalten kann, die Wuhan und Hubei in erstaunlicher Weise aus ganz China erhalten haben. Italien fehlt es offensichtlich an speziellen Covid-Notkliniken, wie es die Kliniken Huoshenshan und Leishenshan sind, und es gibt auch keine Möglichkeit, über Nacht Container-Kliniken herzuzaubern, eine große Zahl Patienten mit leichten Symptomen können sich nur zu Hause eigenverantwortlich erholen, ›abgeriegelte Städte‹ gibt es zwar, die Ausbreitung in epidemischen Gemeinden jedoch ist nur schwer zu unterbinden. Das Ausmaß der Epidemie in anderen europäischen Ländern übersteigt inzwischen ebenfalls die Höchstwerte in Regionen Chinas außerhalb von Hubei, man befindet sich an einem Scheideweg zwischen totaler Mobilisierung gegen die Epidemie auf der einen oder Tatenlosigkeit auf der ande-

ren Seite, es ist ein unglaublich qualvolles Zaudern. Amerika ist von der Epidemie am weitesten entfernt, dennoch ist die Situation auch dort alles andere als gut, darüber hinaus wird gestritten, ob Länder ›der Öffentlichkeit Informationen vorenthalten‹, es ist schwer vorherzusagen, wie das weitergeht ...

Das bedauernswerte Italien hatte am Vortag wieder 427 neue Todesfälle, insgesamt sind es schon 3405, mehr als die 3250 Fälle in China, damit ist Italien das Land mit den meisten Todesfällen aufgrund der Covid-19-Epidemie ...

Werdet standhafter, alle! Niemand sollte glauben, dass es ihn am schlimmsten erwischt hat, je optimistischer Sie bleiben, umso mehr Menschen ermutigen Sie vielleicht.

In einem weiteren ihrer Online-Gespräche erzählte Zhuang Zigui Ai Ding, dass die Staatsoberhäupter von Europa und Amerika, ganz im Sinne von Chefredakteur Hu, zunächst durchaus optimistisch und gegenüber China voll guten Willens gewesen seien. Frau Merkel, die deutsche Kanzlerin, habe in einer öffentlichen Rede noch betont, dass man beim 5G-Ausbau China nicht außen vor lassen dürfe, keinen Augenblick später habe ihr Hausarzt »eine Diagnose« erhalten, und sie habe sich wohl oder übel für vierzehn Tage in Selbstquarantäne begeben und sich testen lassen müssen; der englische Premierminister Johnson habe ein paar Tage zuvor höchstpersönlich »Herdenimmunität« propagiert, seine Worte seien in den Ohren kaum verklungen gewesen, als er selbst »eine Diagnose« erhalten habe, in der Quarantäne sei er dem Tod nahe gewesen und umgehend »auf eine Intensivstation gebracht worden, um ihn unter allen Umständen zu retten«; das anfangs von seinem »Etappensieg im Handelskrieg« ganz trunkene Amerika hingegen habe, davon aufs Glatteis geführt, jede Vorsichtsmaßnahme verabsäumt, und die Zahl der Covid-19-Toten sei pfeilgerade nach oben geschossen, bis schließlich mit 140 000 kriegsähnliche Dimensionen erreicht waren ...

Daraufhin ist das Milliardenvolk im Osten ein weiteres Mal »aufgestanden«, das unter der Führung des Vorsitzenden Xi und des Zentralkomitees der Partei Schritt für Schritt über das Virus gesiegt hatte, um die leidende Welt zu retten, wie es am 1. Oktober 1949 schon Mao Zedong in Peking vom Stadttor am Platz des Himmlischen Friedens herab proklamiert hatte. Antiamerikanismus wurde, weil Amerika der größte Hemmschuh bei der »Rettung der Welt durch China« sei, wieder einmal »die lauteste Stimme der Zeit«. Der Social-Media-Account *Zhidao Xuegong* (»Scholar Palace for Ultimate Truth«) auf WeChat – mit über 18 Millionen aktiven Fans auf Platz 1 sowohl beim Datenverkehr als auch bei den Klickraten der offiziellen innerchinesischen WeChat-Accounts – veröffentlichte, freudig zur Kenntnis nehmend, dass die Zahl der Corona-Toten in Amerika die 140 000 überstieg, und ließ umgehend den Eilkommentar folgen: »In den letzten Zügen: der Untergang Amerikas«, wobei man die 140 000 auf eine Million aufrundete und davon sprach, dass diese eine Million Leichen »unauffindbar« seien, damit eine Knappheit bei der Schweinefleischversorgung im Land in Verbindung brachte und abschließend resümierte:

Wenn sie weder verbrannt noch in einem Massengrab begraben wurden, was ist dann geschehen mit diesen vielen Leichen, wohin sind sie verschwunden? Als äußerst wahrscheinlich kann angenommen werden: Amerika hat die Leichen eingefroren und sie als Rindfleisch, Schweinefleisch oder sonst wie verwertet, sie weiterverarbeitet zu Fertiggerichten oder zu Hamburgern oder Hot Dogs, so dass andere Amerikaner sie aufgegessen haben. Viele Schweinefleisch- und Milchbetriebe in Amerika sind heute bankrott. Durch den Verzehr von Menschenfleisch kann man sowohl den

Nahrungsmittelmangel infolge der Wirtschaftskrise beheben als auch das Problem mit den Leichen lösen, zwei Ziele waren also, wie man sagen könnte, »auf einen Streich« erreicht.

10

Wissenschaftler gegen »Verschwörungstheorien«

Ai Ding skypte, zu Tode gelangweilt, immer häufiger über Tausende von Meilen hinweg mit Zhuang Zigui. Einmal berichtete dieser ihm völlig entsetzt: »Gerade habe ich gelesen, dass Luc Montagnier, der Medizinnobelpreisträger von 2008, gesagt hat: ›Dieses Virus ist auf der Basis eines Coronavirus, das von Fledermäusen stammt, künstlich hergestellt worden und anschließend womöglich unbeabsichtigt aus dem Labor entwichen. Dass es vom Meeresfrüchtegroßmarkt kommen soll, ist ein Märchen.‹ Und weiter sagte er noch: ›Wir haben keineswegs als Erste entdeckt, dass es im neuen Coronavirus Gensequenzen des AIDS-Virus gibt, vor uns haben indische Wissenschaftler schon erkannt, dass im Genom des neuen Coronavirus Sequenzen eines anderen Virus enthalten sind, meiner Ansicht nach ist dieses andere Virus das HI-Virus, vor dem offiziellen Erscheinen ihres Aufsatzes jedoch sahen sie sich gezwungen, diesen zurückzuziehen, der Druck war zu groß.‹«

»Was für ein Druck?«

»Weiß ich nicht. Aber ich glaube, deshalb steht auch Shi Zhengli unter enormem Druck, da wäre es dann nämlich nur natürlich, auf einmal alles abzustreiten und sich auf eine völlig andere Sichtweise zu verlegen – wer möchte schließlich schon gern eine so fürchterliche Anschuldigung auf sich sitzen lassen? Allerdings habe ich auch ein Exklusivinterview von *Radio France International* mit Prof. Simon Wain-Hobson vom Pasteur-Institut in Paris gesehen, der Luc Montagnier nicht zustimmt. Er geht davon aus, dass das Virus aus Wuhan ein natürliches Virus ist, wobei er allerdings gleichzeitig gesagt hat: ›Die sogenannte Gain-of-Function-Forschung (GOF) fügt den Genen eines Virus neue Funktionen hinzu, so dass es menschliche Zellen direkt, sogar durch die Luft infizieren kann. Anfangs hat außer mir kaum ein Spezialist derartige Forschungen in Frage gestellt ... Ich halte die oben genannte Forschung des Teams um Shi Zhengli für absolut irre, sie setzt die Menschheit unnötigen Gefahren aus ...‹«

»Wenn wir als Laien hören ›fügt den Genen eines Virus neue Funktionen hinzu, so dass es menschliche Zellen direkt infizieren kann‹ oder ›haben entdeckt, dass es im Coronavirus, das von Fledermäusen stammt, Sequenzen des AIDS-Virus gibt‹, macht das kaum einen Unterschied. Beides ist ein Jenseitsschock, wie eine Todesnachricht.«

»Für Wissenschaftler sind ja Todesnachricht und Todesnachricht beileibe nicht das Gleiche – der Tod einer Katze oder der eines Hundes zum Beispiel, Fledermaus oder Affe, *Gain* oder *Insertion*, die Vorgehensweise bei den konkreten Experimenten ist vollkommen verschieden. Nur die Kreatur muss sich seit dem SARS von 2003 bis zum aufgewerteten SARS 2020 einheitlich ins Unvermeidliche fügen und dem Joch beugen. Simon Wain-Hobson schloss übrigens das Interview mit dem Satz: ›China ist eine Großmacht von Gewicht, China sollte ein Virenlabor mit hohen Standards haben, das Problem ist nur, es ist eine Diktatur.‹«

»Das bringt uns zurück zu einer offiziellen Verlautbarung vom Mai 2003: Chen Zhu, der Vizepräsident der Chinesischen Akademie der Wissenschaften, habe anlässlich eines Besuchs in Frankreich über eine Kooperation in einem P4-Labor-Projekt einen Konsens mit der französischen Seite erreicht ... Die Mérieux-Familie habe praktisch jede ihrer politischen

Beziehungen genutzt, und am Ende habe die Lobbyarbeit Erfolg gehabt ... Haben sie damals vergessen, dass China eine Diktatur ist?«

Zhuang Zigui lachte ein paarmal hämisch, dann begann er zu sticheln: »Ich glaube ja, dieser Medizinnobelpreisträger ist nicht wirklich ernst zu nehmen, die Mehrheit der westlichen Experten zieht gegen seine These von der ›künstlichen Synthese‹ zu Felde, für die ist das ein Witz.«

»Auf welcher Grundlage?«

»Sie haben die DNA/RNA untersucht und sind der Ansicht, dass sie natürlich ist, eine artenübergreifende Übertragung von der Fledermaus auf den Menschen, ohne Chromosomenmutation des Virus, und die behauptete Insertion von vier Fragmenten des AIDS-Virus sowie eine Neukodierung und das angeblich ungewollte Entweichen aus dem Labor, das sei alles kompletter Unsinn.«

»Und was dann?«

»Die Schlussfolgerung ist: natürliche Ausbreitung. Shi Zhengli hat nicht gelogen, es ist die Strafe der Natur für eine Barbarei der Menschen: für ihren Hunger auf leckere Wildtiere! 2003 waren es Larvenroller, 2019 Fledermäuse, die es auf dem Hua'nan Meeresfrüchtegroßmarkt selbst zwar nicht gab, aber es gab dort andere, von Fledermäusen infizierte Wildtiere. Kürzlich hat ein Spezialist aus Hongkong, Yuen Kwok-yung – er gehört auch zur Gruppe der sechs hochrangigen Spezialisten um unseren obersten Pandemieberater Zhong Nanshan –, in der *Ming Pao* einen Artikel veröffentlicht, der schnell wieder einkassiert wurde. Dort hat er gesagt: ›Wildtiermärkte sind die Quelle von zahllosen Giften.‹ Und: ›Das neuartige Coronavirus aus Wuhan ist das Ergebnis der Barbarei der Chinesen, nichts weiter, der exzessiven Jagd und exzessiven, zu keinem Verzicht bereiten Verzehr von Wildtieren, des mitleidlosen Umgangs mit der Kreatur, des fehlenden Respekts für das Leben, alles wird gegessen, solange es nur schmeckt, diese in China tiefverwurzelte Unsitte ist die Quelle des Virus.‹«

»Und das diente nicht nur der politischen Rehabilitation der Kommunistischen Partei?«

»Ai Ding, wir dürfen nicht aus Gründen der Opposition die Vernunft aus dem Auge verlieren, Wissenschaft ist Wissenschaft. Schau dir mal die Berichte auf *Voice of America* an mit der Schlagzeile: Wissenschaftler verurteilen die ›Verschwörungstheorie, das neue Coronavirus sei nicht natürlichen Ursprungs‹. Der Inhalt ist: Die Theorie von der künstlichen Synthese des neuen Coronavirus wird von zahlreichen wissenschaftlichen Autoritäten bestritten, darunter auch von siebenundzwanzig bekannten Wissenschaftlern aus dem öffentlichen Gesundheitswesen außerhalb Chinas. Sie haben am 19. Februar in der medizinischen Zeitschrift *The Lancet* eine Erklärung abgegeben, die besagt: Wissenschaftler aus zahlreichen Ländern haben inzwischen das Genom des Krankheitserregers publiziert und analysiert … Sie sind zu der zwingenden Schlussfolgerung gekommen, dass das Coronavirus auf Wildtiere zurückgeht … Die Wissenschaftler bringen außerdem ihre Unterstützung zum Ausdruck für die Wissenschaftler und das Personal in Gesundheitswesen und Medizin in China im Kampf gegen die Epidemie und ›verurteilen entschieden die Verschwörungstheorie, das neue Coronavirus sei nicht natürlichen Ursprungs‹.«

»Wie hat die offizielle chinesische Seite darauf reagiert?«

»Als Erstes hat das Virologische Institut von Wuhan entschieden der These widersprochen, das neue Coronavirus komme aus seinem Labor. In einem ›Brief an Postgraduierte und die gesamte Belegschaft‹ hieß es: ›Solche Gerüchte fügen dem wissenschaftlichen Personal des Instituts, das an vorderster wissenschaftlicher Front die Stellung hält, größten Schaden zu und haben die vom Forschungsinstitut übernommene Schlüsselrolle beim Durchbruch in der Notfallforschung im

Kampf gegen die Epidemie empfindlich gestört.‹ Danach hat der Sprecher des Außenministeriums Geng Shuang, zu diesem Problem befragt, gesagt: ›Zur Zeit sind die WHO sowie die überwiegende Mehrheit der Wissenschaftler und Fachleute im öffentlichen Gesundheitsbereich weltweit im Allgemeinen der Ansicht, dass es keine Beweise gibt, die belegen, dass das neue Coronavirus seinen Ursprung im Labor hat.‹«

»Es reicht, ich hab genug davon, deiner Visage bei diesem dämlichen Nachgeplapper zuzusehen, ist ja wie bei einem Papagei.« Ai Ding war wütend und drauf und dran, Skype zu beenden.

»Langsam. Du solltest dir schon klarmachen, was die Spezialisten im Einzelnen gesagt haben. Hier gibt es noch einen langen Bericht der BBC unter dem Titel ›Im politischen Disput: Wie Wissenschaftler weltweit über die Wuhan-Herkunftstheorie und den Ursprung des Virus denken‹, und da gibt es eine Expertenerklärung, warum es ›nicht sehr wahrscheinlich‹ ist, dass das Virus ›aus einem Labor entwichen ist‹. Willst du sie hören?«

»Ich bin ganz Ohr.«

»Du kannst ja auch was dagegen sagen.«

»Wozu denn? Die Journalisten und die Experten werden es kaum hören.«

»Ich kann es aufnehmen, irgendwann wird es dann vielleicht zu hören sein.«

»Ja genau, träum weiter.«

»Eine virtuelle Debatte zwischen Anti-›Verschwörungstheorie‹-Experten und einem Opfer der Epidemie, das wäre fast wie das ›Hitzige Wortgefecht Zhuge Liangs mit einer Gruppe Gelehrter‹ in der *Geschichte der Drei Reiche**: Du weißt ja, Liu Bei wurde von neuem geschlagen, und Cao Cao mit seiner Armee der Achthundertdreißigtausend wollte das ganze Gebiet südlich des Yangtse unter seine Kontrolle bringen. Herrscher und Minister des Östlichen Wu-Reiches gerieten bei dieser Nachricht in Panik und bereiteten die Kapitulation vor. In diesem kritischen Augenblick überquerte Zhuge Liang, der erste Minister von Shu, von Xiakou aus allein den Fluss, um dem Herrscher und den Ministern Mut zu machen. Am Hof des Östlichen Wu-Reiches gab es ein hitziges Wortgefecht zwischen ihm und einer Gruppe von Ministern, schließlich schaffte seine überzeugungsmächtige Beredsamkeit es tatsächlich, dass einer nach dem anderen sich seiner Zunge geschlagen gab. Zuletzt überzeugte er noch den Monarchen Sun Quan, sich auf eine Allianz gegen den Feind einzulassen und mit der Armee von Cao die ›Schlacht am Roten Felsen‹ zu führen. Am Ende stand der Sieg, und es begann die gut siebzig Jahre dauernde ›Zeit der Drei Reiche‹, in der die Reiche Wei, Shu und Wu einander als Rivalen gegenüberstanden. – Was meinst du?«

»Also gut, leg los.«

— *John S. Mackenzie war Professor für Infektionskrankheiten an der australischen Curtin Universität und hat fast fünfzig Jahre Forschungserfahrung. 2003 war er der Leiter des ersten technischen Inspektionsteams, das nach China kam, um den Ursprung der SARS-Epidemie zu untersuchen. Seiner Auffassung nach ist es extrem unwahrscheinlich, dass ein Virus aus einem Labor entweicht, da P4-Labore auf der ganzen Welt ausnahmslos nach identischen Kriterien strengste Prüfungen durchlaufen müssen, um eben ein unvorhergesehenes Entweichen auszuschließen. »Wir möchten feststellen, dass ein solches Labor eine Schachtel in einer Schachtel ist«, sagte er gegenüber der BBC, »Labore dieser Art haben zum Schutz im Allgemeinen zahlreiche Sicherheitsvorkehrungen, die kaum alle gleichzeitig ausfallen.«*

Ein »P4« gilt als »Hochsicherheitsgefängnis« für Viren, aus dem unter normalen Umständen niemals ein »Gefangener« ausbrechen kann – nicht ganz so normal ist allerdings: »In der letzten Zeit hat das Virologische Institut von Wuhan still und leise Webseiten entfernt, darunter Nachrichten über den Besuch Rick Switzers, eines Experten der amerikanischen Botschaft für Wissenschaft und Technik, im Wuhaner Virenforschungslabor im März 2018 sowie viele Fotos von Forschungspersonal, wie es ohne jegliche Sicherheitsmaßnahmen Fledermäuse fängt und mit Virenproben hantiert. Die amerikanische Botschaft in Peking hat seit Januar 2018 mehrmals jemanden nach Wuhan gesandt, um das Labor zu besuchen, und die Mitarbeiter der amerikanischen Seite haben in zwei diplomatischen Telegrammen kurz darauf vor Schwachstellen bei Sicherheit und Aufsicht in diesem Institut gewarnt sowie auf das in Sachen Sicherheit mangelhaft geschulte technische Personal hingewiesen. – Auf der Auslandswebseite des P4-Labors von Wuhan waren ursprünglich eine ganze Menge Fotos von der Virenforschung mit Fledermäusen, sie zeigten die Arbeitsabläufe der Mitarbeiter vom Fangen der Tiere und den Probenentnahmen bis zur Sektion und Analyse im Labor, einen Sicherheitsschutz gab es aber nirgendwo. Die Fotos wurden kürzlich von einem Tag auf den anderen von der Webseite entfernt.«

— *Die Virologin Angela Rasmussen vom Institut für Öffentliche Gesundheit der amerikanischen Columbia-Universität ist derselben Auffassung. Sie sagte gegenüber der BBC, alle neuartigen Viren, einschließlich der H5N1 / H7N7 / H7N9-Influenzaviren, des MERS-Coronavirus, des Ebolavirus und des Zikavirus, sind im Verlauf der Geschichte immer auf natürlichem Weg aufgetaucht, bisher gibt es keinen Präzedenzfall, dass ein neues Virus infolge eines Laborunfalls aufgetaucht ist.*

Für das Entweichen von Radioaktivität in Tschernobyl hat es ebenfalls keinen Präzedenzfall gegeben; für die internetüberwachten Gehirnwäsche-Konzentrationslager, in die in Xinjiang mehr als eine Million Uiguren gesperrt sind, gab es ebenfalls keinen Präzedenzfall; dass ein Virus aus Wuhan sich in über hundertachtzig Ländern in katastrophaler Unkontrollierbarkeit ausbreitet, auch dafür hat es bisher keinen Präzedenzfall gegeben – die Kommunistische Partei hat in Wissenschaft und anderen Bereichen schon für zahllose »unglückliche Unfälle« »ohne Präzedenzfall« und nichtsdestotrotz schockierend gesorgt.

— *Sharon Lewin, Leiterin des australischen Peter-Doherty-Instituts für Infektion und Immunität, sagte gegenüber der BBC, das neue Coronavirus habe zwar Ähnlichkeiten mit dem Fledermaus-Coronavirus RaTG13, aber beim Eintrittsweg in den menschlichen Körper (z. B. über den Rezeptor ACE2) weise dieses charakteristische Besonderheiten auf, deshalb könne RaTG13 menschliche Zellen nicht infizieren.*

Shi Zhengli befasst sich seit Jahren mit der Erforschung der »artenübergreifenden Infektion« (von der Fledermaus über einen Zwischenwirt zum Menschen) und publiziert ihre Ergebnisse in chinesischen und ausländischen Wissenschaftsjournalen. In China gibt es darüber eine Menge offizielle Berichte. Es ist mehr als deutlich, dass diese Leute in keiner Weise verstehen, was Shi Zhengli eigentlich treibt.

— *RaTG13 ist der nächste Verwandte des neuen Coronavirus, dennoch liegt zwischen beiden eine Evolutionsspanne von Jahrzehnten, sagte Rasmussen von der Columbia-Universität: »Genetisches Beweismaterial zeigt deutlich, dass diese Viren auf ein natürlich entstandenes*

Fledermaus-Coronavirus zurückgehen, sie kommen häufig von chinesischen Wildfledermäusen.«

Wie sagte Prof. Simon Wain-Hobson vom Pariser Pasteur-Institut bei seinem Exklusivinterview mit *Radio France International*: »Shi Zhenglis Forschung besteht darin, den Genen eines Virus neue Funktionen hinzuzufügen, so dass es menschliche Zellen direkt, sogar direkt durch die Luft infizieren kann ...«

Außerdem, auch wenn »genetisches Beweismaterial deutlich zeigt, dass diese Viren auf ein natürlich entstandenes Fledermaus-Coronavirus zurückgehen«, heißt das ja nicht gleichzeitig, dass es diese Viren im P4 von Wuhan nicht gibt; und noch weniger heißt es, dass diese Viren nicht bearbeitet worden sein können. Auch die Ausgangsstoffe von Alkohol sind natürlich, die Bearbeitung erst macht den Alkohol.

— Prof. Dale Fisher, Vorsitzender des »Global Outbreak Alert and Response Netzwerks« (GOARN), das mit der WHO zusammenarbeitet, sagte gegenüber der BBC, innerhalb von Monaten habe das neue Coronavirus über hundert Mutationen geschaffen, ein solches Aktivitätsniveau bestätigt noch einmal, dass die Evolution dieses Virus sich durchaus und ausschließlich in der Natur vollziehen konnte. »Die Coronavirus-Variante konnte sich mit Sicherheit leichter im Schlund von Millionen überall herumfliegenden Fledermäuse herausbilden als in einem gesicherten Labor.«

Fledermäuse haben eine Evolutionsgeschichte von fünfzig Millionen Jahren, und obwohl sie viele Arten von Viren in sich tragen, hat man doch lange, lange Zeit nie von einer direkten Infektion von Menschen gehört, dabei ist Fledermauskot sogar seit jeher eine teure chinesische Medizin, ein

Granulat mit dem Namen »Licht in der Nacht«. Die Aussage, die Variante des Coronavirus habe sich leichter im Fledermausschlund herausbilden können als im Labor, hat demnach keine wissenschaftliche Grundlage. Und noch mal: Laborsicherheit in einer Diktatur?

> — *Gerald Keusch ist Professor für Medizin und Internationale Gesundheit an der Universität Boston. Er sagte gegenüber der BBC, es gebe Aufzeichnungen von einer Nipahvirus-Epidemie in Bangladesch, die zeigten, dass sich Menschen vor Ort möglicherweise dadurch direkt infiziert hätten, dass sie unbearbeiteten, durch den Urin bzw. Speichel von Rosettenflughunden verunreinigten Obstsaft getrunken hätten, was bedeute, dass Fledermaus-Viren möglicherweise direkt auf den Menschen übertragen werden könnten.*

Experimente von Shi Zhengli und vielen anderen Spezialisten haben mittlerweile verifiziert: »Dass Fledermäuse Viren direkt auf den Menschen übertragen können«, ist ein allgemein verbreiteter Irrtum. Und die von Shi Zhengli benannten und erforschten »Chinesischen Chrysanthemenkopf-Fledermäuse« haben elementar andere Eigenschaften als die Rosettenflughunde aus den bengalischen Tropen.

> — *Virenspezialist Alexander Gorbalenya von der Universität Leiden in Holland stellte gegenüber der BBC fest, aufgrund der unterschiedlichen körperlichen Konstitution unterschiedlicher Menschen könne sich ein Virus, schon bevor es echte »Aggressivität« ausbilde, über Wochen oder sogar Monate ausbreiten. Die enorme Bevölkerungszahl Wuhans erschwert seiner Ansicht nach eine Rückverfolgung des Erstinfektionsherds zusätzlich.*

Der ersten Feststellung stimme ich zu. Im Weiteren aber die »erschwerte Rückverfolgung« der »enormen Bevölkerungszahl Wuhans« anzulasten ist meiner Ansicht nach falsch. Vermutlich weiß dieser Virenspezialist nichts vom Whistleblower Li Wenliang und von Ai Fen, ›die alles auf den Weg gebracht hat‹.

— *Nach einer im Medizinjournal* Infection, Genetics and Evolution *veröffentlichten Studie zeigt die neueste genetische Analyse des neuen Coronavirus bei über 7600 Erkrankten weltweit, dass sich das Virus seit Ende vergangenen Jahres auf der ganzen Welt rasend schnell ausgebreitet hat, was die Annahme ausschließt, dass es sich bereits vor der Entdeckung weltweit ausgebreitet haben könnte. – »Alles muss auf professionelle internationale Untersuchungen gestützt sein«, sagte Prof. Keusch dazu. »Im Verborgenen gedeihen nur Verschwörungen, nur Fakten schaffen das Licht, um Verschwörungen auszuleuchten.«*

Über »Verschwörungstheorie« und »Fakten« im leeren Raum zu schwadronieren ist sinnlos. Muss man wirklich wieder und wieder wiederholen, was ein einziger Diktator alles anrichten kann? Wie viele Menschen müssen sterben, bis der Preis hoch genug ist, um daraus endlich etwas zu lernen? Wie viele Menschen müssen sterben, bis der Westen in den zahlreichen Hochtechnologieprojekten endlich auch die KPCh in die Verantwortung nimmt? Experten kommen nicht einmal nach China hinein, geschweige denn nach Wuhan, geschweige denn, dass sie vor Ort das P4 persönlich unter die Lupe nehmen könnten. Weil dort nämlich der Chefexperte der Volksbefreiungsarmee für chemische Verteidigungswaffen höchstpersönlich eine massive Militärwache kommandiert. Das P4 wie auch das »Zentrum für Krankheitskontrolle und Prävention Wuhan« (*Wuhan Center for Disease Control and Prevention*: WHCDC), beide in der Nähe des Hua'nan Meeresfrüchtegroßmarkts gelegen, haben niemand weiß wie viele Fledermäuse, niemand weiß wie viele spezifisch pathogenfreie (SFP) Wildtiere, mit denen man die absurdesten und skrupellosesten Experimente machen kann. Zurzeit ist das P4 von Wuhan genauso *absolute top secret* wie Zhongnanhai, das Hauptquartier der Kommunistischen Partei und der chinesischen Regierung, es gibt keine Kontrolle, noch weniger sind Nachforschungen erlaubt, weshalb das Böse auf ewig unerkannt bleiben wird. Von wegen »alles muss auf professionelle internationale Untersuchungen gestützt sein«.

***

Die SARS-Epidemie 2003 war ein erster, äußerst wichtiger Meilenstein in der Gegenwartsgeschichte des Gesundheitswesens. Zwar hatten in China unzählige Seuchen davor vielleicht zu mehr Toten geführt und mehr zerstört, aber das war, als ein Menschenleben noch wenig zählte und sich sofort Schleier über die Wahrheit legten, der niemand Beachtung schenkte. Erst bei SARS machte, alarmiert durch den Militärarzt Jiang Yanyong, die Bevölkerung Chinas als Ganzes mobil, darüber hinaus war die WHO alarmiert, weil die Infektionen sich von der Provinz Guangdong aus über die Landesgrenzen hinaus in 27 Ländern ausbreiteten, und so wurde daraus ein weithin bekannter Präzedenzfall in der Weltgeschichte der öffentlichen Gesundheit. – »Auf unserem Boden hat alles begonnen«*, oder wie die derzeit tief im Wirbel um das P4-Labor gefangene Virenspezialistin Shi Zhengli auch sagen könnte: »Wir sind die Generation SARS.«

Nach offiziellen Angaben und eigenen öffentlichen Äußerungen Shi Zhenglis hat die verheerende SARS-Katastrophe

2003 in China und im Ausland zu über zehntausend Infektionen und 1459 Toten geführt, was Shi nachhaltig prägt. Die erste SARS-Infektion war in der Provinz Guangdong in Foshan aufgetreten, danach kam es zu einer Ausbreitung in ganz Guangdong, zuletzt in 27 Provinzen und Städten – Shis Kollegen wiesen das SARS-Virus bei den auf Wildtiermärkten von Guangdong gehaltenen Larvenrollern nach, und bei weiteren Experimenten wurde entdeckt, dass der Larvenroller lediglich ein »Zwischenwirt« war, der die Menschen mit SARS infizierte, der Ursprung waren Fledermäuse. Nach Ansicht von Virenspezialisten kommt der Fledermaus mit ihrer 50 Millionen Jahre langen Evolutionsgeschichte eine spezifische Position zu, denn sie ist das einzige fliegende Säugetier der Welt und für bis zu einhundert Arten hochansteckender Viren wie das Tollwut-, das Marburg- oder das Nipah-Virus ein »natürlicher Wirt«, weshalb man auch von einem »Virenreservoir« spricht.

Shi Zhengli machte sich in der Folge mit ihrem Team und der vollen Unterstützung durch das Virologische Institut Wuhan der Chinesischen Akademie der Wissenschaften ab 2004 auf die Reise zum Ursprung des SARS-Coronavirus. »Ob Süd oder Nord, im Zentrum oder im Westen, sobald wir von Orten mit Fledermäusen nur hörten, waren wir schon dort, wir haben in achtundzwanzig Provinzen und Städten unseres Landes unsere Fußspuren hinterlassen, es war wie das Fischen nach einer Nadel im Ozean. Damit verbrachten wir ein ganzes Jahrzehnt.«

2005 veröffentlichte Shi Zhenglis Team den ersten Aufsatz: Man hatte in Fledermäusen Viren gefunden, die keine direkten Verwandten von SARS waren und Menschen nicht direkt infizieren konnten. 2011 entdeckten sie in einer Karsthöhle an einem Felsvorsprung in Yunnan Fledermauspopulationen mit tatsächlich Dutzenden verschiedenen Arten, das war wie ein natürlicher Viren-Genpool. Am Ende konnten mit SARS in hohem Maße homologe neue Coronaviren separiert werden. Seither wurden dort zweimal im Jahr regelmäßig Proben entnommen und wieder und wieder überprüft, ob diese das Potenzial zur artenübergreifenden Infektion haben könnten.

Am 9. November 2015 (korrigiert am 6. April 2016) veröffentlichte Shi Zhengli in der Online-Ausgabe der international renommierten Zeitschrift *Nature Medicine* den Aufsatz »Eine SARS-ähnliche Gruppe von zirkulierenden Fledermaus-Coronaviren zeigt das Potenzial zum Auftreten beim Menschen (A SARS-like cluster of circulating bat coronaviruses shows potential for human emergence)«, dort heißt es*:

Das Auftreten des Severe Acute Respiratory Syndrome-Coronavirus (Schweres akutes Atemwegssyndrom, SARS-CoV) und des Middle East Respiratory Syndrome-Coronavirus (Mittlerer Osten-Atemwegssyndrom, MERS-CoV) unterstreicht die Gefahr artenübergreifender Ausbreitungsereignisse für den Menschen. Wir untersuchen hier das Krankheitspotenzial SARS-ähnlicher CoVs, die gegenwärtig in Populationen der Chinesischen Chrysanthemenkopf-Fledermäuse zirkulieren. Unter Anwendung des Systems Reverser SARS-CoV-Genetik haben wir ein chimäres Virus geschaffen, das das Spike-Oberflächenprotein des Fledermaus-Coronavirus SHC014 in einem Mäusen adaptierten SARS-CoV-Backbone exprimiert. Die Ergebnisse deuten darauf hin, dass das auf einer Wildtyp-Basis der 2b-Gruppe mutierte, SHC014-kodierte Virus hocheffizient SARS-Rezeptoren nutzen kann sowie die multiple Homologie des Angiotensin konvertierenden Enzyms 2 (ACE2) des menschlichen Körpers. Es kann effektiv in primären menschlichen Atemwegszellen repliziert werden, und in vitro kann es Titer erreichen, die dem Virus-Titer epidemischer Stämme *von SARS-CoV gleichwertig sind. Darüber hinaus zeigen Experimente in vivo, dass die Replikation des chimären Virus in der Lunge von Mäusen eine bemerkenswerte Pathogenese aufweist; die Evaluation der vorhandenen SARS-basierten Immuntherapien und Prophylaxen ließ eine schlechte Effizienz erkennen – monoklonale Antikörper und Impfstoffansätze konnten sich das neue Spike-Protein nicht zur Neutralisierung zunutze machen und die Zellen so nicht vor einer Coronavirus-Infektion schützen. – Aufgrund dieser Erkenntnisse synthetisierten wir ein infektiöses rekombinantes SHC014-Virus in voller Länge und demonstrierten die mächtige Virenreplikation in vitro wie in vivo. Unsere Arbeit weist deutlich auf eine potenzielle Gefahr des Wiederauftauchens von SARS-CoV aus Viren hin, die aktuell in chinesischen Fledermauspopulationen zirkulieren.**

Nature Medicine merkte dazu an, andere Virologen stellten die Notwendigkeit solcher Forschungen in Frage, die sie für sinnlos hielten und die andererseits ungeheure Gefahren mit sich bringe, »es ist Irrsinn, unvorstellbar, wenn dieses Virus entkäme«.

Trotz nicht unbeträchtlicher Einwände erreichte Shi Zhenglis wissenschaftliche Karriere damit aber ihren Höhepunkt. In der Folge wurde sie Direktorin des »Nationalen Schlüssellabors für biologische Sicherheit und die Ätiologie neuer, virulenter Krankheiten« der Chinesischen Akademie der Wissenschaften, Direktorin des Forschungszentrums für neue Infektionskrankheiten des Virologischen Instituts Wuhan und Leiterin einer Notfallexpertengruppe des Wissenschafts- und Technologieministeriums der Provinz Hubei »für die Lösung wissenschaftlicher und technologischer Schlüsselaufgaben der neuartigen Pneumonie von 2019«. Sie erhielt alle möglichen Ehrungen, war auf allen möglichen Konferenzen und äußerte sich bei einem Vortrag in der Talkshow »Yixi Buick« des Pekinger Fernsehens 2018 in höchstem Maße eloquent und emotional:

> *Wie gelangten nun die Viren dieser Wildtiere in die menschliche Gesellschaft? Früher gab es nicht so viele Infektionskrankheiten, wieso jetzt auf einmal? … Jemand aus der Verwandtschaft fragte mich auch: SARS gibt es nicht mehr, welchen Sinn haben also all diese Dinge? Vielleicht kehrt die Krankheit ja nie mehr zurück. Ich sehe es jedoch so: Wenn all die Arbeit, die wir gemacht haben, irgendwann einem Krankheitsausbruch vorbeugen kann, dann hatte sie einen Sinn …*

Das ist richtig, nur, als sie vom öffentlichen Meinungssturm in Sachen P4-Leck erfasst wurde, interviewte die Zeitschrift *Chinesische Wissenschaft* den Forscher Xiao Gengfu, Parteikomiteesekretär und Vizeleiter des Virologischen Instituts Wuhan der Chinesischen Akademie der Wissenschaften und Vizedirektor der Nationalen virologischen Schlüssellabore. Er bezeugte:

> *Unser Institut hat am 30. Dezember 2019 die allererste Probe der Pneumonie unbekannter Ursache aus der Jinyintan-Klinik der Stadt Wuhan erhalten, sofort organisierten wir uns und widmeten uns 72 Stunden ununterbrochen der Lösung dieser schwierigen Aufgabe, am 2. Januar 2020 hatten wir die vollständige Genomsequenz des neuen Coronavirus von 2019 bestimmt, am 5. Januar konnten wir den Virenstamm separieren, was eine wichtige Grundlage für die Bestimmung des Krankheitserregers, die Entwicklung von Virentests und die Erprobung existierender Medikamente sowie die Neuentwicklung*

von Medikamenten darstellte. Davor hat es dieses Virus in unserem Institut niemals gegeben.

Abgesehen von der Lüge »hat es dieses Virus in unserem Institut niemals gegeben«, entspricht alles so weit den Tatsachen. Wären die oben genannte Arbeit und die Befunde am 5. Januar direkt der Öffentlichkeit zugänglich gemacht und wäre gleich Alarm geschlagen worden, dann hätte durchaus eintreten können, was Shi Zhengli sagte: »Wenn all die Arbeit, die wir gemacht haben, irgendwann einem Krankheitsausbruch vorbeugen kann, dann hatte sie einen Sinn ...« Dummerweise war sie damals Staatsgeheimnis – und während das Virus sich ausbreitete, während »Gerüchte« verboten wurden, während aus der Regierung wie der Bevölkerung sich Hunderttausende zu Familienfeiern trafen und sich gegenseitig infizierten, bewahrten Shi Zhengli und die ihr Vorgesetzten in höchster Einmütigkeit mit dem Zentralkomitee der Partei Stillschweigen.

Wegen der im Land wild kursierenden Gerüchte über »das Entweichen künstlich erzeugter Viren« fragte die Zeitschrift *Chinesische Wissenschaft* weiter: »2015 veröffentlichte das Magazin *Nature Medicine* einen Aufsatz mit der Überschrift ›Eine SARS-ähnliche Gruppe von zirkulierenden Fledermaus-Coronaviren zeigt das Potenzial zum Auftreten beim Menschen‹, dieser Aufsatz weist auf ein Virus mit der Bezeichnung SHC014 hin, das potenziell krankheitserregend ist, und die Forscher konstruierten in einem weiteren Schritt sogar ein chimäres Virus. Shi Zhengli vom Virologischen Institut Wuhan ist eine Autorin – welche Aufgabe hatte sie bei diesen Forschungen?«

Sekretär Xiao antwortete: »... Bei diesen Forschungen lieferte Shi Zhengli lediglich die Gensequenz von Spike- und Hüllprotein des Coronavirus SHC014, an konkreten Experimenten, um daraus ein chimäres Virus zu konstruieren, war sie nicht beteiligt, und es ist auch kein konstruiertes Virenmaterial ins Land gelangt. Alle Tierexperimente in diesem Projekt wurden vollständig in Amerika durchgeführt, und das amerikanische Team setzte ausschließlich auf Infektionsexperimente mit Mäusen, nicht auf inhumane Infektionsexperimente mit Primaten. Außerdem erkläre ich hiermit, dass SHC014 mit der ständigen Genomsequenz des aktuellen neuartigen Coronavirus von 2019 eine Ähnlichkeit von 79,6 % aufweist, sie sind damit keine engen Verwandten, und das Virologische Institut Wuhan hat auch keine aktiven SHC014-Viren. Das heißt, das Virologische Institut Wuhan hat weder jemals das von einem amerikanischen Team in dem 2015 beschriebenen Projekt konstruierte chimäre Virus synthetisiert oder gelagert, noch hat es mit diesem chimären Virus Folgeforschungen durchgeführt.«

Die »Weitergabe der heißen Kartoffel« durch eine Autorität, Sekretär Xiao, wurde sofort durch einen Außenministeriumssprecher der Sorte Rambo-»Wolfskrieger«* kreativ zur ersten Verschwörungstheorie der Epidemie, die seither unverwüstlich ihre Kreise zieht, umgemünzt: »Covid-19-Patient 0 war beim amerikanischen Militär! Infiziert durch ein aus einem amerikanischen P4-Labor entwichenes Virus, gab es zuerst nur Grippesymptome, bei Einreise ins Land mit der Krankheit zur Teilnahme an den VII. Sommer-Militärweltspielen in Wuhan war die Ausbreitung dann ruck, zuck passiert! Der erfolgreiche Test einer biologischen Waffe!« Akademiemitglied Zhong Nanshan stellte ebenfalls fest, auch wenn Covid-19 in China ausgebrochen sei, müsse der Ursprung ja nicht unbedingt in China liegen. Präsident Trump konterte sofort: »Wir alle wissen, woher das Virus kommt«, und rief direkt hinterher: »Aus China.« Peter Navarro, der Handelsberater des Weißen Hauses, stellte kurz danach fest, die Epidemie hätte durchaus vor Ort in Wuhan unter Kontrolle gebracht werden können, doch nachdem die KPCh die Epidemie sechs Wochen verschleiert habe, seien Hunderttausende Touristen noch aus dem Epidemiegebiet nach Mailand, New York und in andere Regionen geflogen und hätten das Virus aus Wuhan auf dem ganzen Globus verbreitet.

Parteimitglied Shi Zhengli konnte die eigenmächtige Antwort Sekretär Xiaos schließlich lediglich abnicken und beklatschen, denn die KPCh hat nach dem Vorbild der Nazis und der sowjetischen KP einen strikten »parteiinternen demokratischen Zentralismus« etabliert: Der Einzelne beugt sich der Organisation, die Minderheit beugt sich der Mehrheit, die nachgeordnete Instanz beugt sich der höheren und die Partei beugt sich der Zentralmacht – obgleich ihre über Jahre hart erarbeiteten Forschungsergebnisse damit nahezu vollständig hinfällig waren.

Das war dann auch das Ende der Generation SARS. Wäre es nur gleich ein richtiges und wahres »Ende der Geschichte« gewesen und nicht eines wie beim japanisch-amerikanischen Gelehrten Fukuyama, der nach dem Zusammenbruch der UdSSR das »Ende der Geschichte« in einer Veröffentlichung vorhersagte, aber immer wieder revidierte, bis es zu einem »Witz der Geschichte« verkommen war.

***

Es war inzwischen späte Nacht. Ai Ding hatte reichlich intus, da erhielt er vier weitere Nachrichten von Zhuang Zigui:

A) *Xiao Botao, Professor am Institut für Bio- und Ingenieurswissenschaften der Südchinesischen Hochschule für Naturwissenschaften und Technologie, hat auf der globalen akademischen Netzwerkwebseite* ResearchGate *unter dem Titel* Mögliche Herkunft des neuartigen Coronavirus *einen englischen Bericht publiziert, in dem er bezeugt, dass es im »Wuhaner Zentrum für Krankheitskontrolle und Prävention (WHCDC)«, das vom Ursprungsort dieser Epidemie, dem »Hua'nan Meeresfrüchtegroßmarkt«, nur 280 Meter entfernt ist, nicht nur über einen langen Zeitraum gut sechshundert wilde Fledermäuse gab, sondern sich sowohl 2017 als auch 2019 Unfälle ereigneten, bei denen Blut und Urin von Fledermäusen durch ein Leck austraten und ein Forscher bei der Probenentnahme Fledermausangriffen ausgesetzt war, sich über Fledermausurin infizierte und für vierzehn Tage selbst isolierte. Weiterhin weist Xiao Botao auf Folgendes hin: Bei der genetischen Sequenzierung des neuartigen Coronavirus wurde entdeckt, dass es zu 96 % und zu 89 % von Shi Zhengli in einer Überhanghöhle in Yunnan bei den »Chinesischen Chrysanthemenkopf-Fledermäusen« entdeckten und von ihr benannten Coronaviren (CoV ZC45) ähnelt, allerdings muss der Krankheitserreger selbst wie auch der Infektionsweg zum Menschen noch untersucht werden. Der Bericht zeigt aber: In 585 Proben vom Hua'nan-Großmarkt wurde bei Tests 33-mal das Virus aus Wuhan nachgewiesen.*

B) Le Monde *aus Frankreich hat einen Untersuchungsbericht von Raphaelle Bacque und Brice Pedroletti veröffentlicht:*
Als im Dezember vergangenen Jahres die Wuhan-Pneumonie ausbrach, wurde Shi Zhengli, verantwortlich für das Wuhaner P4-Labor, von Sorge und Angst gepackt, sie sagt, sie habe nächtelang kein Auge zugetan und jede ihrer Forschungen, jede ihrer Aktionen wieder und wieder überdacht, denn sie sei extrem besorgt gewesen, dass Gensequenzen zeigen könnten, dass der Mörder (das Virus) von ihrer Abteilung nach draußen gelangt sei. Der

Journalistin Jane Qiu vom Monatsmagazin Scientific American *erzählte sie: »Das hat mich schier wahnsinnig gemacht, ich habe kein Auge mehr zugetan.«*
Es gibt viele Leute im Virenlabor, die zu Coronaviren forschen. Shi Zhengli betreibt mit ihrem Team »Gain-of-Function«, macht also »Viren-Umbau«-Experimente, durch die diese ein höheres Infektionspotenzial erhalten, danach werden Schwachpunkte ausfindig gemacht, um Therapien zu testen. Außerdem hat Shi Zhengli in diesem Jahr am 20. Januar Resultate zu einem neuen Virusgenom veröffentlicht und erklärt, sie habe damit noch ein bislang nicht erfasstes Virus gefunden und dieses weise eine Ähnlichkeit von 96 % mit dem Fledermaus-Coronavirus RaTG13 auf.

C) *Wichtige Rede Xi Jinpings zur Integration der Biosicherheit ins nationale Sicherheitssystem und zur schnellstmöglichen Anbahnung eines »Biosicherheitsgesetzes«. Xi Jinping sagte: »Die Epidemie hat Lücken und Missstände aufgedeckt, hier heißt es anpacken, Lücken schließen, Lecks stopfen … institutionelle Hauptmechanismen zur Prävention und Kontrolle von Epidemien perfektionieren, das nationale Notfallmanagementsystem der Öffentlichen Gesundheit vervollkommnen …«*

D) *Bevor die Handelsgespräche zwischen China und den USA am 15. Januar durch Unterschrift beider Seiten besiegelt wurden, forderte die chinesische Seite eigens den Zusatz: »Falls es infolge einer Naturkatastrophe oder anderer Faktoren höherer Gewalt auf einer Seite zu Verzögerungen kommen sollte und diese Vereinbarungen nicht rechtzeitig erfüllt werden können, sollen beide Seiten über eine Lösung beraten.«*

Schon am 23. Januar war die Stadt Wuhan dann im Lockdown. Dutzende chinesische Metropolen folgten, allein die Grenzübergänge blieben noch tagelang offen, wodurch Hunderttausende Touristen noch aus dem Epidemiegebiet weiter in alle Teile der Welt flogen ...
Das belegt, dass der chinesischen Seite bereits vor der Unterschrift klar war, dass eine Katastrophe bevorstand. Und Trump hatte verloren. Im Augenblick der Unterschrift glaubte er noch, er hätte eine der größten Handelsschlachten der Geschichte gewonnen, sogar Hongkong hatte er dafür, ohne mit der Wimper zu zucken, geopfert. Doch er hat sich vom Diktator hinters Licht führen lassen, nicht ahnend, dass ein biochemischer Krieg, ein »Unrestricted War«[*] auf dem Feld der Biochemie, aufzog, der in Ausmaß und Wirkung mit einer Handelsschlacht bei weitem nicht zu vergleichen sein würde ...

11

Unrestricted War

Es war kurz vor Mittag, Ai Ding hatte bis jetzt geschlafen, machte sich eine Kanne Tee und nahm sich noch mal die vier Nachrichten vor, die Zhuang Zigui in der Nacht geschickt hatte, die letzte mit dem Begriff »biochemischer *Unrestricted War*« stach ihm sofort ins Auge. Ob das Virus nun in Wuhan aus dem Labor entwichen war oder nicht, es war richtig, dass das Resultat klar Merkmale eines »*Unrestricted War*« zeigte.

Unrestricted War ist der Titel einer von Qiao Liang, Luftwaffengeneralmajor der Volksbefreiungsarmee, Vizesekretär des Komitees für Nationale Sicherheitspolitikforschung und Professor an der Hochschule für Landesverteidigung, gemeinsam mit dem Luftwaffenkommodore Wang Xiangsui verfassten militärischen Schrift, gemeint ist damit »ein Krieg, der Grenzen, der Schlachtfelder überschreitet«, um Gegner durch eine unvorhersehbare Vorgehensweise zu besiegen und die Kräfteverhältnisse umzukehren. Der »11. September« beispielsweise, als schwache Terroristen mit Flugzeugen die Zwillingstürme von New York zum Einsturz brachten und den Tod von über dreitausend Menschen herbeiführten, stellt einen Archetypus der Umkehr der Kräfteverhältnisse in einem »*Unrestricted War*« dar. Dieses die Welt schockierende Verbrechen löste in der Diktatur Chinas Wellen patriotischer, antiamerikanischer Fröhlichkeit aus und sorgte in den höheren Militäretagen für immer neue hitzige Debatten. Eine

Fraktion kriegsbegeisterter Jungfalken vertrat die Ansicht, Mao Zedongs »Volkskriegs«-Theorie sei überholt, künftige Kriege fänden nicht mehr auf irgendeinem Hauptschlachtfeld statt, sondern auf einer beliebig hohen Anzahl an Kriegsschauplätzen; ohne bestimmte Festlegung könnten sie in jede beliebige Richtung, in jeder beliebigen Form vorangetrieben werden, so dass etwa Information, Biochemie, Wissenschaft, Technologie, Nachrichten, Kultur, Propaganda und so weiter, all das für einen »*Unrestricted War*« auf Leben und Tod in Betracht gezogen werden müsse. – Kurz und gut, das terroristische Meisterstück Osama bin Ladens und seiner al-Qaida machte das Buch *Unrestricted War* unter den Militärs zur populärsten Lektüre nach Mao Zedongs *Über den langwierigen Krieg**. Es gab sogar das von offizieller Seite lancierte Gerücht, *Unrestricted War* habe das amerikanische Pentagon aufgeschreckt, man halte dieses Buch dort »seit dem Zerfall der früheren Sowjetunion für die erste große und unvermittelte Herausforderung für alle fortschrittlichen Militärtheorien weltweit«.

Nach einem Jahrzehnt Jagd auf ihn wurde Bin Laden erschossen, die KPCh jedoch hielt weiterhin engen Kontakt zu den Taliban. Noch nachdem in Xinjiang Konzentrationslager entdeckt worden waren, in denen über eine Million Uiguren, häufig islamischen Glaubens, interniert sind, erklärte Lu Kang, der Sprecher des Außenministeriums, auf einer Pressekonferenz am 20. Juni 2019 andererseits: Der Leiter der politischen Repräsentanz der Taliban in Doha, Mullah Abdul Ghani Baradar, habe mit mehreren Assistenten China besucht. Hohe Beamte auf der chinesischen Seite hätten sich mit ihnen über Fragen wie »den Friedens- und Versöhnungsprozess und den Kampf gegen Terrorismus« in Afghanistan ausgetauscht.

Die internationale öffentliche Meinung reagierte sofort entrüstet, doch auch solche skrupellosen und moralisch niederträchtigsten Provokationen sind ein Teil des »*Unrestricted War*«, und im Ergebnis »siegte China«, denn die deutliche Mehrheit der westlichen Staaten hielt aus wirtschaftlichen Interessen still, Italien ließ sich sogar vorbehaltlos auf die »Neue Seidenstraße« und damit als Erstes dieser Länder auf einen Flirt mit Banditen ein. In der Folge standen nacheinander England, Frankreich, Deutschland, Spanien und die Vereinten Nationen ebenfalls bereit für einen Flirt mit diesen reichen, protzigen Banditen, und der »*Unrestricted War*« ermöglichte überall, bei der Akzeptanz von Huawei und 5G, bei der Hongkong-Krise, den Gräueltaten in Xinjiang und Tibet, bei immer haarsträubenderen Menschenrechtsverletzungen, der Überwachung der gesamten Bevölkerung mit Gesichtserkennung und anderer Internetspitzentechnologie, leichte Erfolge, nichts und niemand stellte sich in den Weg ...

Vor allem die kriegsbegeisterten hohen Offiziere für Militärtechnologie zeigen eine leidenschaftliche Vorliebe für dieses Thema. In der *Volksbefreiungsarmeezeitung* vom 6. Oktober 2015 wurde das Hoheitsgebiet des »*Unrestricted War*« in dem einschlägigen Artikel »Biotechnologie als neuer strategischer Höhepunkt der anstehenden Militärrevolution« noch einmal einen Schritt ausgeweitet, das ist sozusagen der theoretische Höhepunkt eines »Technologie über alles«. Einer der Autoren, He Fuchu, ist Biologe, Generalmajor für Technologie, Kandidat des Zentralkomitees der KPCh, Vizedirektor des Komitees für Naturwissenschaften und Technologie der Zentralen Militärkommission und zugleich Vizepräsident der Akademie der Volksbefreiungsarmee für Militärwissenschaften. Der Artikel endet:

In dem Maße, wie künftig die biologische Bewaffnung immer mehr Realität wird, werden nicht traditionelle Gefechtsformen die Bühne erobern ... in dem Maße, wie die Nutzbarmachung und Kontrolle des menschlichen Gehirns möglich wird, wird man Gefechtsgebiete umso schneller von Physik und Information auf die Kognition ausweiten können, das menschliche Gehirn wird möglicherweise nach Land, Wasser, Luft, Himmel, Elektronik und Internet der neue Gefechtsraum werden. In der Zukunft könnte sogar nach dem Internet und dem ›Internet der Dinge‹ ein ›Gehirn-Net‹ zu einem noch einmal gänzlich neuartigen Internet werden, durch das biologische Intelligenz vollständig mit moderner Informationstechnologie verschmelzen und sie so transzendieren könnte.

Wenn sich in der Umgebung eines amtierenden Kaisers offenbar derart hochqualifizierte Fanatiker eines *Unrestricted War* befinden und durch Experimente an gut einer Million Uiguren Xinjiangs in »Gehirn-Net«-Konzentrationslagern die Kontrolle der Kommunikation eines ganzen Volks noch einmal störungsfrei transzendiert werden kann, wird die biotechnologische Schwelle zu »künftigen biologischen Waffen« irgendwann überschritten werden. Die Zukunft der Menschheit wird immer durch die progressivste ihrer Technologien bestimmt. Die Verfilmung der Kurzgeschichte *Die wandernde Erde* des bekannten Science-Fiction-Autors Liu Cixin malt aus, wie in fünfhunderttausend Jahren die Sonne erlischt, die Erde in diesem Desaster neu anfangen muss und man sich auf der Suche nach einer neuen Sonne tief in die Weiten des Weltraums begibt. Und wer, welch Überraschung, bestimmt dabei das Schicksal der gesamten Menschheit: die Kommunistische Partei Chinas! Amerika und Europa dagegen sind längst spurlos verschwunden, der Westen ist insgesamt fertig, nur das Imperium der KPCh gibt es noch, wegen seiner exzellenten Technologie und seines loyalen Volkes beherrscht es die Zukunft des Erdballs in fünfhundert Jahrtausenden. Was für ein verdammter Mist, die Sonne gibt es nicht mehr, aber die lokalen Polizeiwachen sind noch da, und die Insignien des Imperiums, wie etwa die Rote Flagge mit den fünf Sternen, ebenfalls. Kein Wunder, dass Außenministeriumssprecher Hua Chunying dieses Produkt der chinesischen »Auslandspropagandamaschinerie«, das in einer Woche weit über zwei Milliarden Renminbi einspielte, auf einer Pressekonferenz so nachdrücklich empfohlen hat.

Auf welche Weise die westlichen Großmächte unter der Führung des amerikanischen Imperialismus so spurlos verschwinden könnten, dazu lese man noch eine andere, vom Xinhua-Verlag mit großem Pomp herausgegebene Monographie: *Krieg um die biologische Vorherrschaft: Militärstrategie für die neue Zeit neu gedacht*, der Verfasser Guo Jiwei ist Kommodore des Heeres, Professor der Dritten Medizinischen Militärhochschule und Chefarzt. Ein von ihm ausgedachter Kampf um die »biologische Vorherrschaft« könnte beispielsweise wie folgt aussehen:

Auf einem beliebigen Versorgungsschiff einer Flugzeugträgerkampfgruppe gibt es einen Militärarzt namens Doc Kete. Die Flugzeugträgerkampfgruppe soll eine Ölplattform weit draußen im offenen Ozean schützen. Auf dem Ozean herrscht Windstille, die See ist ruhig, alles in allem ist es rechtschaffen langweilig für Doc Kete. Er geht auf dem Achterdeck spazieren und sieht zufällig einen Fregattvogel mit goldenem Bauch auf dem hohen Mast mit der gehissten Flagge landen. Doc Kete schenkt dem weiter keine Beachtung. Ein paar Tage später informiert der Oberpfleger auf einer kurzen Routinesitzung, dass plötzlich immer mehr Kranke intravenöse Infusionen brauchen. Doc Kete schießt ein Gedanke durch den Kopf. Er springt auf und ruft: »Der Fregattvogel!« Er ist in allen Hoheitsgewässern der Welt gewesen, der Fregattvogel gehörte nicht zur Population dieses Kontinents, und

hier war hohe See, so weit konnte er nicht fliegen. Ihm wird schlagartig klar: »*Möglicherweise waren wir einem biologischen Angriff ausgesetzt!*«
In der Folgezeit treten bei einem Großteil der Flottenmannschaft Symptome einer Atemwegsinfektion auf, über einhundert Offiziere und Soldaten sterben. Das Flottenkommando untersagt, die Kranken zur Behandlung aufs Festland zu bringen, um eine Ausbreitung der Infektion zu verhindern. Lazarettschiffe mit Bioschutzfunktion kommen in der sternenklaren Nacht eilig zu Hilfe. Später wird man herausfinden, dass um die hundert Seemeilen entfernt ein Fischerboot eine Schar mit Viren infizierter Vögel freigelassen hat, die auf dem offenen Meer Schiffe zum Rasten suchten und auf dieser Flugzeugträgerkampfgruppe landeten. Es war auf diese Weise schon für einen Vogel ein Leichtes, die Flugzeugträgerkampfgruppe lahmzulegen.

Dieses repräsentative Werk eines biochemischen »*Unrestricted War*« erschien 2010 – und heute, zehn Jahre später, stehen uns wie von Geisterhand mit einem Mal Realversionen der oben beschriebenen Szene vor Augen:

Auf dem nukleargetriebenen US-Flugzeugträger Roosevelt wurden über 500 Besatzungsmitglieder mit Corona diagnostiziert, einer von ihnen starb, der Kapitän wurde wegen eines öffentlich gewordenen Hilfegesuchs vom Kommando entbunden, danach wurde bei ihm ebenfalls eine Infektion festgestellt …

Die Kommandozentrale der taiwanischen *Dunmu*-Flotte rief über Nacht von drei Kriegsschiffen insgesamt 744 Besatzungsmitglieder zurück, nach der Durchführung von Labortests wurde bekanntgegeben, dass insgesamt 24* Offiziere und Soldaten der Flotte im Alter von zwanzig bis gut vierzig Jahren positiv auf Corona getestet worden waren … Derzeit ist die Besatzung des Schiffes *Panshi* vollständig evakuiert und jeder Einzelne wurde desinfiziert ...

***

Als sie am nächsten Tag ihre Unterhaltung zum Thema »*Unrestricted War*« fortsetzten, hatte Ai Ding plötzlich die Idee, es könnte doch diese Art von biochemischem »*Unrestricted War*« auch auf Hongkong ausgedehnt worden sein. Zhuang sagte, das sei wohl eher unwahrscheinlich, denn wenn dadurch das Virus aus Wuhan die ganze Welt verheere, nehme ja auch die KPCh selbst desaströsen Schaden, das objektive Resultat würde ein wenig dem gleichen, wozu man in Hongkong »im gleichen Feuer schmoren« sage. Der amtierende Kaiser wolle sicher nicht mit irgendwem »im gleichen Feuer schmoren«, er hoffe vielmehr darauf, durch die »Neue Seidenstraße« globale Führungsmacht zu werden.

Ai Ding setzte an: »Aber wenn es glattgehen würde ...«

Zhuang unterbrach ihn: »Wenn es glattgehen und das Gift allein Hongkong untergemischt würde – würde es dann in unabhängigen Medien zu einem Online-Sturm von Anklagen kommen? Glaube ich eher nicht. Schließlich hat man erst vor kurzem das vorläufige Ende des zwei-, dreijährigen Handelsstreits zwischen China und Amerika verkündet, Trump hat eigenhändig seine Unterschrift daruntergesetzt, als er den Stift an den ›amtierenden Qing-General Li Hongzhang*‹, Liu He*, weiterreichte, platzte er fast vor Stolz, weil er dachte, er hätte mit seiner Unterschrift die größte Bestellung der Geschichte aufgegeben, Liu He auf der anderen Seite sah sich zu einem bitteren Lächeln verpflichtet ... Tatsächlich schauspielerte Liu He, ihm war klar, dass Hongkong eine Wunde im Herzen des Kaisers gewesen war.«

»Amerika wird gemästet und Hongkong gefressen?«

»Ein Sprichwort sagt: ›Um den Wolf zu fangen, muss man

das Kind aufs Spiel setzen.‹ Hongkongs Heute hat mit *Xi Jinping und seine Geliebten* angefangen, einer politischen Klatschschrift, nicht anders als die Liebesgeschichten über Mao Zedong, Deng Xiaoping, Jiang Zemin, Hu Jintao und andere. In den vergangenen Jahrzehnten waren in Hongkong zahllose Bücher herausgekommen, für die Intellektuelle sich kaum interessierten, einfache Stadtbewohner und Touristen aus Festlandchina haben sie gelegentlich gekauft und gelesen, um etwas zu haben, worüber man beim Tee klatschen konnte, wer hätte das je ernst genommen? Diesmal jedoch hat es der Kaiser sehr ernst genommen und schreckte nicht davor zurück, Spione auszusenden, die auf unterschiedlichen Routen alle Buchhändler, die mit dem Buch zu tun hatten, aus Thailand, Macao und auch aus Hongkong nach China entführten und dort heimlich mehrere Monate inhaftierten und verhörten. Gui Minhai, der Hauptschuldige, ein gebürtiger Chinese, damals aber mit schwedischer Staatsbürgerschaft, musste zwei ›Fernsehgeständnisse‹ ablegen und mehrfach ›in einer festgelegten Wohnung überwachten Hausarrest‹ über sich ergehen lassen und wurde sogar der Begleitung schwedischer Diplomaten entrissen und zum Mitkommen gezwungen, zuletzt ›gab er freiwillig seine schwedische Staatsbürgerschaft auf‹ und wurde zu neun Jahren Haft verurteilt. – Das ist der sogenannte ›Entführungsfall Causeway Bay-Buchladen‹, der im In- und Ausland für einige Entrüstung sorgte.«

»Ob das auch *Unrestricted War* ist?«

»Unverfrorene Entführungen über Grenzen hinweg hat es seit der Staatsgründung durch die KPCh '49 jedenfalls bisher nicht gegeben, nicht einmal während des Kalten Kriegs hat man so was gehört. Aber das Ziel wurde erreicht – Einschüchterung: Die Hongkonger Verlagswelt hielt nun still, wie in kalten Tagen die Zikaden, da jeder höchstpersönlich in Gefahr war, verschwanden alle politisch aktuellen Bücher im Handumdrehen. Etwas später wurde auch die Regenschirm-Revolution zerschlagen, zahlreiche Anführer der Bewegung wurden inhaftiert und verurteilt. Als Nächstes trieb die Regierungschefin der Sonderverwaltungszone Hongkong, Carrie Lam, im Juni 2019 massiv das ›Gesetz über flüchtige Straftäter und ihre Auslieferung nach China‹ voran, um ›grenzüberschreitende Entführung‹ zu legalisieren. Das allerdings erregte den Volkszorn überall in der Stadt erst so richtig, über zwei Millionen Menschen gingen auf die Straße. Die ›Streiter für Frieden, Vernunft und Gewaltfreiheit‹ taten sich mit der ›Fraktion der tapferen Frontkämpfer‹ zusammen. Der achtzigjährige Journalistenveteran Lee Yee sagte: ›Früher waren wir Hongkonger sehr geduldig. Das Auslieferungsgesetz jedoch lässt uns wissen, dass für uns Hongkonger nur ein einziger Weg noch zur Wahl steht: als Sklaven dienen. Damit hat der ultimative Freiheitskampf gegen die Versklavung begonnen.‹ – Weil sich im Juni 2019 auch zufällig das Massaker auf dem Platz des Himmlischen Friedens in Peking zum dreißigsten Mal jährte, gab es allseits Befürchtungen, auch in Hongkong könnte der Ausnahmezustand verhängt werden, um es dann von der Volksbefreiungsarmee stürmen zu lassen. Und wirklich wurden auch über fünfhundert Militärfahrzeuge an der Grenze zu Hongkong zusammengezogen, dazu die bewaffnete Grenzschutzpolizei abgelöst und dabei verdoppelt und in Hongkong in fünf strategisch wichtigen Durchgangszonen stationiert, die über sieben Millionen Hongkonger Einwohner bekamen alles in laufend aktualisierten Eilmeldungen im Fernsehen zu sehen.«

»Aber das Massaker hat sich nicht wiederholt.«

»Die Nacht auf den 4. Juni 1989, in der Tausende Kämpfer gegen die Tyrannei ermordet wurden, hat sich nicht wiederholt. Aber Hunderte von ›Selbstmördern‹ wurden nach und nach entdeckt, ein Berg von Leichen, etliche Mädchen waren sexueller Gewalt ausgesetzt, einem, das erste Hilfe leistete, wurde ein Auge zerschossen, und sogar ein Kind, wenig älter als zehn, und eine achtzigjährige Frau wurden einkassiert. In der *San Uk Ling*-Abschiebehaftanstalt, beim Sturm auf verschiedene Universitätsgelände sowie aus einem mysteriösen nächtlichen Sonderzug ins chinesische Inland wurden Tausende Menschen verhaftet, Zehntausende verschwanden spurlos ... Diese Gewalttätigkeiten waren dezentral organisiert, sporadisch, sie produzierten keinen Blockbuster wie *Schindlers Liste*, an dem keiner mehr vorbeikommt, sondern es war eher wie für Nachrichten im Internetzeitalter typisch, die von heute hatten im Nu die von gestern unter sich begraben, und die internationale Aufmerksamkeit verlor sich und dünnte aus ... Aber die Hoffnung stirbt ja bekanntermaßen zuletzt, die Hoffnung, dass vielleicht jeder doch noch versteht: Das ist der finale Widerstand, scheitert er, wird es keine weitere Chance geben ...«

»Ein Thema ohne Ende ... Ach ja, in Deutschland wird es schon bald wieder hell, mein guter Zhuang, du solltest schlafen gehen.«

Sie beendeten ihr Gespräch, und Ai Ding stand auf, seine Gedanken schlugen weiter hohe Wellen. Die Unterdrückung Hongkongs und der Widerstand dagegen zogen sich inzwischen hin, während der Epidemie hatte die Polizei überraschend erneut fünfzehn Köpfe der Bewegung festgenommen. In der Hauptstadt des Imperiums hatte zudem Tag und Nacht die Plenarversammlung getagt, auf der für Hongkong ein »Nationales Sicherheitsgesetz« nach dem Muster Festlandchinas gestrickt wurde – ähnlich wie die Nazis, als die damals für die Juden einen »Rassentrennungserlass« (Nürnberger Gesetze, 1935) aus dem Boden stampften – alles, um »Ein Land, ein System« schnellstmöglich voranzubringen.

Die Überschreitung jeder Form von Schlachtfeld, der Grenzen, der Zeit, Unterschreitung jeglichen Niveaus und jeder Menschlichkeit – für den Sieg ist jedes Mittel recht. Folgende

Beschreibung stammt von einem Experten, der auch bei den Ereignissen am 4. Juni 1989 persönlich dabei gewesen war:

Der Vierte Juni hat begonnen in Hongkong. Das Massaker weitet sich still und leise aus. Wird es Grenzen geben? Wird es ein symbolhaftes Ereignis der Art geben, dass die Allgemeinheit erkennt, dass der Vierte Juni da ist? Nein, wird es nicht. Militärische Unterdrückung kann in dieser Zeit nicht mit Panzern funktionieren, die über die Straßen rollen. So dumm werden sie nicht sein. So ein Augenblick wird nicht kommen. Aber sie werden bewaffnete Polizei ausschicken, werden aus der Nähe Tränengasgranaten und Beanbag-Geschosse abfeuern, werden hier und dort unterschiedslos mit aller Kraft in den Tod prügeln. Auf diese Weise zerfällt der Vierte Juni in dieser Zeit, aus einem einzelnen zentralen Unterdrückungsereignis werden zahllose scheinbar kleinere Vorfälle. Konkret tritt die Unterdrückung heute, während der Vierte Juni '89 noch konventionelles Kampfgeschehen war und sich, Härte gegen Härte, auf einem Hauptschlachtfeld zeigte, eher in der Form von Terrorismus auf, langsam eskalierend, dezentralisiert. Das macht dich glauben, der echte Krieg sei stetig auf dem Rückzug oder noch immer nicht da, aber jede Eskalationsstufe ist in Wirklichkeit schon ein immanenter Teil des Krieges. Du wirst niemals auf eine »unterste Linie« stoßen, weil eine »unterste Linie« nicht existiert. Das Muster der Unterdrückung Hongkongs ist Aufsplitterung, schrittweise Eskalation und Verstärkung durch Festlandstruppen. Dabei ist weiterhin zu beachten: Einsatz bewaffneter Festlandspolizei und der Volksbefreiungsarmee heißt eigentlich nichts anderes, als den altbekannten Weg imperialer Unterdrückung einzuschlagen. Und wenn noch Menschen aus anderen Regionen, anderer ethnischer Zugehörigkeit benutzt werden, um aufeinander loszuschlagen, kann man auf ebendiese Weise die Handlanger dazu bringen, gegen den Gegner nicht das geringste Erbarmen zu zeigen. Was die Hongkong-Unterdrückung also spiegelt, ist imperiale Taktik von heute. Zunehmend dezentral, zunehmend terroristisch (wahlloser Angriff, Straßenkampf, Überraschungsattacken usw., aber vor allem wird, was wir »Krieg« und »Widerstand« nennen, radikal umgestaltet), Verschwinden eines Hauptschlachtfelds und Aufstachelung gegenseitiger Feindseligkeiten zwischen verschiedenen ethnischen Gruppen, das umfasst althergebrachte Taktiken genauso wie neue Formen.

Kein Mensch kann unbegrenzt Druck ertragen, nach dem »Plan des *Unrestricted War*« der KPCh-Militärs musste sich Hongkong deshalb, fragil wie ein Stoß Eier, am Ende irgendwann ihrer Herrschaft unterwerfen. Auf der anderen Seite hatte sich der Handelskrieg zwischen China und Amerika festgefahren, Trump gab sich aggressiv, Xi Jinping hatte den nordkoreanischen Dickwanst auf seine Seite gezogen und zögerte immer wieder alles hinaus. Restlos erschöpft unterzeichneten und besiegelten damit schließlich beide Seiten am 15. Januar ein Abkommen der ersten Stufe – und dass für globalere Gesamtinteressen Teile geopfert werden, das war schon während der zwei Weltkriege nichts Neues, als sich in Europa auch niemand um die Ansichten der zahllosen Menschen in den besetzten Ländern Polen, Tschechien oder Serbien scherte.

Aber mit dem Auftauchen des Virus in Wuhan, ob natürlich oder menschengemacht, ob absichtlich oder unabsichtlich freigesetzt oder nicht, hat sich, kurz gesagt, nun alles geändert.

Konnte es der liebe Gott nicht mehr mit ansehen? Ist das sein »*Unrestricted War*«? Nur eine scharfe Notbremsung konnte die Menschheit als Ganzes aufrütteln.

Die freie Welt wird nach der Erfahrung des großangelegten Vireneinfalls aus Wuhan, der Infizierung und des Sterbens von Millionen Menschen in diesem »*Unrestricted War*« am Ende wieder zu sich kommen – und ich wünschte mir, das würde endlich eine tiefgreifende Neubewertung der über ein Jahrhundert andauernden kommunistischen Katastrophe einleiten! Auf den chinesischen Webseiten der amerikanischen und der deutschen Botschaft in China habe ich vor einiger Zeit folgendes Statement gelesen:

Wir, die Außenminister der Vereinigten Staaten, Kanadas, Frankreichs, Deutschlands, Italiens, Japans, des Vereinigten Königreichs sowie der Hohe Vertreter der Europäischen Union betonen unsere ernste Sorge angesichts der Entscheidung Chinas, Hongkong ein nationales Sicherheitsgesetz aufzuerlegen.
Chinas Entscheidung steht nicht im Einklang mit dem Basic Law Hongkongs sowie den internationalen Verpflichtungen Chinas nach den Grundsätzen der rechtsverbindlichen, bei den UN registrierten Gemeinsamen Britisch-Chinesischen Erklärung. Das geplante nationale Sicherheitsgesetz birgt die Gefahr, den Grundsatz »Ein Land, Zwei Systeme« und den hohen Grad an Autonomie des Territoriums ernstlich zu untergraben. Es würde das System gefährden, das Hongkong über viele Jahre hinweg zu wirtschaftlicher Blüte verholfen und zu einer Erfolgsgeschichte gemacht hat. ...
Wir fordern die chinesische Regierung mit Nachdruck auf, diese Entscheidung noch einmal zu überdenken.*

Nach meiner Erinnerung ist das seit dem Massaker auf dem Platz des Himmlischen Friedens vor über dreißig Jahren das erste Mal, dass offizielle Instanzen des demokratischen Westens gemeinschaftlich etwas »mit Nachdruck fordern«; ich hoffe, es wird in der Folge zu einer ähnlich nachdrücklichen Forderung durch die Staatsoberhäupter kommen.

Mit der Rettung Hongkongs rettet der Westen sich selbst, Freiheit, Demokratie und Menschenrechte können nur, indem man sich an die Seite Hongkongs stellt, durch die Menschheit als Ganzes wieder bekräftigt werden.

Von Gott behütete Stadt, Jerusalem des Ostens, wünsch dir Glanz und Ruhm:

Warum für dieses Land Tränen immerzu
Warum für seine Menschen all die Wut
Kopf hoch wider das Schweigen laute Schreie dringen durch
Für die Freiheit sie gehört hierher

Warum ohne Ende Angst
Warum weicht sie dem Glauben nie
Was tun Blut fließt nur laute Schritte dringen durch
Für Freiheit Glanz und Ruhm Hongkong

Des Abends Sterne fallen es funkelt Mitternacht
In tiefstem Nebel fernster Ferne tönt ein Horn
Schützt die Freiheit sammelt euch zum Widerstand
Mut und Weisheit sollen ewig sein

Tag bricht an holt es zurück dies Hongkong
Söhne, Töchter für ihr Recht Revolution dieser Zeit
Betet Demokratie und Freiheit sollen unsterblich, ewig sein
Wünsch dir Glanz und Ruhm Hongkong

12

Seine Hoheit der Kaiser war da

Verrückte Welt, Ai Ding hatte sich, wie ein planloses Sandkorn ins planlose Vaterland zurückgeworfen, dort schon einen und einen halben Monat durchgeschlagen, als er an der Grenze zu seiner Heimatprovinz endgültig gestoppt wurde, seither ertränkte er Tag für Tag seinen Kummer in Schnaps. Allein seine Frau meinte zu seiner Überraschung, er könne doch von Glück sagen: Er sei nicht infiziert und habe dazu mit Wang Erda in der Fremde einen Freund in der Not gefunden.

An diesem Tag nun, der kein Tag wie all die anderen sein sollte, schlief Ai Ding noch wie gewöhnlich bis Mittag, dann sah er, dass ihm seine Frau eine Nachricht aus ihrer WeChat-Gruppen-Administration weitergeleitet hatte:

> *Die verschiedenen lokalen Amtsstellen von Wuhan-Stadt planen heute, Polizei für Sicherheitschecks in die Wohnungen zu entsenden, in Ihrer Wohnung werden sie sich etwa eine Stunde aufhalten. Die Polizisten werden gute Schutzkleidung tragen und sich zuvor desinfizieren, wir bitten, die Arbeit der Polizisten aktiv zu unterstützen, sie werden mit Ihnen alles Weitere abklären. Vielen Dank!*

Ai Ding war das sofort suspekt. Seit dem Lockdown der Stadt sollte jetzt, vom Beerdigungsinstitut abgesehen, das seinen Vater abgeholt hatte, vor der Tür seiner Wohnung als Erstes ausgerechnet Polizei auftauchen! Er rief deshalb an, aber niemand hob ab. Er wurde nervös, machte sich Sorgen, es könnte etwas passiert sein – und tatsächlich war etwas passiert! Ein paar Stunden später kam ein WeChat-Videoanruf seiner Frau, ihr erster Satz war: »Der Kaiser war da!«

Ai Ding war mehr als überrascht, dann fiel ihm ein Stein vom Herzen. Seine Hoheit war also schließlich nach Wuhan gekommen! Musste das nicht ein Zeichen sein, dass die Stadt bald geöffnet würde?

Seine Frau sagte: »Weiß der Teufel, vielleicht suchen wir wie der Affe im Brunnen nach dem Mond, und der Himmel lacht sich krumm über uns. Davor sind wir ja auch schon mal von der Vizepräsidentin des Staatsrats Sun Chunlan beehrt worden, sie hat mit einem Haufen Führungsleuten stellvertretend ein paar Bewohner herbeizitiert, richtiges Theater, bis oben jemand das Fenster aufriss und brüllte: ›Fake! Fake! Alles gefaket!!‹ Vor Schreck hat sich der ganze Trupp auf der Stelle verzogen, und weil dieses neue Coronavirus überall sein konnte, hat sich die Polizei auch nicht getraut, raufzugehen und sich den aktiv gewordenen Konterrevolutionär zu schnappen, am Ende ist bei der ganzen Sache nichts herausgekommen.«

Ai Ding fragte, wie sie Vizepräsidentin Sun Chunlan denn auch in einem Atemzug mit dem Kaiser nennen könne. Selbst wenn bei diesem letzten Mal niemand: »Fake! Fake! Alles gefaket!!«, gebrüllt hätte, jetzt hatte sich der Kaiser auf den Weg gemacht, und das sei notgedrungen doch noch mal eine ganz andere Größenordnung.

Seine Frau sagte: »Richtig, schon richtig, letztes Mal bestand der Geleitschutz aus ein paar hundert Leuten, diesmal waren es zehntausend, wenn nicht mehr.«

Ai Ding sagte, das sei doch wohl etwas übertrieben.

Seine Frau sagte: »Alle Einsatzkräfte, die Wuhan zur Verfügung standen, womöglich reicht das gar nicht. Erst mal war da unser großes Donghu-Viertel, etliche tausend Haushalte haben die Nachricht von der WeChat-Administration erhalten, schick in jeden Haushalt zwei Polizisten, dann sind das schon bald zehntausend, dann die Bodentruppen, die Bodyguards an seiner Seite, alle drei Schritte eine Wache, alle fünf ein Posten und so weiter. Und besonders extrem war, dass überall auf den Dächern, hinter den Flurfenstern und in den Verbindungsgängen zwischen den Hochhäusern, alles voll war mit Scharfschützen ...«

Folgendes soll also passiert sein: Ai Dings Frau hatte, nachdem sie die WeChat-Nachricht wegen des »Sicherheitschecks« erhalten hatte, gerade geantwortet: »Bei uns gibt es keinerlei verborgene Sicherheitsprobleme«, als eine Sprachnachricht der Administration eintraf: »Die Polizei ist zu Ihnen unterwegs, vielen Dank für Ihre Kooperation!«
    Weitere zwanzig Minuten später klingelte es an der Tür. Ai Dings Frau fragte: »Wer da?«
    Antwort: »Polizei.«
    Sie fragte: »Um was geht es?«
    Antwort: »Öffentliche Maßnahmen.«
    Sie hatte die Tür kaum aufgemacht, als zwei weiße Schatten wie der Blitz hereinschossen, von Kopf bis Fuß in Schutzkleidung gehüllt, dazu Mundschutz und Schutzbrille, so dass nichts und niemand zu erkennen war.
    Sie fragte: »Möchten Sie ein Glas Wasser?«
    Die Polizisten schüttelten den Kopf.
    Sie fragte: »Möchten Sie Platz nehmen?«
    Die Polizisten blieben stumm und schauten sich stattdessen in allen Ecken um, fragten dann: »Ihre Tochter?«
    »Sie ist in ihrem Zimmer.«
    »Rufen Sie sie.«
    »Sie ist erst zehn, sie ist schon so lange nicht mehr vor der Tür gewesen, sie hat ein bisschen Angst vor Fremden.«

»Kein Grund, Angst zu haben, die Onkel von der Polizei sind zu ihrem Schutz da.«

»Die Kinder heute haben alle Angst vor den Onkeln von der Polizei.«

»Rufen Sie sie bitte, wir tun nur unsere Pflicht, wir haben die Anweisung: An keinem Fenster mit Blick in einen Innenhof des Wohnviertels darf sich irgendjemand aufhalten.«

Die Tochter erschien und klammerte sich am Arm ihrer Mutter fest. Aus einem Schutzanzug kam ein trockenes Lachen: »Wie heißt du denn?«

Die oberhalb des Mundschutzes sichtbaren Augen des Mädchens offenbarten augenblicklich pure Panik. Der Polizist fuhr fort: »Der Onkel weiß, dass du Dandan heißt. Der Onkel checkt alle Wohnungen.«

Ais Frau sagte: »Sagen Sie uns bitte einfach, welche Anweisungen Sie für uns haben.«

Ein Polizist sagte: »Gut. Erstens, es ist nicht erlaubt, zu den Fenstern oder zum Balkon zu gehen; zweitens, Ihr Bewegungsradius ist auf dieses Wohnzimmer beschränkt, wir müssen jede Ihrer Bewegungen im Auge behalten können ...«

»Und die Toilette?«

»Außer der Toilette, aber sie dürfen nicht von innen abschließen. Drittens, wir werden voraussichtlich nicht länger als eine Stunde hier sein, sollte sich der Auftrag aber in die Länge ziehen, bitten wir, das vielmals zu entschuldigen; viertens, jede Art von Lärm ist verboten – soweit nicht unbedingt nötig, bitten wir Sie auch, nicht zu sprechen; fünftens, wenn wir beide uns unterhalten, dürfen Sie sich nicht einmischen; sechstens, wir haben Proviant, Wasser und was wir sonst brauchen, dabei, wir werden hier bei Ihnen nichts anrühren. Siebtens, schalten Sie bitte Ihre Kommunikationsmittel wie Handys, Computer, Festnetztelefon aus, wir werden Stück für Stück alles überprüfen und es bestätigen.«

»Das können wir ja gar nicht alles behalten.«

»Dann behalten Sie eins: Bleiben Sie einfach im Wohnzimmer.«

Also setzten sich Mutter und Tochter auf das Sofa im Wohnzimmer, die beiden Polizisten öffneten die Balkontür, traten hinaus und überprüften unten alles sehr akribisch. Überall auf den Balkonen der Häuser im Umkreis bewegten sich dieselben weißen Schatten. Als die beiden ihren Check beendet hatten, nahmen sie zwei niedrige Hocker und setzten sich, Kopf an Kopf, einander gegenüber, sie unterhielten sich flüsternd wie zwei miteinander verbundene Monster aus dem All. Dabei waren sie genau im Visier von auf einem der Dächer gegenüber in Deckung liegenden Scharfschützen – die Sicherheitsvorkehrungen für den Kaiser griffen nahtlos ineinander, wie heißt es bei Laozi so schön: »Das Himmelsnetz ist weitmaschig, und doch kommt nichts durch.«*

Als ein undeutliches Donnergrollen heranrollte, standen Mutter und Tochter wie gezogen auf, die Polizisten winkten ihnen rasch, sich wieder zu setzen, und verriegelten auch noch die Schutzfenster des Balkons. Ai Dings Frau konnte trotzdem ausmachen, dass das kein Donnern gewesen war, sondern ein Strom von Menschen und Autos unten. Dann brach das Getöse schlagartig ab, es vergingen zwei, drei Minuten, in denen, so konnte man sagen, nicht ein Laut zu hören war, kein Vogel, keine Maus draußen wagte sich zu mucksen, und auch die Vögel, Katzen und Hunde, die wie die Menschen in Käfigen eingesperrt waren, wagten keinen Laut, denn der Herrscher über die zehntausend Dinge war im Begriff, seinen güldenen Mund zu öffnen: »Genossen Einwohner in den Häusern, ich bin Xi Jinping, ich bin gekommen, euch zu besuchen.«

Es war weiterhin kein Laut zu hören, die Sonne erzitterte und verschwand rasch in dunklen Wolken, und nicht einmal der Wind wagte vor Schreck noch zu wehen. Nur an einem einzigen der Fenster tauchte dann doch ein Kopf auf, und es schallte mit lauter Stimme zurück: »Guten Tag, Vorsitzender Xi! Dass Sie diese Mühe auf sich nehmen, Vorsitzender Xi!« Darauf kamen aus etlichen anderen Fenstern ähnliche Speichelleckereien. Ai Dings Frau fiel das Gebrüll vom letzten Mal ein: »Fake! Fake! Alles gefaket!!« Das hätte sie gern gebrüllt, aber wegen ihrer Familie musste sie sich zusammennehmen.

Damit verschwand der Kaiser wieder. Mutter, Tochter und die beiden Polizisten atmeten auf. Anschließend verzehrte jeder der beiden seinen eigens mitgebrachten Imbiss. Eine Stunde später erhielten die Polizisten den Befehl zum Rückzug, und zum Abschied neckte der eine ein letztes Mal das kleine Mädchen: »Dandan, sag doch Onkel zu mir.«

»Du bist nicht mein Onkel!«, antwortete das kleine Mädchen jetzt auf einmal laut und: »Blöder böser Wolf!«

Der Kaiser hatte Wuhan in einem Wahnsinnstempo von gerade mal zehn Stunden seiner Inspektion unterzogen, mit dem Donghu-Viertel und der Huoshenshan-Klinik ging seine Rundreise zu Ende, und er machte sich umgehend aus dem Staub. Die Geheimniskrämerei um seine Aufenthaltsorte führte zu einem erneuten Sturm im Internet. Den Anfang machte ein anonymes Kinderlied:

Xi Papa, der war zum Checken da
Bei allen war die Polizei auch da
Durchweg für die kleinen Leute
Halt die Klappe, hieß es heute
Halt die Klappe und sag bloß
Wie ist die Partei so groß
Uns was vor wird sie nie machen
Papa hört es und wird lachen ...

Als Nächstes folgten die offiziellen einheitlichen Nachrichtenbilder, auf denen der Kaiser mit Mundschutz eine Volksnähe-Show inszenierte und sich dabei gab, als wäre er das Staatsoberhaupt eines westlichen Landes. In Begleitung nur sehr weniger lokaler Größen ging er eine Straße entlang, zwischen den Hochhäusern eines Wohnviertels hindurch, ohne dass irgendwo ein einziger Sicherheitsmann zu sehen gewesen wäre. Den Blick nach oben gerichtet, hob er die rechte Hand. Netzjunkies, denen noch die winzigsten Details auffallen, machten sofort Screenshots von dieser rechten Hand und stellten Vergleiche mit den rechten Händen an, die der Kaiser in anderen Nachrichten hob, und sie entdeckten: Die kleinen Finger waren nicht gleich lang! Zudem entdeckten sie, dass die Form der Ohren sich unterschied!

Von da an verbreitete sich dieser publik gewordene Fall eines »falschen Kaisers« wie ein Lauffeuer, die Netzjunkies vergrößerten ungeachtet der Gefahr, in die sie sich damit begaben, die rechte Hand und das linke Ohr Seiner Majestät bei verschiedenen Anlässen und stellten sie in Screenshots einander gegenüber, sie markierten mit gepunkteten Linien, mit Maßangaben und mit roten Kringeln und posteten die Ergebnisse pausenlos und überall innerhalb wie außerhalb der chinesischen Firewall, wodurch wieder einmal Zehntausende Netzpolizisten und 50-Centler dermaßen zu tun hatten, dass sich ihnen der Kopf drehte und sie die Kontrolle verloren. Am Ende stieß sogar Erda zufällig darauf, und als er sich kurzzeitig zum Weiterleiten hinreißen ließ, wurde sein WeChat-Account sofort geschlossen. Vor Schreck schrieb er an den Administrator freiwillig gleich drei Selbstkritiken und beteuerte, das werde nicht mehr vorkommen, eine Woche später funktionierte sein WeChat wieder.

Dieser hier nicht verifizierbare »falsche Kaiser« gemahnt an einen Roman von García Márquez über einen »falschen Präsidenten«: Ein Diktator fürchtet einen Anschlag, deshalb wird mit größter Sorgfalt ein Double ausgebildet, Erscheinung,

Haltung, Gang, Sprache, Winken, Rülpsen, auch Furzen, alles ist sein Abbild, weltweit gibt es kein Double von dieser Perfektion, nicht nur Regierungsmitglieder und Militärs, selbst die Verwandten des Präsidenten und seine persönlichen Leibwächter können die beiden nicht auseinanderhalten. Mit der Zeit gewöhnt sich das Double daran, Präsident zu sein, und vergisst bei wichtigen wie unwichtigen Dingen – bei der Arbeit im Büro, bei der Bearbeitung von Akten, auf Inspektionsreisen, bei der Anzettelung eines Krieges oder auch bei seinen Bettgeschichten – zusehends sich beim Präsidenten, der immer weniger zu tun hat, seine Instruktionen abzuholen. Im Grunde kann im ganzen Land nur noch ein Mensch den echten vom falschen Präsidenten unterscheiden, dessen Köchin nämlich, gleichzeitig die Amme, die ihn aufzog – sie hat unzählige Male mit ihren eigenen Augen gesehen, wie der echte Präsident um die Macht im Land kämpfte, im Land herrschte und aufs Schlachtfeld galoppierte, und dass er Frauen wie sein Schlachtross bestieg, keine Küsse, kein Lösen des Schwertes, kein Ausziehen der Reitstiefel, jedes Mal warf er einfach von rechts sein Bein über, und sobald er sicheren Halt hatte, schwang der Hintern rauf, runter, vor, zurück und es ging raus, rein. Der falsche Präsident hingegen verhielt sich bei dieser Sache nicht anders als jeder andere Mann auch, er legte das Schwert ab, zog die Reitstiefel aus, küsste und wurde eins mit der Frau …

Es wird erzählt, dass nach der Veröffentlichung der so provozierend vorgeführte Diktator vor Wut getobt und geschworen habe, er werde diesen »verlogenen Bastard« García Márquez mit einem Löwen zusammensperren, der drei Tage und Nächte nichts gefressen habe, was den Autor derart in Panik versetzte, dass er sich noch in der gleichen Nacht in ein anderes lateinamerikanisches Land davonstahl.

***

Ob nun echt oder falsch, dass der Kaiser Wuhan mit seiner Gegenwart beehrte, war ein Zeichen für Erholung, die Wirtschaft hatte landesweit lange stillgestanden, die alltägliche Versorgung war immer angespannter geworden, Ai Dings Frau hatte im Video davon gesprochen, dass ihr langsam die Vorräte ausgingen: »Ersparnisse haben wir noch, aber man kann ja nichts kaufen, alle müssen den Gürtel enger schnallen. Wie ist es bei dir?«

»Erda ist Hotelkoch, das kommt mir zugute, ich kann mir den Bauch vollschlagen.«

»Ist die Provinzgrenze noch immer nicht offen?«

»Nein.«

»Warst du fragen?«

»Erda hat fragen lassen. Ich traue mich nicht, selbst zu gehen, die Leute dort sind nachtragend.«

»Hast du mit ihnen Ärger gehabt?«

»Erda eigentlich. Aber die wissen, dass Erda und ich befreundet sind.«

Sie saßen sich eine Weile schweigend gegenüber, die Zeigefinger im Video einander entgegengestreckt, bis sie sich zu berühren schienen, hier wie dort auf dem Bett, hier wie dort strahlte draußen die Sonne, zwitscherten Vögel. Plötzlich sagte sie: »Wir haben doch eigentlich viel Glück, Papa ist dreiundneunzig geworden, da kann man sich nicht beklagen. Wir sind alle drei noch hier und mussten bislang weder ins Krankenhaus noch in eine der Container-Kliniken.«

»Wir sind alle nicht krank, ja. Was ein Wunder.«

Ihre Tochter, die im Wohnzimmer vor dem Fernseher gesessen hatte, kreuzte unvermittelt auf, als sie ihre Eltern vom »Wunder« reden hörte: »Ich weiß, warum wir nicht krank geworden sind.«

»Und zwar?«

»Wir haben Rettich gegessen.« Dann stimmte sie ein Kinderlied zur Seuche an, das sie gerade gelernt hatte:

Rettich, Rettich, Stück für Stück,
Auf den Wagen, was ein Glück.
Wohin des Weges? Was liegt an?
Den Teufel hauen, nach Wuhan.
Was kannst du denn? Hast was für Gaben?
Besonders nahrhaft, schnell verdaun.
Musst nur mich, den Rettich haben,
Und um wird sich das Virus schaun.

Ai Ding feixte spöttisch: »Erst war es Shuanghuanglian, das gegen das Virus helfen sollte, jetzt der Rettich.«

Seine Frau entgegnete verärgert: »Die Kleine soll singen, was sie will, was kümmert's dich?«

Ai Ding lenkte sofort mit einem Lächeln ein, einem Lächeln allerdings, das unansehnlicher wurde, als es Tränen gewesen wären, und so gab er grollend auf. Kurz darauf schickte ihm seine Frau zusammenhanglos einen »mündlichen Bericht eines Überlebenden«:

… Wenn man erfolgreich seine Spritze hatte, war das schon mal nicht schlecht, am liebsten hätte ich mich direkt wieder für die nächste angestellt, man musste sich jedes Mal wieder zehn Stunden anstellen. Jedes Mal ist man um drei Uhr nachts aus dem Bett, traute sich keinen Schluck Wasser trinken, traute sich nicht den Mundschutz abnehmen, und da steht man dann bis nachmittags um drei, vier, kommt um fünf, sechs nach Hause, isst was, trinkt was, und kaum legt man sich hin, schläft man. Jeden Tag starben Menschen, ohne jede Würde. Zu den Höchstzeiten starben vier in zwei Stunden, an jenem Tag war ich im ersten Stock für eine Spritze, um sechs ging's los, und es war noch keine acht, da waren schon aus einem Krankenzimmer oben zwei Leichen heruntergetragen worden, die Diagnose war bei ihnen klar. Dann

sind direkt neben mir zwei zusammengebrochen, und am Nachmittag sind im Erdgeschoss noch mal zwei gestorben. Wer stirbt, bevor er im Krankenhaus den Nukleinsäuretest machen konnte, kommt nicht auf die Liste der Corona-Toten, nicht einmal ein konkreter Krankheitsverdacht zählt.
Die alte Dame, die morgens um acht starb, war so an die siebzig, sie hat die halbe Nacht angestanden, und als sie ihre Spritze hatte, ist sie keine zwei Schritte mehr gegangen, dann ist sie zusammengebrochen, jede Hilfe kam zu spät, das war gerade mal zwei Meter von mir weg. Ihre beiden Söhne waren etwa in meinem Alter, die haben sich ein Bettlaken besorgt und sie darin eingewickelt, aber erst um neun abends wurde sie fortgebracht.
Es waren einfach nicht genug Hände und Wagen da, vor Ort gab es lediglich eine Person, die für Ruhe und Ordnung verantwortlich war. Und ein Leichenwagen sollte eigentlich immer nur die sterblichen Überreste eines Menschen mitnehmen, am Ende hat ein Wagen acht auf einmal fortgebracht. Als ich raus bin an dem Tag, um eine zu rauchen, habe ich es selbst gesehen, wie ein Laster, das sah fast aus wie bei einem Containerschiff, sieben, acht Leute auf einmal weggefahren hat. Dieser Anblick, da war ja jede Hölle besser ...

Anschließend erzählte er, dass sich seine ganze Familie infiziert hat:

Bei meiner Mutter und bei mir ist dann die Krankheit diagnostiziert worden, da sie älter war und schon blind, waren die Symptome bei ihr schwerer, sie hatte bis morgens um drei durchgehalten, dann ging nichts mehr, also habe ich sie mit dem Auto ins Krankenhaus Nr. 4 gefahren, die haben eine Fieberambulanz, damit sie eine

Spritze bekam. Heute habe ich nun wieder einen ganzen Tag gewartet, bis morgens um acht, dann bin ich nach Hause. Auch mein Vater hustet ständig, und meine Frau zeigt ebenfalls Symptome. Wir sind zu viele zu Hause, da hat man einfach keine Möglichkeit, sich zu isolieren ...
Nachdem ich meine Diagnose schriftlich hatte, habe ich sofort mit den Leuten des Wohnviertels und der Wohnungsverwaltung gesprochen. Damals klebte in unserer Nachbarschaft noch überall die Aufschrift »Epidemiefreier Durchgang«. Ich habe zur Verwaltung unseres Hauses gesagt, sie sollten alle zur Vorsicht aufrufen, das war das, was ich tun konnte. Aber die Aufschrift »Epidemiefreier Durchgang« klebt bis heute, und niemand ist zum Desinfizieren gekommen. Das Nachbarschaftskomitee hat mit zwei Bänken den Eingang versperrt, damit niemand hineingeht.
Am 9. Februar habe ich endlich meine Mutter ins Krankenhaus bringen können und bin selbst in die Container-Klinik nach Dongxihu. Am 17. Februar, um elf Uhr morgens, ist Mutter gestorben, die Behandlung hat nicht mehr angeschlagen.

Im Vergleich damit konnte Ai Ding durchaus verstehen, warum seine Frau von »Glück« gesprochen hatte, begann sich aber gerade deswegen auch gleich wieder Sorgen zu machen. Als Erda von der Arbeit kam, erzählte Ai Ding ihm sofort alles, und Erda dachte nicht weniger beunruhigt an die Seinen, an Frau und Kind zu Hause und an seinen Bruder Erxiao in Changsha. Er sagte, er erreiche Erxiao noch immer weder über WeChat noch per Telefon, der werde sich doch nicht infiziert haben? Ai Ding litt heimliche Qualen, brachte aber weiterhin keinen Ton heraus. Erda sagte, nach dem Lockdown werde er sich direkt nach Changsha aufmachen, und wenn Erxiao dort sei, werde er mit ihm sofort nach Shanxi zurückgehen.

Ai Ding fehlte der Mut, mit ihm zu sprechen. Die beiden Männer ertränkten ihre Sorgen eine Weile im Alkohol, dann legten sie sich schlafen. Doch Ai Ding fand die ganze Nacht über keinen Schlaf, er hatte ein ungutes Gefühl, ohne dass er hätte sagen können, warum. Kaum wurde es hell, meldete er sich über WeChat bei seiner Frau, sie war ganz benommen und sagte nicht mehr als: »Ach, du bist es, bei allen Göttern, was machst du denn«, damit war Ende – erst zwei Tage später meldete sie sich wieder und sagte, sie habe etwas Kopfschmerzen und ihre Stirn sei heiß. Ai Ding sagte, das sei nichts, sie sei einfach zu lange eingesperrt, sie solle ihren Kopf weit zum Fenster raushalten und viel lüften. Seine Frau nickte und wechselte das Thema, sie sagte: »Unsere Tochter ist während der Epidemie richtig erwachsen geworden, heute hat sie den Reisbrei gekocht und den Tisch gedeckt und mich sogar noch zu Tisch geführt.«

Ai Ding sagte: »Noch drei Wochen, dann wird Dandan elf, da bin ich bestimmt wieder da.«

Das Mädchen fing an zu weinen und sagte: »Papa, du musst ganz schnell nach Hause kommen, Mama ist krank, ich hab solche Angst.«

Drei Tage später war das Fieber seiner Frau noch immer nicht gefallen, Ai Ding wusste, kurz in Panik, nichts anderes zu sagen als sie müsse die Seuchenschutzabteilung des Wohnviertels benachrichtigen. Seine Frau sagte, das habe sie schon gemacht. Ai Ding sagte darauf, sie seien doch beide den ganzen Tag zu Hause eingesperrt gewesen, wie sie sich denn habe infizieren können. Sie sagte, als sie das letzte Mal in dem kleinen Supermarkt am Haupteingang des Viertels eingekauft habe, sei doch dort eine Frau zusammengebrochen, keine drei Meter von ihr. Ai Ding überschlug kurz die Zeit, die vierzehntägige Inkubationszeit des Virus war längst verstrichen, deshalb sagte er, sie könne ganz beruhigt sein. Seine Frau sagte, die Symptome würden aber schlimmer, letzte

Nacht habe sie geschlafen, geschlafen und sei im Schlaf fast erstickt. »Wenn mir etwas passieren sollte, was ist dann mit unserer Kleinen?«

Ai Ding biss knirschend die Zähne zusammen und sagte dann: »Schon gut, schon gut, ich überleg mir was, wie ich möglichst schnell zurückkommen kann.«

Am nächsten Tag hatte Erda frei, Ai Ding erzählte ihm, wie es zu Hause stand, und der zeigte tiefes Mitgefühl. Da der helllichte Tag gegen Alkohol sprach, holte er aus der Küche eine Flasche Essig und leerte sie kräftig gluckernd in einem Zug, bevor er meinte: »Deine Probleme sind meine Probleme, ich mach mich gleich auf den Weg zu ein paar Leuten und schau, was ich machen kann, sobald etwas fix ist, bring ich dich fort.«

Ai Ding war fast zu Tränen gerührt. Er wusste, dass Shanxi ein altes Essiggebiet war, für die Leute dort war Essig so was wie Alkohol, also holte er sich ebenfalls eine Flasche Essig aus der Küche und leerte sie genauso kräftig gluckernd bis auf den Grund – der Essig war so sauer, dass es ihm den Mund verzog: »Bruder, willst du wirklich mit mir zusammen die Barrikaden stürmen? Das wird nicht einfach werden. Du kennst bestimmt die Geschichte von Wu Zixu*, dessen Haar am Pass Zhaoguan – vor Kummer und Angst – über Nacht weiß wurde.«

»Natürlich kenne ich die. Und wenn du, mein Bruder, Wu Zixu bist, dann ist es das doch allemal wert: Du bekommst zwar weiße Haare, wirst es aber über die Grenze schaffen.«

»Nur wie – ohne Flügel?«

»Wenn es zu Land nicht geht, versuch es zu Wasser. Warte hier auf Nachricht von mir!«

13

Illegal nach Hause

Erda rannte die nächsten beiden Tage von Pontius zu Pilatus, ging am Vormittag aus dem Haus und kam erst um Mitternacht zurück, trank mit Ai Ding, war aber nicht wirklich bei der Sache, sondern ständig auf WeChat. Am Nachmittag des dritten Tages kam er früher zurück und erklärte, jetzt sei alles geregelt. Deshalb legten sie sich hin, um sich noch etwas auszuruhen, standen bei Sonnenuntergang wieder auf, brachten das Blut mit einer schnellen Abfolge knallender Boxschläge Richtung Decke in Wallung, brutzelten sich etwas in der Küche, zwei Gerichte Fleisch, zwei vegetarisch, und kochten dazu einen Elektrogartopf voll Reis. Beide schauten wild entschlossen, hatten wie der Wind alles ratzfatz verputzt, dann gossen sie sich zwei Gläser 56-prozentigen *Xiangjiang*-Hefeschnaps ein, stießen an, tranken ex, legten sich an Ort und Stelle wieder hin und schnarchten donnernd bis Mitternacht, bei Vollmond standen sie wieder auf.

Während Ai Ding den Rucksack schulterte, schob Erda das Motorrad hinaus, sie wirkten bereit zum Sturm. Die Tür noch abgeschlossen, und los ging's, um den Stadtbezirk von Xiangling herum, die Landstraße mieden sie, fuhren über Feldwege auf direktem Weg zu einer Gruppe X in einem Dorf Y im Stadtgebiet von Wuyun am Westufer des Pantao. Sie kamen ungehindert durch, erst als sie den Dorfeingang erreichten, sprang plötzlich jemand hervor und rief mit unterdrückter Stimme: »Parole?«

Erda hielt an und antwortete: »Freunde von weit.«

Antwort: »Auch die müssen bestraft werden.«

Damit war der Kontakt hergestellt. Ai Ding nahm wortlos 1000 Renminbi aus seiner Innentasche und reichte sie dem anderen; Erda machte die Maschine aus und schob sie Schulter an Schulter mit Ai Ding hinter dem anderen her. Ein paar hundert Meter weiter war der Pantao, der zwei, drei Kilometer flussabwärts in den Yangtse mündete, an ebenjenem Zusammenfluss, der in alter Zeit das mächtige Schlachtfeld beim Roten Felsen abgegeben hatte, der Wind blies dort je nach Jahreszeit von Süd nach Nord oder von Nord nach Süd. In der *Geschichte der Drei Reiche* wird erzählt, Zhu Geliang sei mit dem Sternenhimmel gleichermaßen vertraut gewesen wie mit den Gegebenheiten am Boden, er entzündete Räucherstäbchen und errechnete, dass sich in einem bestimmten Monat an einen bestimmten Tag zu einer bestimmten Stunde entgegen der Jahreszeit jäh ein Südwind erheben werde, woraufhin er General Zhou Yu riet, rechtzeitig Feuerschiffe vorzubereiten, um, sobald der Zeitpunkt gekommen sei, damit, den Wind im Rücken, direkt Cao Caos Kriegsschiffe anzugreifen, die 700 Meter breit auf dem Wasser mit Eisenketten zu einem Flottenverbund zusammengeschlossen waren. Der ganze Verbund brannte nieder, es endete mit dessen vollständiger Vernichtung.

In diesem Augenblick aber blies der Flusswind mal stürmisch, mal mäßig, die Mondsichel zitterte, als fürchte sie die Kälte, und verschwand in den dunklen Wolken, aus denen nur noch undeutliche Strahlen wie Nadeln hervorstachen. Wo das Dorf an das nächste grenzte, war ein frisch ausgehobener Graben, randvoll mit Wasser, in der Mitte senkrecht ein Maschendrahtzaun. Zum Höhepunkt der Epidemie patrouillierte nachts auf beiden Seiten Volksmiliz mit Schäferhunden. Mit dem Besuch des Kaisers in Wuhan hatte sich die Situation etwas beruhigt, und Schäferhunde und Volksmiliz waren wieder verschwunden. »Aber es ist weiter Vorsicht geboten«, sagte der andere, »wenn wir erwischt werden, schlagen sie uns windelweich und stecken uns danach in Zwangsquarantäne.«

»Das doch nicht wirklich?«, meinte Erda. »Du hast doch dieses Geschäft schon öfter gemacht.«

»Nein.«

»Hast du wohl.«

»Früher hatten die Wände Ohren, heute ist es der Wind, der Ohren hat, nein heißt nein. Wenn wir erwischt werden, denkt beide daran, es ist immer das erste Mal, das erste Vergehen. Nur dann werden sie uns nicht zu Krüppeln schlagen.«

Ai Ding zitterte, und das nicht vor Kälte. Um zu beweisen, dass das keine leeren Worte waren, drehte sich der andere um und drückte ihnen zwei einen Monat alte Flugblätter in die Hände. Ai Ding steckte seines in die Hosentasche und las es später, es hieß dort:

Wie ein Mann bekämpfen die Massen gemeinsam die Covid-Epidemie. Melden Sie bitte Grenzübertritte von Personen aus Hubei (vor allem aus Wuhan) und Personen, die mit Menschen aus Hubei klar Kontakt hatten! Nach Untersuchung der Fakten und einer Überprüfung durch die übergeordnete Seuchenschutzabteilung gibt es eine Belohnung von 1000 Yuan Renminbi für maßgeblich beteiligte Personen, gleichzeitig werden ihre Namen vertraulich behandelt. Wer jedoch Leuten aus Hubei (vor allem aus Wuhan) Unterschlupf bietet, wird im Falle einer Anzeige und Untersuchung mit einem Bußgeld von 1000 Yuan belegt. Hotline für Meldungen: 12345.

Die drei erreichten ein Versteck am Fluss, und der Fischer löste aus den Wurzeln einer alten, über die Wasseroberfläche hin gestreckten Weide ein Seil, dann zog er Hand um Hand ein Fischerboot darunter hervor. In der Mitte war es etwas über zehn Fuß breit und sah aus wie ein Bogen der Mandschu;

an den Enden lief es spitz zu wie ein Pfeil. Diese Form soll sich seit uralten Zeiten nicht im Geringsten verändert haben, mit einem Hanfseil am Hals festgebunden, standen an beiden Enden Kormorane, die von Zeit zu Zeit in die Wellen stießen und Fische fingen; der Fischer stand währenddessen eine sehr lange Zeit unbeweglich in der Mitte und angelte oder fischte mit einem Netz. Ai Ding fiel in diesem kritischen Moment urplötzlich der Fischer ein, auf den Qu Yuan* getroffen war, als er sich in einen Fluss, den Miluo, stürzen wollte. Qu Yuan sagte: »Die ganze Welt ist ein einziger Schmutz, ich allein bin rein, alle sind sie im Rausch, ich allein bin nüchtern.« Der Fischer sagte: »Wenn alle im Rausch sind, wozu alleine nüchtern sein?« Dann stimmte er ein Lied an:

Sind des Canglangs Wasser rein, huh,
Kann ich mir waschen den Hut;
Sind des Canglangs Wasser trüb, huh,
Kann ich mir waschen die Füß'!

Der reale Fischer nahm das Seil, um das Motorrad fest zu vertäuen, Ai Ding stieg ins Boot und verneigte sich. Zuvor hatte er Erda fest umarmt, es war ein Abschied für immer, und keiner von ihnen dachte an die Seuche. Das Boot legte sanft ab, in den Wellen glitzerte der Mond, Erdas Schatten wurde kleiner und kleiner, blieb aber …

Die Ruder knirschten und quietschten, das Boot näherte sich langsam der Mitte des Flusses, als mit einem Mal Wind und Wellen nachließen. Der Mond schien taghell. Der Fischer sagte, er hoffe, die Wolke dort komme noch her, bis sie das andere Ufer erreichten, und fresse den Mond vorübergehend, das wäre deutlich sicherer.

Ai Ding nickte zustimmend. Dann schlug sein Handy an, und als er die Nachricht kurz überflog, wurde er von Trübsinn und Frust gepackt:

Heute gegen Abend am Simenkou, außer mir ist da nur ein alter Abfallsammler, sonst ist niemand auf der Straße zu sehen. Die Lampen am Fluss sind schon aus, der Himmel scheint wie von Fledermausflügeln verhüllt, man kann kaum atmen …
Gerade eben, 17.30 Uhr, ist dann jemand von der Simenkou-Brücke gesprungen. Davor stand er noch auf der Brücke und weinte, so voller Kummer, so ohne jede Hoffnung … dort in der Stille der Straße musste jeder Ton seines geradezu hysterisch wirkenden Weinens und Schreiens jeden Passanten mitten ins Herz treffen. Die Grundaussage seiner Klage: Er sei mit Corona infiziert, zu Hause habe er nicht bleiben können, aus Angst, Frau und Kind anzustecken; im Krankenhaus sei kein Bett frei gewesen und so habe er vorübergehend woanders ein Zimmer gemietet, von dem aus aber kein öffentliches Verkehrsmittel zu einem Arzt fahre, so dass er immer sehr, sehr weit habe laufen müssen, nun sei er mit seinen Kräften am Ende. Er habe nicht einmal mehr zu essen, der Tod sei da allemal besser als so ein Leben …
Sein Sprung löste mit einem Schlag all seinen Groll in dieser Welt, sein blutverschmiertes Gesicht jedoch ließ meine Augen nass werden … ich wollte gerade die Polizei rufen, da tauchte schon von irgendwo aus der Nähe ein Polizeiwagen auf, ich verneigte mich dreimal vor dem Verstorbenen.
Als ich ging, warnte die Polizei mich mehrfach: keine Verbreitung dieses Ereignisses im Netz. Ich lächelte mit feuchten Augen …

Ai Ding hob den Kopf, das schien kein gutes Omen. Die Ruder knarrten weiter, sie brauchten eine gute Stunde für die zwei, drei Kilometer übers Wasser, bis sie endlich langsam die andere Seite erreichten. Der Fischer löste im Schatten eines verdorrten Baumes das Seil, half Ai Ding, das Motorrad ans Ufer zu heben, verneigte sich und wollte gerade schwankend ablegen, als auf einen einzigen Pfiff hin, wie aus dem Boden gestampft, ein paar große Kerle zuerst Ai Ding niederwarfen und sich gleich darauf auf den Fischer stürzten. Als wären sie unter die Räuber vom Liang-Schan-Moor* gefallen, waren beide an Händen und Füßen gefesselt und gefangen genommen, bevor sie noch recht wussten, wie ihnen geschah. Der Kopf des Ganzen, schöner Bart, schwarze Kleidung, großes Messer in der Hand, scheinbar die Wiedergeburt des Fürsten Guan*, ging direkt auf sie los: »Dreistes illegales Pack!«

Die beiden machten sich augenblicklich in die Hose und sackten zu Boden. Doch der Anführer brüllte weiter: »Ihr wisst genau, dass eine Seuche grassiert, was reitet euch, trotz Verbot über den Fluss zu kommen?«

Ai Ding verbeugte sich, die Hände zum Gruß zusammengelegt: »Ein Notfall zu Hause, es ging nicht anders.«

»Ein Notfall? Brennt das Haus?«

»Schlimmer als das. Meine Frau ist positiv und braucht mich zu Hause.«

»Wozu, wenn sie positiv ist?«

»Wozu ist nicht die Frage, sie muss vielleicht für immer gehen, bitte lassen Sie mich fort.«

»In einer Epidemie gibt die Politik die Richtung vor, da kann nicht jeder einfach machen, was er will, auch nicht für die Familie.«

»Meine verehrten Herren …«

»Ich geb dir einen verehrten Herren.«

»Bruder …«

»Ich geb dir einen Bruder.«

»Wie viel denn? Sagt es einfach, wenn ich nur wegkomme.«

»Bestechung gibt es bei uns nicht.«

»Aber, aber, was dann?«

»Kein was dann. Zurück, woher ihr gekommen seid.«

»Der Himmel wird es euch lohnen!«, sagte der Fischer feierlich und verbeugte sich tief bis zum Boden, dann rappelte er sich hastig auf.

Auch Ai Ding bedankte sich, als er jedoch mit hängendem Kopf nach seinem Motorrad greifen wollte, wurde er zurückgehalten: »Das war Mittel einer kriminellen Handlung und ist nach dem Gesetz konfisziert.«

»Das hat der Seuchenschutz in Changsha mir geliehen, das muss ich wieder zurückgeben ...«

»Beweise?«

Ai Ding kramte hastig seinen Passierschein aus Hunan heraus.

»Das ist kein Beweis.«

Ai Ding kratzte sich nachdenklich am Kopf und begann, seinen Rucksack zu durchwühlen.

»Und auch mit Beweis müssen wir es vorübergehend beschlagnahmen, wenn die Seuche vorbei ist, kann man neu darüber verhandeln.«

»Aber, dann, dann gebt mir bitte eine Quittung.«

»Nein.«

»Das ist über zehntausend wert, und ihr stellt nicht mal eine Quittung aus ...«

»Und?«

»Das ist Raub!«

»Und?«

»Ich will ...«

»Willst du das?« Der Anführer der Straßenräuber hob sein großes Messer und hieb direkt Richtung Kopf, Ai Ding sprang zur Seite und wurde stattdessen schräg von einem Stock krachend getroffen. Vom Boot donnerte der Schrei des Fischers heran, drängte: »Kommst du jetzt? Sonst hast du mich gesehen!«

Was hätte er tun sollen, Ai Ding sprang notgedrungen umgehend ins Boot zurück. Und schon knatterte das Motorrad.

Die Wegelagerer sprangen johlend im Mondlicht: »Gut gemacht! In ein paar Tagen verhökern wir es, und jeder kriegt was ab!«

Ai Ding kochte auf dem Rückweg wütend vor sich hin, für ihn war die Welt zusammengebrochen, und als das leichte Boot gerade wieder die Flussmitte erreichte, konnte er mit einem Mal nicht mehr an sich halten, packte den Fischer, holte aus und schlug mit der Faust zu. Der Mond strahlte wie gewaschen, die Wellen glitzerten wie Fischschuppen, das Boot schaukelte hin und her, der Fischer ließ die Ruder los und griff nach Ai Dings Handgelenk: »Bist du irre!«

»Ich nicht!«

»Auf dem Wasser wird nicht gekämpft, sonst gehen wir beide drauf.«

»Dann gehen wir halt beide drauf!«

»Du bist irre!«

»Ihr steckt alle unter einer Decke!«

»Nein!«

»Es ist ein Fluss, ihr tut euch auf beiden Seiten zusammen und macht mit dem Virus ein Vermögen, schöne Art, sich seinen Lebensunterhalt zu verdienen.«

»Nein, so ist es nicht.«

»Mein Motorrad, mir bei lebendigem Leib abgezockt!«

»Das ist alles die Schuld von dem Motorrad.«

»Das ist doch Quark.«

»Seit wegen dem Virus alles dicht ist, mache ich diese geheimen Grenzgeschäfte, sozusagen im Dienst des Volkes, und ich kann mir damit nebenher ein paar Kröten verdienen. Bisher waren meine Kunden aber alle von hier, von beiden Ufern, selbst wenn keine Namen genannt werden, man kennt die Gesichter. Die stiegen am Ufer aus und waren, ohne aufzufallen, nach ein paar Schritten zu Hause. Und dann kommst du ausgerechnet mit einem Motorrad.«

»Ich habe noch hundert, zweihundert Meilen, soll ich deiner Meinung nach nach Wuhan fliegen?«

»Ohne Motorrad hätten sie dich und mich dort drüben ganz zufällig angetroffen und hätten uns für maximal fünfhundert ziehen lassen; aber so ein unerwartetes Extra, das lässt sich dort keiner entgehen!«

»Verdammter Scheißkerl!« Ai Ding war außer sich, wilde Mordlust stieg in ihm auf, er riss ein Ruder an sich und schlug zu. Der Fischer hatte keinen Platz zum Ausweichen und sprang ins Wasser, er konnte allerdings, wie Zhang Shun von den *Räubern vom Liang-Schan-Moor*, schwimmen und tauchen wie ein Fisch, und er nutzte all seine Kunstfertigkeit, um von unterhalb des Boots dieses auf der Wasseroberfläche einem sausenden Kreisel gleich zum Rotieren zu bringen, Ai Ding geriet ins Wanken, und als er gerade ins Wasser zu fallen drohte, stieß der Fischer wie ein Hai aus dem Wirbel hervor, schob ihn zurück und riss ihn zu Boden, anschließend schwang er sich selbst wieder ins Boot.

»Du bist ein Freund von Wang Erda, und ich kann verstehen, wie dir zumute ist«, er prustete einen Mundvoll Wasser hervor, »es tut mir wirklich sehr leid, dass das nicht geklappt hat, am Ufer gebe ich dir 500 Kuai zurück.«

***

Der Fischer brachte Ai Ding bis zum Dorfeingang zurück und zeichnete ihm im Mondlicht eine Wegskizze vom Dorf Wuyun weiter bis nach Ochsenstadt, er markierte ein paar versteckte Wachposten: »So kannst du sie umgehen und zurück sein, bevor es hell wird.«

Ai Ding eilte, ohne einen klaren Gedanken fassen zu können, vorwärts und bekam unterwegs noch einen WeChat-Anruf von seiner Frau, die sich erkundigte, wo er sei. Ai Ding wollte es ihr nicht unverblümt erzählen und vertröstete sie vorerst auf später.

»Dein Später kenne ich«, sagte seine Frau.

Ai Ding sagte, er wisse gerade nicht, was tun. Und seine Frau sagte, sie habe gestern fünfmal beim Seuchenschutz des Wohnviertels angerufen und drei WeChat-Nachrichten geschickt und gefordert, dass man sie zum Testen in ein Krankenhaus bringe. Die Antwort: Es sei kein Termin frei, wegen Ressourcenknappheit. Daraufhin habe sie sie noch mal gebeten, mit Changsha Kontakt aufzunehmen.

Ai Ding fragte: »Und mit welchem Resultat?«

Seine Frau sagte: »Mit dem Resultat, dass beide Seiten tatsächlich in Kontakt getreten sind. Direktor Wang, der Urheber alles Übels, hat eine schnellstmögliche Lösung versprochen.«

Ai Ding fragte: »Und was für eine Lösung?«

Seine Frau sagte, das wisse sie bislang nicht.

Ai Ding schlug sich gegen die Stirn und sagte: »Ja, wer dem Tiger die Schelle umgebunden hat, soll sie ihm auch wieder abnehmen, wie dumm bin ich denn? Ich habe über einen Monat bei Erda gewohnt und nichts von alledem erzählt.«

Seine Frau sagte: »Und dabei ist der ein wirklich guter Freund, du hingegen umso weniger!«

Ai Ding sagte: »Ich habe mich einfach nicht getraut.«

Seine Frau sagte: »Die Not hat mich erfinderisch gemacht, und ich habe etwas aufgenommen und die Unseren hier gebeten, das an Direktor Wang weiterzuleiten: ›Mein Mann Ai Ding ist vor über vierzig Tagen aus Deutschland zurückgekehrt und noch immer nicht zu Hause angekommen. Inzwischen bin ich völlig verzweifelt, und er weiß keinen anderen Ausweg mehr, als sich zusammen mit Wang Erda, das ist der Zwillingsbruder von Wang Erxiao, für dessen Tod Sie, Direktor Wang, verantwortlich sind, von Xiangling auf den Weg zurück zu Ihnen nach Changsha zu machen, um nach dem Gesetz Gerechtigkeit einzufordern und das Ganze über das Internet live der Allgemeinheit zugänglich zu machen.‹«

»Frau, Frau, du, du bist ja durchtriebener als Zhuge Liang!«

»Wenn mir das Wasser nicht bis zum Hals stünde, wäre mir so was kaum eingefallen.«

»Ich kann es nicht glauben, du hast wirklich ...«

»Es war grad mal vier in der Früh, als ich wieder mit Atemnot wach geworden bin, es war furchtbar, ich hab mich nicht getraut weiterzuschlafen, denn sobald ich einschlafe, fühlt sich das an, als würde ich ertrinken, ich bekomme einfach keine Luft mehr. Ich habe gekämpft, wollte wach bleiben und habe mir solche Sorgen gemacht, dass ich auf einmal nicht mehr bin: Was wird dann aus unserer Tochter? Deshalb habe ich dich angechattet, ich muss einfach alles noch in meiner Macht Stehende tun, um dich nach Hause zurückzubringen!«

Ai Ding heulte auf wie ein Wolf, hielt sich aber sofort den Mund zu. Seine Frau sagte weiter: »Ich glaube, ich werde auf eine Diagnose nicht mehr warten können! In diesem großen Gebiet hier mit seinen Dutzenden von Hochhäusern sollen an die tausend Menschen gestorben sein, doch keine hundert haben im Krankenhaus eine Diagnose erhalten, bevor sie gestorben sind. Selbst von den Ärzten und Krankenschwestern sind welche verstorben, bevor sie an einen Test kommen konnten.«

»Mach dich doch nicht verrückt! Wo war denn die Infektionsquelle?«

»Im Aufzug! Beim Seuchenschutz haben sie die Überwachungsvideos aus diesem Zeitraum gecheckt, da war eine fremde Frau mit zerzaustem Haar, die im Aufzug alles angetatscht hat, sogar gespuckt hat sie und aus der Nase gerotzt und unentwegt gerufen: ›Spucke ist meine einzige Waffe!‹ Ausgerechnet, als sie gerade abgehauen war, bin ich runter, um am Haupttor das bestellte Gemüse abzuholen ...«

Ai Ding war völlig vor den Kopf gestoßen.

Es wurde Tag, ohne dass es ihm auffiel. Er war wie im Traum, hatte keine Ahnung, wie er zurückgekommen war. Der Morgenwind schnitt ihn, scharf wie ein Messer, er bedeckte sein Gesicht mit den Händen, trat mit der Fußspitze gegen die Tür, und sie öffnete sich quietschend. Geistesabwesend und ganz in schlichter weißer Trauerkleidung hing Erda irgendwie in der Luft, erst als er genauer hinsah, erkannte er, dass er, die Beine über Kreuz, auf dem Tisch saß. Als er Ai Ding sah, sprang er direkt auf ihn zu und schlug ihm mit der Faust vor die Brust.

Ai Ding fiel rückwärts zu Boden, aus seinen Mundwinkeln lief Blut, doch er rief sofort: »Ich hab's verdient! Hab's verdient!«

Erda zog ihn hoch, schleppte ihn zum Bett und erklärte dann erst: »Deine Frau hat mich über WeChat informiert, was Erxiao zugestoßen ist, wie es dazu gekommen ist und alles, ich weiß also Bescheid. Alter, du bist so ein Scheißkerl, deshalb hast du dir einen Hieb verdient; aber deine bessere Hälfte, die ist wirklich schwer in Ordnung, sie wird es selbst nicht schaffen und macht sich trotzdem Sorgen um dich und mich. Das ist geschwisterliche Liebe, die mich echt berührt.«

»Was kann ich tun, nur raus damit.«

»Über diesen Direktor Wang bin ich bereits bestens informiert. Und deine bessere Hälfte wird Rechenschaft verlangen sowie Kompensation nach den Artikeln 1, 2, 3, 4, ihre Sprachaufnahme hat sie mir zur Aufbewahrung geschickt. Ich fahre, sobald die Epidemie offiziell vorüber ist, sofort nach Changsha. Dann, Bruder, werde ich dich dort als Zeugen brauchen.«

»Versteht sich von selbst.«

»Du hast dir die ganze Nacht um die Ohren geschlagen, schlaf erst mal.«

Ai Ding war körperlich und seelisch am Ende, aber seine Gedanken drehten sich immer weiter. Erda brachte ihm eine Tasse heißes Zuckerwasser, die er in einem Zug austrank, danach fühlte er sich besser und vergrub sich in seiner Bettdecke. Nur wenig später hörte er im Dusel Erda im Nebenzimmer ausführliche Rückschau halten: »Ach, Erxiao, dass du so gehen musstest, so ganz ohne Spuren zu hinterlassen, ohne Abschied, nicht von mir, nicht von Vater und Mutter, keine Asche und auch sonst ist nichts von dir geblieben. Als Zwillingsbrüder waren wir eins, eins wie ein Traum, ob ich daraus erwacht bin oder du, wir lebten immer in einer Welt, nichts hätte uns jemals trennen können.

Unsere Namen hat uns noch der Großvater gegeben, der Bursche vom weithin bekannten General Lü Zhengcao*, weil er aber nicht mal lesen konnte und auch keine Lust hatte zum Lernen, konnte er nichts rausschlagen. Das hat er seinen Nachfahren vererbt, natürlich konnten so auch wir nichts rausschlagen. Das Einzige, was uns von ihm blieb, ist dieses alte antijapanische Kampflied vom *Kuhhirten Erxiao*, das in den 1940er Jahren im revolutionären Stützpunktgebiet des Taihang-Gebirges in Shanxi so populär gewesen sein soll.

Als Mama schwanger war, dachte sie natürlich an ein Kind, als aber Großvater zwei Becher zu viel getrunken hatte, hatte er plötzlich eine Art Eingebung und wählte den Namen ›Erxiao‹: ›zwei‹ und ›klein‹. Und womit niemand gerechnet hatte, es kamen zwei Kleine zur Welt, und weil man den Namen Erxiao behalten wollte, konnte ich nur ›Er-da‹ sein, der ›Größere von zweien‹.

Inzwischen, Erxiao, hast du Großvater bestimmt wiedergesehen, und ihr könnt im Himmel nach Lust und Laune das *Lied vom Kuhhirten Erxiao* singen.«

Dann, einige Sekunden später, schwebte seine heisere Stimme im Raum:

*Wer weiß, wo der Hirtenjunge ist, die Herde kaut am
    Hügel Gras,*
*Doch stimmt es nicht, dass Hirtenjunge Wang Erxiao
    beim Spielen sie vergaß.*

*16. September, morgens früh, der Japs, das Tal ist ausra-
    diert,*
*Der Japs, im wirren Kopf, den Bub geschnappt, dass er sie
    führt.*

*Erxiao schritt so brav voran, der Japs folgt in den Hinter-
    halt,*
*Der Feind begriff sofort, das war Verrat, als der erste
    Schuss geknallt*

Der Japs, der hat ihn aufgespießt, der Felsen war ganz rot.
Unser Erxiao, mit dreizehn so ein schlimmer Tod.

Kader und Dorf waren sicher, er schläft in kalten Bergen
Sein Lächeln und sein Blut den blauen Himmel färben.

*Herbstwind trägt das Lied, das weinend hier im Dorf
    gesungen*
Von Wang Erxiao, dem Hirtenjungen.

Unwillkürlich liefen Ai Ding Tränen übers Gesicht, ach, wie schnell das Leben doch vorbei sein konnte. Er dachte an die letzten Minuten vor dem Ausbruch der Krankheit bei Erxiao, als es noch keinerlei Anzeichen gab und er lauthals das in der Melodie ähnliche, aber im Stil ganz gegenteilige Lied vom *Bruder Aff' wird Rotarmist* geschmettert hatte …

***

Ai Ding musste sich noch drei weitere Tage quälen, und ihm wurden, als hätte er sich sein ganzes Leben gequält, wirklich Bart und Haar zum größten Teil so grau wie bei Wu Zixu am Zhaoguan, seine Augen waren blutrot unterlaufen, Tränensäcke und Mundwinkel immer weiter nach unten gesunken. Er rief selbst bei Direktor Wang an, niemand ging ran; dann rief er bei seiner Frau an, doch im WeChat-Video erschien seine Tochter, eine Maske vor dem Mund, in einen Regenmantel gehüllt und unter dem Regenmantel so dick eingewickelt, dass sie aussah wie eine Tonne.

Ai Ding sagte: »Du, du, wie siehst du denn aus?«

Seine Tochter sagte, Tränen in den Augen: »Mama wollte das so, und sie hat auch gesagt, ich soll für mich alleine essen, und wenn nichts ist, in meinem Zimmer bleiben, ich darf dann auf gar keinen Fall rauskommen.«

Ai Ding sagte: »Wie ist es denn jetzt?«

Seine Tochter sagte: »Mama bekommt jetzt fast gar keine Luft mehr. Sie sagte, Papa, du wirst bald wieder da sein.«

Das Video brach ab. Während Ai Ding noch überlegte, was er tun sollte, begann draußen ein Hupkonzert von einer ganzen Autokolonne, und noch bevor er irgendwie reagieren konnte, riss Erda die Tür auf und brüllte: »Sie sind es, sie sind da!« Es war Vorfrühlingsabenddämmerung, die Sonne ging gerade blutrot unter, ein Geländewagen, auf dessen Frontscheibe »Sonderpassierschein 111« klebte, hielt vor der Tür, bis Ai Ding im Mantel herauskam, hatte Erda bereits seinen Rucksack in den Kofferraum gepackt. Die beiden Männer umarmten einander, schluchzten lautlos, drei Polizisten in orangefarbenen Schutzanzügen standen hinter ihnen und fragten wieder und wieder: »Sind Sie Herr Ai Ding?« Er hörte es nicht. Bis einer ihn anherrschte: »Zeigen Sie Ihren Personalausweis bitte!« Da durchlief ihn ein Schauer, und er wandte sich ihnen zu.

Er wies sich umgehend aus, setzte einen Mundschutz auf

und wurde von den Polizisten auf den Rücksitz des Polizeiwagens geschoben, dann war nichts mehr zu sehen als eine Wolke aus Staub. Eigentlich hatte er Erda noch zuwinken wollen, aber nicht einmal das war möglich gewesen. Alle Sitze waren durch Schutzscheiben voneinander getrennt und die Vorhänge an den Seitenfenstern geschlossen. Ai Ding sah durch die Frontscheibe, wie immer mehr glühende Wolken auflodernd und sämtliche Hochhäuser der Stadt verschluckten – ihn überfiel der Gedanke an seine Rückkehr ins Land, Landung in Peking, dann umsteigen auf einen Flug nach Changsha, vom Bordfenster jener Maschine aus hatte er eine ähnliche Szenerie beobachtet: über vierzig Tage mit einem Mal vorüber, als wäre es erst gestern gewesen.

Sie verließen Ochsenstadt, bei der Überquerung der Provinzgrenze hielten sie auf beiden Seiten kurz an und waren drüben. Die Autobahn war noch immer geschlossen, deshalb nahm der Polizeiwagen den Weg über die Landstraße. Unterwegs hielt der Polizeibeamte auf dem Beifahrersitz sein Handy hoch, und Ai Ding hörte durch einen kleinen Spalt oben die Stimme von Direktor Wang: »Ach je, Herr Dozent, niemals hätte ich erwartet, Sie nach so langer Zeit noch immer nicht zu Hause zu wissen, entschuldigen Sie das bitte vielmals. Und was Wang Erxiao angeht, das war einfach ein Unfall, niemand hat das gewollt, nicht wahr? Hunan und Hubei arbeiten inzwischen ausgezeichnet zusammen, wir bringen Sie jetzt erst einmal zurück, und Sie regeln Ihre Familienangelegenheiten. Alles in allem: Wenn die Epidemie vorüber ist, die Gesellschaft zur Normalität zurückgekehrt ist, dann reden wir noch mal, in Ordnung? Vielen Dank für Ihr Verständnis und vielen Dank für Ihre Kooperation.«

Danach herrschte ein langes Schweigen, auf der fast dreistündigen Fahrt sagte keiner der vier Männer noch einen

Ton. Die Nacht senkte sich herab, die Scheinwerfer stachen nach vorn, sie passierten auf dem Weg gut zehn weitere Dorfkontrollstationen, diese Kleinstaaterei und Dorfregimente hatte Ai Ding ja schon vorher am eigenen Leib erfahren dürfen. Doch dieses Mal machte der Polizeiwagen den Weg frei, jede Barrikade öffnete sich vor ihm, und als sie das Stadtgebiet von Wuhan erreichten, war es noch keine zehn Uhr abends.

Auch bei der Einfahrt ins Wohnviertel durch das Haupttor brauchte niemand auszusteigen. Ai Ding, der zum ersten Mal im Leben Sonderrechte genoss, wurde vom Polizeiwagen geradewegs bis zu seinem Haus gebracht. Der Fahrer stieg als Erster aus, kam auf die rechte Seite und öffnete ihm die Tür, Ai Ding stieg ebenfalls aus, holte aus dem Kofferraum seinen Rucksack und seinen Computer und ging ins Haus, ohne sich auch nur einmal noch umzuschauen.

Vor dem Aufzug zögerte er einige Sekunden, er dachte daran, dass sich seine Frau hier infiziert hatte, und stieg dann die Treppe hinauf. Schon nach zwei Stockwerken schnaufte er schwer wie ein Ochse. Er kramte deshalb seine desinfizierten Handschuhe hervor, um sich am Geländer festhalten zu können, und zog sich so in einer Spirale weiter bis nach oben, wobei er alle drei Schritte anhielt.

Seine Wohnung war im 19. Stock, und Ai Ding, der nun, zu guter Letzt, seiner Ankunft zu Hause nicht mehr entgehen konnte, bekam weiche Knie, zerbrach sich voller Beklemmung und schnaufend den Kopf, was er tun sollte, was sagen, wenn er erst durch die Tür war. Das Leben seiner Frau hing am seidenen Faden, umarmen würde er sie nicht können, aber ein Lächeln aus zwei Meter Entfernung, ein Handkuss, eine übertriebene Umarmungsgeste, das würde sein müssen; seine Tochter würde ebenfalls in voller Rüstung sein und maximal »Papa« rufen, alle weitere Kommunikation müsste über Gesten laufen. Dann duschen, dann für Mutter und Tochter etwas kochen, dann alle drei Zimmer samt Küche und Bad einmal gründlich putzen und desinfizieren … ein kleiner Ausgleich dafür, dass sie sich über ein Jahr nicht gesehen hatten …

Nach zwanzig Minuten war Ai Ding auf dem letzten Treppenabsatz angekommen und stieß die Tür zum Etagenflur auf, noch einmal um die Ecke war seine Nummer 2016, er verfiel in den Laufschritt. Zu klingeln, wie man erwartet hätte, brauchte er nicht, die Tür stand sperrangelweit offen und seine Tochter in der Tür. Sie starrte ihm mit leeren Augen entgegen. Ihr Mundschutz war völlig durchnässt.

»Papa!«

»Dandan!«

Wider alle Vernunft stürzte sie auf ihn zu, und er schloss sie wider alle Vernunft fest in seine Arme; sie riss ihm den Mundschutz herunter und fasste ihm an Nase und Mund; dann riss sie ihren Mundschutz herunter und presste sich an seine Wange.

»Was ist mit Mama?«

Sie begann zu weinen, wagte aber nicht lauthals loszuheulen. Ihr Körper war so klein und schmächtig, wie ein Äffchen.

»Was ist mit Mama?«

»Sie ist weg!«

»Was?«

»Gerade vorhin, zwei Onkels haben sie fortgetragen!«

Er setzte sie ab, stürzte zum Fenster und schaute in alle Richtungen, Abertausende Straßenlaternen, wie ein Sternenhimmel in einem tiefen Abgrund. Und seine Frau war einer von diesen Sternen. Zeit und Raum so endlos weit, diese Welt so unendlich groß, und doch waren er und sie sich begegnet, liebten sich, teilten Tisch und Bett, für viele Jahre, und jetzt konnte er nicht ausmachen, welcher dieser Sterne sie war.

Tod und Leben hatten sich abgelöst fast wie im Staffellauf, seine Frau war gegangen, Ai Ding war gekommen, und ihre

Tochter war aus hoffnungsloser Lage doch noch gerettet. So war das Leben, so war eines von den unzählbar vielen, in der von ältester Zeit her gesehen winzigen Menschheitsgeschichte, und jeder musste seines akzeptieren.

Nach der Dusche hätte Ai Ding sich am liebsten sofort hingelegt, er riss sich aber zusammen und wies seine Tochter an, sie solle diese rüstungsartige Schutzkleidung ausziehen, ins Bad gehen, duschen und sich desinfizieren, und bevor er sie rufe, dürfe sie nicht mehr herauskommen. Er begann mit dem Großputz, anschließend verdünnte er Desinfektionsmittel, sprühte alles ein und wischte es gleichzeitig ab, Tische, Stühle, Türen, Fenster, Boden, Bett, Herd und Tisch, alles kam dran, weiter weichte er alles Koch- und Essgeschirr in zwei Bottichen ein. Zuletzt nahm er den Mundschutz ab, öffnete die Fenster und lüftete zehn Minuten, schloss sie wieder und machte die Klimaanlage an, den Luftreiniger steckte er ebenfalls ein.

»Kannst kommen«, sagte er.

Seine Tochter erschien splitterfasernackt und zog statt der alten eine ganze Garnitur neue Kleidung an, die ihr Papa aus Deutschland mitgebracht hatte, damit setzte sie sich, ganz Prinzessin, aufs Wohnzimmersofa, das aussah wie neu, aß etwas Knabberzeug und wartete darauf, dass Ai Ding in der Küche etwas zu essen zauberte.

Im Kühlschrank waren noch Würstchen und Instantnudeln, nebendran Ingwer und Knoblauch verstaut, die allerdings schon austrieben, also kochte er zwei Packungen Instantnudeln, gab eine in feine Streifen geschnittene Schinkenwurst dazu, streute etwas von den zarten Ingwer- und Knoblauchtrieben darüber und trug es auf. Die Tochter, hungrig wie sie war, rief begeistert: »Das riecht aber gut!«, und vergaß ganz darauf, dass ihre Mama gerade heimgegangen war.

Nachdem die Tochter aufgegessen hatte, sagte sie, sie wolle noch mehr, Ai Ding sagte, das würde aber beim zweiten Mal nicht mehr so gut schmecken, stattdessen kramte er nervenaufreibend langsam aus seiner Tasche eine handtellergroße Tafel deutsche Schokolade hervor. Seine Tochter schnappte sie ihm mit einem Handgriff weg, und als sie sich Stück für Stück in den Mund steckte, war sie hochzufrieden.

Die WeChat-Administratoren posteten alle paar Tage Nachrichten über eine baldige Öffnung Wuhans und des ganzen Landes und machten den Leuten damit Appetit und Hoffnung. Viele diskutierten, was sie am liebsten essen und tun wollten, wenn sie ihre Bewegungsfreiheit erst wieder hätten. Bei den Menschen in Wuhan waren es natürlich die heißen Nudeln, bei den Menschen in Chongqing war es Feuertopf, bei den Pekingern war es mongolischer Feuertopf mit Lamm, und bei den Chengduern war es so vieles, von zweimal gebratenem Schweinefleisch in großen runden Pfannkuchen über Tofu in Chilisauce bis zu Hasenkopf nach Mutters Art. Ai Ding war ein emsiger Vater, der es kaum erwarten konnte, im Internet endlich die so aromatisch duftenden, scharfen Hühnerbeine zu bestellen, drei Tage später kam über WeChat die Nachricht, er könne sie abholen. Er weckte seine Tochter mitten in der Nacht, nahm ihre Rollschuhe, und sie schlichen zusammen leise hinunter. Vater und Tochter wichen der Nachtpatrouille der Sicherheit aus und gingen in einem unterirdischen Durchgang zum Parkplatz. Ai Ding machte eine Taschenlampe an, ließ die Tochter ihre Rollschuhe anziehen und fahren, sie war angespannt und aufgeregt zugleich und stellte in einem fort Fragen wie: »Das geht wirklich, Papa? Wir könnten verhaftet werden!«

»Wer sagt das?«

»Mama hat das gesagt. Mama hat gesagt, wenn man rausgeht, kann man verhaftet werden.«

»Aber kein Mensch weiß doch davon.«

»Da vorn sind aber Leute.«

»Das sind bestimmt Gespenster. Vor Gespenstern musst du keine Angst haben, ich bin ja bei dir.«

»Ja, ja genau, wenn Papa bei mir ist, hab ich vor nichts Angst. Papa ist Ausländer.«

»Aber Papa ist doch aus dem Ausland zurück.«

»Und genau deshalb ist er ja ein Ausländer«, lachte die Tochter und tanzte mit ihren Rollschuhen im Licht der Taschenlampe, sie fuhr Kreise ohne Ende, »das ist ja echt toll hier! Papa, in drei Tagen hab ich Geburtstag, da kommen wir noch mal hierher, ja?«

»Ach herrje, das hätte dein Papa ja fast vergessen. Aber klar, Dandan, wenn du keine Angst hast im Dunkeln.«

»Mit Mama hätte ich Angst gehabt. Aber du bist ja der Papa.«

Sie kamen in einer fast tausend Quadratmeter großen Garage heraus und standen vor einem Gittertor, wie zuvor mit dem Lieferservice abgemacht, streckte er seine Hand durch und zog sie mit einer »Expresspost« wieder zurück, danach kehrten sie voller Ungeduld und von keiner Menschenseele bemerkt zurück. Mit einer Schere wurde der große Beutel aufgeschnitten, in ihm waren vier kleinere Beutel und auf diese wiederum acht große Hühnerbeine verteilt. Vater und Tochter verspeisten jeweils zwei und strahlten vor Freude über das ganze Gesicht, sie waren rundum zufrieden mit sich und der Welt.

***

Es dauerte nicht lange, und seine Tochter war eingeschlafen. Ai Ding lehnte sich ans Kopfende des Bettes, und ihm fiel seine Frau ein, er zwang sie jedoch wieder aus dem Kopf. Er ging ins Wohnzimmer, goss sich einen Schnaps ein, tunkte den Finger hinein und schnippte etwas für die Toten in die Luft. Danach machte er, noch ihrer gedenkend, seinen Computer an und meldete sich bei Zhuang Zigui in Berlin: »Hallo, hallo, wir haben uns ja Tage nicht gesehen, und doch ist die Welt dieselbe geblieben, nur die Menschen sind älter geworden.« Er seufzte, sagte aber nichts vom Tod seiner Frau.

»Erst mal herzlichen Glückwunsch zur Heimkehr«, der gute Zhuang erhob sein Glas, »schlafen Frau und Tochter schon?«

»Schlafen«, entgegnete Ai Ding durchaus doppeldeutig und, »so schnell werden sie auch nicht mehr aufwachen.«

»Das ist gut«, Zhuang Zigui hatte nichts bemerkt, »dann können wir beide ordentlich einen heben.«

Sie tranken und redeten und kamen vom Hundertsten ins Tausendste. Auf einmal sagte Zhuang: »Kcriss wurde freigelassen.«

»Der smarte, hübsche Junge aus der 95er-Generation, hinter dem sie in der Nähe des P4-Labors her waren?«

»Ja, der damals auf der Flucht sein Leben riskiert hat, zurück in der Wohnung, hat er in der Dunkelheit über seinen Computer fast vier Stunden live gesendet, dann ging die Tür auf, und er wurde einkassiert. Ich war auch einer von den schaulustigen ›Zaungästen‹. Ich hätte aber niemals gedacht, dass er so schnell wiederauftaucht und dann auch noch auf YouTube ein öffentliches Statement abgibt, um allen Arten von Mutmaßungen über ihn im In- und Ausland ein Ende zu setzen.«

»Hat es funktioniert?«

»Funktioniert hat, dass die Mutmaßungen erst recht ins Kraut schießen. Selbst ich hier habe so meinen Verdacht. Erstens hat er das Thema P4 vollständig vermieden, vor zwei Monaten hatte er in der Live-Übertragung noch einen SOS-Hilferuf gesendet und wurde vor den Augen der ganzen Welt ganz offensichtlich in der Nähe des P4 gejagt; zweitens ist aus der Einheit, die ihn sich gegriffen hat, nämlich der ›Nationalen Sicherheit‹, die ›Öffentliche Sicherheit‹ geworden, das heißt, aus dem ›Ausspionieren von Staatsgeheimnissen‹ wurde eine ›Störung der öffentlichen Ordnung‹. Allerdings ließ er auch durchklingen, dass ihm ›die gesamte Ausrüstung konfisziert wurde‹ und dass er nach der Quarantäne in Wuhan in einem Spezialfahrzeug weiter zu einer Quarantäne in seinem Heimatort Pingxiang in der Provinz Jiangxi gebracht wurde, wo er jeden Tag die Nachrichtenübertragungen des Chinesischen Zentralfernsehens sehen darf.«

»Was sagt die offizielle Seite?«

»Gar nichts. Die BBC rief an, um nach der von Kcriss erwähnten ›Badajia-Polizeiwache‹ zu fragen und die Ereignisse zu verifizieren, die Antwort: ›Diese Person gibt es nicht, diese ganze Angelegenheit gibt es nicht.‹ Die BBC rief als Nächstes beim Amt für öffentliche Sicherheit der Stadt Wuhan an, doch dort schwieg man sich ganz aus.«

»Diese Heimlichtuerei macht es erst richtig verdächtig.«

»Fang Bin, Chen Qiushi und Kcriss sind die drei einflussreichsten Bürgerjournalisten der Epidemie, doch nur Kcriss ist in die Nähe des P4 gekommen, und wer an ihn denkt, der denkt auch sofort daran, wie er festgenommen wurde ...«

»Wie er festgenommen wurde? Halt mal lieber den Mund. Sonst ...«

»Auf YouTube zitiert der 25-jährige Kcriss am Ende unvermittelt aus dem uralten *Buch der Urkunden** aus der Zeit noch vor Chinas erstem Kaiser, und zwar aus dem Kapitel *Der Plan des Großen Yu*: ›Des Menschen Herz tief in Gefahr, des Dao Herz tief gründend; wer gewitzt und eins, kann die Mitte halten‹, um auf seine Situation anzuspielen. Das ist nicht ganz einfach zu verstehen, es lässt sich auf viele Arten auslegen. Meine Übersetzung lautet: ›Das Herz des Menschen ist sehr gefährdet, das Herz von Himmel und Erde sehr schwer gefasst, doch ist Glaube vorhanden, gehst du niemals zuschanden.‹«

14

Die Volksrepublik China verschwindet

Es kam schließlich der Tag, an dem die Schriftstellerin Fang Fang ihr *Tagebuch aus einer geschlossenen Stadt* mit insgesamt 60 Kapiteln beendete und noch aus dem 2. Brief des Paulus an Timoteus, 4,7, zitierte: »Ich habe den guten Kampf gekämpft, ich habe den Lauf vollendet, ich habe Glauben gehalten.« Und weiter: »Hinfort liegt für mich bereit die Krone der Gerechtigkeit ...«*

Auch Zhuang Zigui hatte ihr unmittelbar danach gratuliert. Als sie nun auf Fang Fang zu sprechen kamen, sagte Zhuang, er sei gestern im West-Berliner Umland spazieren gegangen, habe auf einmal eine Eingebung gehabt und mit einem Kugelschreiber notiert:

Der harte Winter ist nicht zu Ende, die Bäume sind kahl und trostlos wie sterbende alte Leute, plötzlich kommt vom Himmel her ein Schrei, Wildgänse, zwei Schwärme, einer in Form des Zeichens für »eins« 一, einer in Form des Zeichens für »Mensch« 人, sie fliegen geradewegs durch eine dunkle Wolke, die die Form eines Schlachtrosses hat, nach Süden.
Gebannt schaut er dem langsam am Horizont verschwindenden »一人«, »ein Mensch« hinterher, und zehntausend Meilen weiter und in der Tiefe der Zeit taucht »ein Mensch« wieder auf, heißt Fang Fang. In einem Roman von 1980 porträtierte sie einen Mann, der unter Amne-

sie litt, was weit weg war, erinnerte er am klarsten, an Nahes konnte er sich nicht erinnern, was gerade geschah, war schon vergessen, wenn er es gesehen hatte. Bis es im Gedächtnis wiederauftauchte, dauerte es Jahre ...

Ai Ding fragte, wie es denn weitergehe, und Zhuang antwortete, fürs Erste gehe es noch nicht weiter. Er müsse den Roman von Fang Fang noch einmal lesen, bevor er den roten Faden für seinen eigenen Roman weiterspinnen könne, doch im Netz sei er nicht zu finden, jemand müsse ihn erst noch einstellen.

Ai Ding war ein wenig perplex. Er wollte sagen, für dich geht es also mit Warten weiter, und für mich?

Es wummerte gegen die Tür. Die Tochter sprang zuerst auf, dann Ai Ding. »Warum klingeln die nicht?«, sagte er zu sich und machte, ohne weiter nachzudenken, die Tür auf, es war der jüngere Bruder seiner Frau!

»Onkel«, Dandan flog ihm entgegen, doch der Onkel streckte die Hände aus und hielt sie an beiden Armen fest. Er stammelte: »Ich bin von Shanghai hergehetzt ...«

Ai Ding dachte, es ginge um die Beerdigung seiner Frau, denn sobald die Epidemie vorbei sein würde, müsste man, um schnell die Asche zu erhalten und eine Grabstelle zu ergattern, zunächst eine Nummer bekommen und sich eine Nacht lang anstellen, es war schon nicht schlecht, wenn man das in zehn oder fünfzehn Tagen hinbekam. Dann auf einmal tauchten hinter der Ecke Polizisten in Schutzkleidung auf.

»Die suchen dich ...«, stammelte der Onkel weiter.

Der Polizist an der Spitze machte schon einen schnellen Schritt herein: »Sie sind Ai Ding?«

»Um was geht's?«

»Wir kommen von Wuhan-Stadt, Amt für Nationale Sicherheit. Mein Name ist Wang. Hier ist mein Ausweis.«

Ai Ding wich instinktiv zurück, die Polizisten folgten ihm ins Zimmer, schoben Dandan und ihren Onkel beiseite und bauten sich im Kreis um ihn herum auf: »Kommen Sie bitte mit.«

»Um was geht's?«

»Klärung einiger Fragen. Da Ihre unmündige Tochter hier ist, werden wir das nicht hier im Detail besprechen.«

Das Mädchen schrie hysterisch »Papa« und versuchte, zu ihm zu kommen, doch ihr Onkel hielt sie eisern fest: »Ich werde mich um Dandan kümmern, du kannst beruhigt gehen.«

Und so wurde Wirrkopf Ai Ding wieder mitgenommen, dieses Mal ging es jedoch nicht in eine Seuchenquarantäne, dieses Mal wurde er wegen des »Verdachts auf Verbreitung von Gerüchten« »in Hausarrest gesteckt«, das heißt, er verschwand »spurlos« – das sind gesetzliche Bestimmungen des Staatsterrorismus, wie sie weltweit einzigartig sind: Früher verblieben die Arrestierten noch zu Hause, wurden von ihren Angehörigen nicht getrennt; heute werden Zeit und Ort des Hausarrests von der Polizei bestimmt, sie konnte jemanden sonst wo einsperren, ihn aber auch ohne Urteil direkt ins Gefängnis stecken. Dass weder du selbst noch deine Angehörigen wussten, wo du bist und wie lange du eingesperrt bleibst, war schlimmer als jedes Gefängnis – Verdächtige, die in der Zeit, in der sie »spurlos verschwunden« waren, grausam gefoltert wurden, sind Legion. Einer der Bekannteren unter ihnen waren Gao Zhisheng, der in Peking gearbeitet hatte, aber zum Arrest nach Xinjiang und Shanxi verschleppt worden war; bei den Verhören wurden ihm die Geschlechtsteile mit Zigarettenkippen verbrannt. Am 9. Juli 2015 wurden dann in einer Nacht über 150 Bürgerrechtsanwälte festgenommen, die meisten bekamen Medikamente verabreicht und wurden geschlagen, der Ort des Arrests wurde mehrfach heimlich gewechselt, was zu schweren mentalen Störungen führte. Auch der Schwede Peter Dahlin »verschwand spurlos«; knapp dem Tode entronnen, empfahl er nachdrücklich Michael Casters Buch *The People's Republic of the Disappeared*, »ein Buch mit vielen mündlichen Erfahrungsberichten«, sagte Peter Dahlin, »eine wichtige Quelle zum Verständnis des Arrestsystems«.

Der Bürgerrechtsanwalt Dong Guangping erinnert sich: »Am Ende ging ich hinaus durch das große Gefängnistor ... drei Jahre und acht Monate Gefängnis, die noch häufig in meinem Kopf auftauchen. Am schlimmsten waren die fünf Monate ›Hausarrest‹, die Innere Sicherheit von Chongqing nahm mir, um mich kleinzukriegen, vierundzwanzig Stunden am Tag die Handschellen nicht ab, zwei Spezialagenten bewachten mich rund um die Uhr, außer schlafen durfte ich nichts als neben dem Bett sitzen. Das geheime Zimmer hatte kein Fenster, es war nicht auszumachen, ob die Sonne auf- oder unterging, ob Tag war oder Nacht, die Jahreszeit, die Tageszeit, ich hatte keine Ahnung. Eine noch größere Niedertracht war, dass sie mir nicht genug zu essen gaben und mich nicht ausschlafen ließen; erst als sie überzeugt waren, dass ich keine Reue zeigen und kein Geständnis ablegen würde, ließen sie mich wieder essen und schlafen ... doch als es am Ende zum Urteil kam, da galten zwei Tage wie einer; ohne etwas gegen mich in der Hand zu haben, haben sie mich 75 Tage eingesperrt, die nicht auf die Haftzeit angerechnet wurden, diese lausigen A ..., lieber zehn Tage Haft als ein Tag Hausarrest. Schwer vorzustellen, dass man so etwas ausgehalten hat, selbst die Spezialagenten, die mich bewachten, sagten: ›Wenn ich du wäre, Mann, ich wäre längst verrückt geworden.‹«

Und jetzt war die Reihe an dem politisch völlig unbeleckten Ai Ding. Er wurde hinuntergebracht, in einen Polizeiwagen gesteckt, Mundschutz und Schutzbrille wurden gegen Handschellen und eine schwarze Kapuze eingetauscht. Er hatte das Gefühl, lange Zeit in einen Abgrund zu treiben, und als ihn Müdigkeit und Schlafbedürfnis gerade übermannen wollten, wurde er aus dem Wagen gezerrt, es ging dröhnend in einen dunklen Himmel hinauf, kurzer Stopp, dann kam er in eine versiegelte Wohnung, Handschellen und Kapuze kamen weg – wobei es eigentlich keine versiegelte Wohnung war, es war ein geheimes Verhörzimmer. Ihm wurde bedeutet, sich auf den Boden zu setzen. Die drei Polizisten andererseits, die ihn verhörten, saßen hinter einem Tisch. Guter Bulle, böser Bulle, wie im Flug vergingen drei Tage und drei Nächte, und beim erneuten Tagesanbruch leuchtete ihm die Lampe auf der Schreibtischplatte immer noch direkt ins Gesicht. Er bat um etwas heißes Wasser, um sich frischmachen zu können, die Polizeibeamten äußerten sich nicht dazu, lasen ihm stattdessen noch einmal die Verlautbarung des Virologischen Instituts Wuhan der Chinesischen Akademie der Wissenschaften vom 16. Februar vor:

In letzter Zeit kursieren im Internet nicht den Tatsachen entsprechende Nachrichten, in denen die an unserem Institut graduierte Huang Yanling als sogenannter ›Patient 0‹ bezeichnet wird, der sich als Erster mit dem neuen Coronavirus angesteckt haben soll. Nach einer Untersuchung gibt unser Institut mit großer Ernsthaftigkeit folgende Stellungnahme ab:
Kommilitonin Huang Yanling hat im Jahr 2015 an unserem Institut ihren Abschluss gemacht und den Titel eines Masters erhalten, während ihres Studiums hat sie sich mit Forschungen zur Funktion von bakteriophagen Spaltungsenzymen und Breitbandantibiotika beschäftigt, nach ihrem Abschluss hat sie direkt in einer anderen Provinz weitergearbeitet und gelebt, sie ist nicht mehr nach Wuhan zurückgekommen, hat sich 2019 nicht mit

dem neuen Coronavirus infiziert und erfreut sich bester Gesundheit.

In diesem für die Bekämpfung der Epidemie so zentralen Augenblick stören derartige Gerüchte in extremer Weise die Schlüsselaufgaben unseres Instituts. Wir behalten uns das Recht vor, unsere legalen Mittel bei der Verfolgung der Verantwortlichen auszuschöpfen. Unser herzlicher Dank gilt der Sorge aller gesellschaftlichen Kräfte, die an unserer Arbeit Anteil nehmen, sie unterstützen und befördern!

Ai Ding war wie vor den Kopf geschlagen: »Diese Stellungnahme habe ich verbreitet, war daran etwas falsch?«

»Wie oft haben Sie sie verbreitet?«

»Das weiß ich nicht mehr genau.«

»Und nur verbreitet?«

»Mit Kommentar versehen, damit die Leute es besser verstehen.«

»Was für ein Kommentar?«

»Ich fand, dass Huang Yanling selbst eine Stellungnahme hätte veröffentlichen sollen und nicht das Virologische Institut. Sie hatten sie fünf Jahre nicht mehr gesehen, wie konnten sie da sicher sein, dass sie sich nicht infiziert hat und dass sie sich bester Gesundheit erfreut? Das wäre so, als hätten wir uns fünf Jahre nicht gesehen und nach diesen fünf Jahren ginge das Gerücht um, Sie seien tot – könnte da ich eine Erklärung herausgeben, Sie seien noch am Leben? Sie selbst müssten doch in der Öffentlichkeit erscheinen und damit zeigen, dass es Sie noch gibt.«

»Ob im Labor P3 oder im Labor P4 des Virologischen Instituts, es ist niemand gestorben. Shi Zhengli, eine Forscherin des Instituts, hat bei einem Interview gesagt: ›Das sind auf den ersten Blick erkennbare Fake News. Ich kann garantieren, die Graduierten eingeschlossen, es gab in unserem Institut nicht einen einzigen Menschen mit einer Virusinfektion, unser Institut hat null Infektionen.«

»Das habe ich in meinem Kommentar auch zitiert.«

»Aber dann haben Sie ein weiteres Gerücht zitiert: In einer anonymen Enthüllung heißt es: Schon im Dezember 2019 ist es im P3-Versuchslabor zu einem Vorfall gekommen, bei dem organische Proben freigesetzt wurden, mit dem Resultat, dass eine weibliche Person mit Namen Huang sich infiziert hat und gestorben ist. Das Labor hat den Leichnam auf der Stelle desinfiziert und getestet, eine positive Reaktion auf den Bronchoalveolar-Test zeigte, dass sie der Patient null von Covid-19 war. Aber sie haben das nicht nach oben weitergeleitet und sie ohne Genehmigung zur Einäscherung in ein Krematorium gebracht, woraufhin auch die Arbeiter im Krematorium, die mit der Leiche zu tun hatten, infiziert wurden ...«

»Ich habe beide Seiten unparteiisch zitiert, war das nicht gut?«

»Das hier ist eine Untersuchung, nicht das Gericht, wir diskutieren nicht.«

»Frei nach dem Motto: Etwas bleibt immer hängen ...«

»Lassen wir das, nächstes Thema: der Hua'nan Meeresfrüchtegroßhandelsmarkt. Das haben doch Sie in Umlauf gebracht: ›2. Februar, Shi Zhengli lässt im Freundeskreis ein Schriftstück kursieren, in dem es, um damit jedem Verdachtsmoment an ihr als Person den Mund zu stopfen, heißt, das neue Coronavirus sei die Strafe der Natur für die unzivilisierten Lebensgewohnheiten der Menschen – direkt gesagt soll das heißen, die Lungenentzündungen in Wuhan sind durch den Verzehr von Fledermäusen durch die Bevölkerung von Wuhan ausgelöst worden (auch wenn es im Winter überhaupt keine Fledermäuse gibt), ganz wie es auch 2003 hieß, die Verbreitung von SARS sei auf den Verzehr von Larvenrollern in Guangdong zurückzuführen.‹«

»Das habe ich in Umlauf gebracht, gibt es damit ein Problem?«

»Als Nächstes haben Sie in Umlauf gebracht, die *Chinesische Wissenschaftszeitung* habe in ihrer vierten Ausgabe vom 8. Januar 2018 zu folgendem Spezialthema berichtet, ich lese vor:

Seit dem Ausbruch von SARS hat die Forscherin Shi Zhengli mit Zhang Shuyi, einem Forscher vom Tierinstitut der Chinesischen Akademie der Wissenschaften, zusammengearbeitet und an Fledermäusen Coronavirus-DNA entdeckt, die dem SARS-Coronavirus sehr ähnlich ist. Fledermäuse, so fand sie heraus, sind der natürliche Wirt SARS-ähnlicher Corona-Viren, ihren Forschungsartikel hat sie 2005 in der renommierten akademischen Zeitschrift Science *veröffentlicht.*
2013 haben Shi Zhengli und ihr Team ein dem SARS-Virus hochgradig homologes SARS-ähnliches Coronavirus isoliert, laut dem Virologischen Institut von Wuhan wurde dieses Virus mit der englischen Bezeichnung WIV1 benannt und damit bewiesen, dass die Chinesische Chrysanthemenkopf-Fledermaus der Ursprung des SARS-Virus ist, das Resultat dieser Untersuchung wurde in der international renommierten akademischen Zeitschrift Nature *veröffentlicht und als Highlight empfohlen.*
Seit vielen Jahren interessiert sich das Forschungsteam unter der Leitung von Shi Zhengli nun schon für eine wilde Höhle in der Provinz Yunnan, wo sie eine Langzeitstudie über SARS-ähnliche Coronaviren bei Populationen der Chinesischen Chrysanthemenkopf-Fledermaus durchführen, sie sammeln Exkremente und Afterabstriche der Fledermäuse. In 64 dieser Proben konnte die RNS von SARS-ähnlichen Coronaviren nachgewiesen werden.

Das Resultat der Analyse zeigte, dass es die mit dem SARS-Virus hochgradig homologen SARS-ähnlichen Coronaviren überall unter den Fledermäusen der Höhle gibt.
Durch weitere Analysen fanden die Forscher an vielen Loci Beweise für häufige Rekombinationen und vermuteten einen direkten Vorläufer des SARS-Virus, der womöglich durch eine Serie von Rekombinationen dieser Vorläuferstämme der SARS-ähnlichen Viren bei diesen Fledermäusen entstanden war.
Ende November 2017 wurden diese Forschungsresultate online in der arrivierten ätiologischen Standardzeitschrift PloSPathogens *veröffentlicht und als Aufsatz der Woche empfohlen. Am 1. Dezember hat auch* Nature News *von der Abhandlung berichtet und sie kommentiert – mit ziemlich großer Resonanz im In- und Ausland. Durch diese beharrlichen Forschungen wurde deutlich, dass unsere einheimischen Fledermäuse verschiedene Stämme SARS-ähnlicher Coronaviren in sich tragen, die das Potenzial zur artenübergreifenden Ausbreitung in menschlichen Populationen haben, und es ergaben sich wichtige Anhaltspunkte für die Prophylaxe entsprechender Krankheiten …*

Ai Ding war fast eingeschlafen, bis er im Tran mitbekam: »Nachdem Sie beides in Umlauf gebracht hatten, haben Sie kommentiert: ›Das ist der Beweis für die Herstellung einer biologischen Waffe!‹ Warum?«

Schlagartig war er wach, sprang auf und führte geradezu einen Veitstanz billiger Ausflüchte auf, am Ende war er jedoch schnell niedergerungen – wie ein Laboraffe. Ein viereckiger Tisch mit Fußfesseln und Handschellen wurde hereingetragen, er wurde in die runde Öffnung in der Mitte gesteckt und der Leiter des Verhörs sagte seufzend: »Sie müssen entschuldigen, Herr Dozent, aber Sie müssen mir schon helfen zu verstehen, warum das ein Beweis für die Herstellung biologischer Waffen sein soll.«

Ai Ding drehte es die Eingeweide um, er hätte gern gesagt: »Die Fledermäuse tragen das Virus schon fünfzig Millionen Jahre in sich, und man hat noch nie gehört, dass es auf den Menschen übertragen wurde. Es gibt eine kostbare chinesische Medizin, ›Licht in der Nacht‹, ein Granulat aus Fledermausmist, gegen Augenleiden. Viele Chinesen, die nie Fledermausfleisch gegessen haben, haben den Mist von Fledermäusen zu sich genommen! Aber hat das jemals jemanden umgebracht? Und Shi Zhengli hat doch selbst frank und frei erklärt: ›Der ACE2-Rezeptor im S-Protein bei Fledermäusen muss nur angeschaltet werden, und das Virus kann sofort Menschen infizieren.‹«

Aber das konnte er nicht sagen. Hätte er das gesagt, sein Leben wäre verwirkt gewesen.

Die Vernehmung stockte. Ai Ding schwieg für fast eine Stunde, und sie schwiegen mit ihm. Er war von blendendem Lampenlicht umhüllt, sie starrten ihn aus dem Dunklen unnachgiebig an – wie bei einer Theaterprobe. Dieses Verhörspiel hatte nun schon drei Tage und drei Nächte gedauert, er musste eigentlich kurz vor dem Einschlafen sein, aber schlafen konnte er jetzt nicht. Allmählich begann ein Monolog, er musste zugeben, er selbst redete, ohne nachzudenken.

Sie verweigerten jeden Kommentar. Aber eine Etappe des Verhörs war damit zu Ende, sie ließen ihn Wasser trinken und etwas essen. Er sagte, er würde sich gerne eine Weile hinlegen. Daraufhin lösten sie die Fußfesseln und Handschellen, zogen die Tür auf und führten ihn nach draußen – zum Durchlüften. Das fand auf dem Dach eines dreißigstöckigen Hochhauses statt, doch auch wenn die Sonne strahlte, traf ihn die pfeifende kalte Luft wie eine Ohrfeige, er sah regelrecht

Sterne. Der Verhörleiter lachte: »Nichts zu machen, Herr Dozent, wir machen auch nur unsere Arbeit.«

Ai Ding sagte: »Verstehe.«

Der Verhörleiter fuhr fort: »Wenn Sie da geradeaus schauen, dort liegt das alte ausländische Konzessionsgebiet, Distrikt Jiang'an, im Stadtteil Hankou.«

Ai Ding sagte: »Danke.«

Daraufhin zog der Verhörleiter ein Handy mit großem Bildschirm heraus und zeigte ihm ein Video vom letzten Jahr, die Skyline von Hongkong, eine steife Leiche wurde aus einem Fenster geworfen, schlug weiter unten irgendwo auf und krachte dann wie ein Zementpfeiler auf den Boden.

»Die Polizei in Hongkong hat doch tatsächlich erklärt, hier handele es sich ohne Zweifel um Selbstmord – tsetsetse«, sagte er, »lächerlich.«

Ai Ding überlief ein kalter Schauer. Die Polizisten schauten ihn, die Hände in den Ärmeln, mitleidig an. Plötzlich sagte der Verhörleiter: »Die Situation, wie sie ist, erinnert mich an ein Gedicht von Gu Cheng aus den achtziger Jahren:

Du schaust
mal auf mich
mal auf die Wolke.
Ich fühle dich, schaust du auf mich, fern
schaust du auf die Wolke, nah.«

»Der hat sich auch selbst umgebracht. Aber nicht von einem Hochhaus runter, er hat sich in Neuseeland aufgehängt«, lachte Ai Ding gezwungen.

»Er war mal mein Idol.«

Auf einmal schien ihre Distanz überwunden. Der Wind wurde heftiger, und sie gingen alle miteinander wieder hinein. Der Verhörleiter sagte leichthin: »Herr Dozent, hätten Sie gern eine Pause?«

»Natürlich, ich habe seit drei Tagen kein Bett gesehen.«
»Dann entspannen Sie sich ein wenig.«

Vom Dach des Gebäudes ging es mit dem Aufzug in den 10. Stock hinunter, in einen leeren Korridor. Ai Ding kam nur noch schleppend voran, deshalb packten ihn zwei Polizisten an den Schultern, und er fing im Gehen an, laut zu schnarchen. Er wurde wieder in einen Geheimraum gebracht, man verabreichte ihm eine Pille, er sackte auf einem Hypnosestuhl zusammen, und ihm wurden Schläfen, Brust und Handflächen an Drähte angeschlossen. An allen vier Wänden waren Maschinen und neben seinem Kopf ein Lügendetektor.

Ein Hypnotiseur zog ihm die Lider nach oben, untersuchte mit einer kleinen Handlampe die Pupillen und nickte dann dem Verhörleiter zu. Die Behandlung begann, sein Leben lief Schritt für Schritt zurück. Ai Ding murmelte im Selbstgespräch, der Verhörleiter hörte aufmerksam zu und warf hin und wieder ein, zwei Sätze ein. Der Vater tauchte auf, danach tauchten Fledermäuse auf, die über dem Vater kreisten, eine dunkle Masse, das Gesicht des Vaters war nicht zu sehen. Die Szene erinnerte an Alfred Hitchcocks Suspense-Klassiker *Die Vögel* ... menschenmordende Krähen, Möwen und andere Meeresvögel, die in Wellen vom Meer zum Himmel aufsteigen und auf das Land niederstürzen.

Ai Ding hatte *Die Vögel* zum ersten Mal am Abend vor seiner Abreise zur Universität gesehen, vor 31 Jahren, in seiner Heimat in Shennongjia in der Provinz Hubei, einem von Bergmassiven eingerahmten Dorf. Als die Sonne im Westen unterging, brachte eine Pferdekarawane der Kreisverwaltung Leinwand und Film. An der Radiostation am Dorfeingang hissten sie zwischen zwei Holzpfeilern die weiße Leinwand wie ein Segel, die Dorfgemeinschaft kam aus ihren Nestern, Männer, Frauen, Alte, Kinder, über sechshundert Leute, alle mit kleinen Hockern ausgerüstet, kamen zusammen. Das war das alljährliche Unterhaltungsfest, nach einem Nachrichteneinspieler wurden zwei einheimische und eine ausländische Produktion gezeigt. Und so war es bereits tief in der Nacht, als *Die Vögel* an der Reihe waren.

Das Exotische des Films, gepaart mit den amourösen Verwicklungen zwischen der männlichen und der weiblichen Hauptrolle, zog sehr schnell allgemeines Interesse auf sich, selbst Ai Dings Vater, schon in seinen Sechzigern, hob seinen Kopf aus einem Nickerchen und sperrte kichernd den zahnlosen Mund auf. Dann schenkte Mitch seiner Melanie einen Käfig mit einem Vogelpärchen. Danach sammelten sich wiederum die Vögel wie Terroristen und starteten krächzend, kreischend und mit Mordgedanken im Herzen einen Angriff nach dem anderen auf die Menschen in der Schule, zu Hause und auf der Straße. Fenster barsten, Dächer wurden aufgehackt, Erwachsene und Kinder rannten, die Hände um den Kopf, und es schien, als rannten sie aus der Leinwand heraus, was in den Sitzreihen des Publikums immer wieder für Schreckensschreie sorgte ... plötzlich kam Wind auf, Blitz und Donner grollten heran, bissen dem Wind in den Schwanz, explodierten, krachten, während der Mond weiter über ihnen schwebte. Allen wurde klar, das waren die Fledermäuse aus der Schildkröten-Schlangenhöhle, es mussten Zehntausende sein ... Fledermäuse sind farbenblind, gewöhnlich verstecken sie sich am Tag und fliegen des Nachts in der natürlichen Karsthöhle, fünfhundert Meter weiter, ein paar Dutzend Kilometer tief, war das Hauptquartier der Fledermäuse und auch die Wasserversorgung für das ganze Dorf ... in diesem Augenblick aber wurde das Open-Air-Kino verhüllt von Legionen von Fledermäusen, sie wurden eins mit dem Gekreische und den Attacken im Film, wie im Film warfen sich die Leute, die Hände über dem Kopf, auf den Boden, Illusion und Realität vermischten sich, Fledermäuse und Möwen und Krähen verkrallten sich in den Schultern der Leute. Doch die Leute aus dem Dorf Ai Dings wussten, dass Fledermäuse keine Killer waren wie die Vögel Hitchcocks, Fledermäuse waren blinde fliegende Mäuse, wenn sie auf einen trafen, konnte es vorkommen, dass sie sich unterbewusst festkrallten und ein paar Kratzer hinterließen, aber das war dann alles.

»Die Welten der Vögel, der Fledermäuse und der Menschen liegen eigentlich nebeneinander und stören sich nicht, doch der Vogelkäfig verbindet zwei davon miteinander. Am Ende der *Vögel* sind die Menschen in ihren Häusern eingesperrt und wagen sich nicht hinaus«, träumte Ai Ding vor sich hin.

»Hitchcock hat also 1963 den Lockdown von Wuhan im Jahr 2020 vorausgesagt?«, fragte der Verhörleiter.

»Vielleicht, die Labore P3 und P4 sind Vogelkäfige, Shi Zhengli und ihre Leute haben in der Höhle in Yunnan mehrere Jahre Basisarbeit geleistet und zahllose Fledermäuse gefangen und mitgenommen.«

»Die Fledermäuse auf dem Meeresfrüchtegroßmarkt von Hua'nan? Die ersten neuen Coronaviren stammen von dort, die Krankheit wurde oral übertragen.«

»Oral?« Das war ein Wort, das Ai Dings Leuten zu Hause sehr fremd war, deshalb entgegnete er nichts. Er schritt tiefer in seinen Traum hinein. Die Leinwand der *Vögel* bekam einen Riss, er stieg hindurch und fand sich in der gut zehn Meter hohen Schildkröten-Schlangenhöhle wieder, drang gute zehn Meter in sie ein, bis zum Schildkröten-Schlangenteich, der so klar war, dass man den Boden sehen konnte, trotzdem war das Wasser sehr tief, wie eine Schildkröte legte er sich zwischen die Kiesel, trank sehr lange und hatte immer noch Durst. Der Vater schwamm vorüber, schwebte vorüber, den Schatten der Sonne nach sich ziehend wie einen Schweif. Dann sah er die Fledermäuse, dicht gedrängt, wie geschwärzte Brustwarzen von den Stalaktiten hängen, das war ein Dom, sehr viel größer als der Filmvorführplatz des Dorfes, hier hätten problemlos zweitausend Menschen Platz gefunden, und die Kuppel war voll von Fledermäusen. Sie fingen an, den Fledermausmist vom Boden zu kratzen, das kostbare Granulat »Licht in der Nacht«. Schließlich hob der Vater seine geladene Flinte und schoss knallend ein paar Stalaktiten herunter: »Die sind voll Fledermausspeichel«, sagte er, »das ist ein besonders wirksames Mittel für die Reinigung der Lunge und gegen Husten.«

Sie kehrten ins Dorf zurück, die Zeit schaukelte wie Wasser hin und her, ohne dass es seine Aufmerksamkeit fand, hatte er seinen Doktor gemacht, unterrichtete als Dozent, wurde ein Akademiker im Austausch, ging nach Deutschland und kam wieder zurück. Er war Historiker, doch aus dem Mund eines Wissenschaftlers aus seinem Ort erfuhr er, dass Fledermäuse Könige des Gifts sind, nachts gehen sie auf Beute, fressen alle möglichen giftigen Insekten, weil aber ihre Körpertemperatur über 40 Grad liegt, verfügen sie über ein einzigartiges Immunsystem, das mit seiner hohen Temperatur Viren unterdrückt – das konnte er dem Vater nicht klarmachen, denn das ganze Dorf war seit Generationen aufs engste mit dem Dung der Fledermäuse verbunden, nicht nur, dass niemand sich jemals eine Vergiftung zugezogen hatte, es gab sogar besonders viele alte Männer über 90. Schon im SARS-Jahr 2003 hatte besagter Wissenschaftler die Wasserqualität des als »Fledermausmisthaufen« bekannten Schildkröten-Schlangenteichs untersucht, die Leitfähigkeit* lag unter 100, der Grenzwert für Trinkwasser liegt in Frankreich zwischen 80 und 110 …

»Wollen Sie damit sagen, man kann sich nicht oral anstecken?«, fragte der Verhörleiter dazwischen.

»Wenn den Fledermäusen durch das P4-Labor Viren entnommen, die Temperatur abgesenkt und sie dann direkt auf einen ›Zwischenwirt‹ verpflanzt wurden, dessen Körpertemperatur im Bereich der des Menschen liegt, dann kann das uralte Schloss der Natur, das eine Ansteckung zwischen den

Gattungen verhindert, von diesem sündhaften, verbrecherischen künstlichen Schlüssel aufgeschlossen werden ...«

»Und wo ist dieser Schlüssel? Wer hat aufgeschlossen?«

»Hitchcock weiß es.«

»Was?«

Ai Ding war eingeschlafen. Dieses Mal träumte er nicht. Die Polizisten flüsterten seitab. Der Hypnotiseur sagte: »Nehmen Sie ihn schon mal mit nach oben, der Analysebericht kommt frühestens morgen.«

Keine Ahnung, wann Ai Ding das Träumen wieder anfing. Er erinnerte sich noch einer Szene in dem japanischen Film *Manhunt*, er selbst war Ken Takakura, die Hauptfigur, stand auf dem Dach eines Hochhauses, der Arzt in seinem Rücken sagte zu ihm: »Gehen Sie weiter, nicht umdrehen, nicht stehen bleiben, springen Sie, Sie werden verschmelzen mit dem Azur des Himmels und dem Weiß der Wolken ...«

EPILOG

Die Wuhan-Elegie

Viele Ereignisse, viele Menschen sollten noch verschmelzen mit jenem Azur des Himmels und dem Weiß der Wolken. Doch auch Gott hat Empfindungen, und in manchem Augenblick, zum Beispiel in dem Augenblick, als Wuhan offiziell seinen Lockdown beendete und Millionen Menschen wie aus dem Gefängnis entlassen aus einer unendlich sich hinziehenden Gebirgssilhouette von Hochhäusern strömten und Straßen und Gassen füllten, da schwärzt sich jäh das Azur des Himmels und das Weiß der Wolken, aus heiterem Himmel tut es einen Donnerschlag, und ein Regen folgt wie aus Kübeln. Ein Kind schrie: »Gott weint!« Ein anderes Kind schrie ebenfalls, es hatte jedoch einen Menschen vom Dach springen sehen, der auf einen etwa zwanzig Meter entfernten Zementboden knallte, sein Kopf platzte auf wie eine Melone, und niemand konnte mehr erkennen, wer es gewesen war.

Daraufhin liefen die durchnässten Menschen zurück, so wie auch frisch entlassene Sträflinge in die Käfige zurückkehren. Manch einer öffnete das Fenster, ein anderer schloss es, mancher wollte sich Luft machen, ein anderer nichts als gedenken. Es folgte weiter Donnerschlag auf Donnerschlag, und Ai Dings Tochter schrie plötzlich nach draußen: »Papa! Komm bald zurück!«

Ihr Onkel rief ebenfalls: »Papa von Dandan! Ich wurde unter Druck gesetzt, ich bin schwach geworden, ich habe eine schwarze Seele, ich bitte dich um Vergebung! Du bist unter tausend Mühen von Deutschland zu uns zurückgekehrt, hast deine Frau nicht mehr gesehen und bist jetzt noch selbst spurlos verschwunden ...«

Es war gerade Mittag, als die Welt schwarz wurde wie der Boden eines Topfes, ein Blitz zerriss die Wolken, riss ihnen das Maul weit auf und schloss es wieder. Von weit her kam, wer weiß woher, schlug jemand den Gong, klopfte wer auf die Waschschüssel, ein Geklingel und Geklangel von immer mehr Gongs, Trommeln, Kübeln und Töpfen, Schalen, Kellen, Schüsseln. Eine Symphonie des Widerhalls zwischen Schöpfer und Mensch, in die hinein schließlich jemand als Erster rief:

Hat es nicht in die Klinik geschafft, konnte nur auf dem Balkon sitzen und den Gong schlagen, um die Krankheit kundzutun ...

Jemand nahm das auf:

Ist mitten in der Nacht hinter dem Leichenwagen hergelaufen und hat traurig gerufen: »Mama« ...

Wieder jemand nahm das auf:

Hat in Quarantäne, wo tausend Menschen sich eine Toilette teilten, Der Ursprung der politischen Ordnung gelesen ...[*]

Jetzt kamen Rufe von überall, die drei Städte Wuhans, die ganze Jianghan-Ebene hallte wider und formte eine Wuhan-Elegie, die unterzeichnet war mit »WeiBo-Freunde@Marilyn6«:

*Irrte mit dem LKW über die Autobahn, kein Ort, wohin.
Starb im Sitzen, den Kopf gestützt von den Seinen, wartend auf den Leichenwagen.
Zu Hause in Quarantäne verhungert.
Schwanger, zahlte 200 000, konnte sich die Behandlung nicht mehr leisten und wurde aufgegeben.
Grub sich das eigene Grab, aus Angst, die Seinen zu infizieren, und hängte sich heimlich auf.
Kein Arzt zu finden und die Angst, Frau und Kind anzustecken, machte ein Ende und sprang von der Brücke.
Der Neunzigjährige, der sich für den über sechzig Jahre alten Sohn um ein Krankenhausbett anstellte und fünf Tage und fünf Nächte in der Klinik wachte.
Kommentar auf Weibo für die Suche nach einem Krankenhausbett: »Jemand aus meiner Familie ist gerade gestorben, ein Bett ist frei, hoffe, es kann dir helfen.«
Schmähte zuerst die Hilfesuchenden, konnte unter dem Eindruck des Klagegeschreis dann doch auch nur noch nach Hilfe rufen.
Auf der Suche nach Hilfe gelernt, mit Weibo einen Satz zu senden: Guten Tag!
Trug bei der Befragung einen Schal vor dem Mund, Grund: konnte keinen Mundschutz bekommen und weinte aus Scham.
Trug eine Apfelsinenschale als Mundschutz.
Vater, Mutter, Großvater, Großmutter sind gestorben, ging halt allein zur Zivilverwaltung und erstattete Bericht.
Spendete sämtliche Mundschutze, die er statt Gehalt bekommen hatte.
Schrieb »mit ruhigem Herzen dem Tod entgegengehen« und »ist Zeit, sich hinzugeben«.
Schrieb »geht, klar«, gab seinen roten Handabdruck, starb zweimal.*

Ruhte und rastete nicht, bis die Huoshenshan-Klinik gebaut war, kehrte in sein Dorf zurück und wurde für den Pestgott gehalten.
Hatte Leukämie, musste nach Peking für eine Rückenmarktransplantation, fand keinen Weg aus der Stadt und wünschte sich vor Schmerzen Euthanasie.
Telefonierte im Leichengewand einem Krankenhausbett hinterher, erfolglos, brach zusammen.
Konnte wegen der Seuche nicht an die Dialyse, flehte am Eingang seines Wohnviertels um Hilfe, umsonst, sprang vom Haus, wurde erst sechs Stunden nach seinem Freitod fortgeschafft.
Wurde von der Polizei verdonnert, hundertmal zu schreiben: »Beim Verlassen des Hauses muss ich unbedingt einen Mundschutz tragen.«
Trug keinen Mundschutz und wurde ins Gesicht geschlagen, bis es blutete.
Schrie: »Ich habe Hunger, Himmel, ich werde verhungern, die Frau, die Kinder, sie hungern zu Hause und ihr habt wahrscheinlich den Bauch voll.«
Imker, konnte wegen der Seuche die Bienen nicht woandershin bringen, hat sich am Ende das Leben genommen.
Suchte sein Glück in der Fremde, war dreizehn Tage auf Achse, zu Fuß über 700 Kilometer, schlief unter Brücken, in Heuschobern, jobbte in Kohlegruben.
Wurde nirgends behandelt, hatte Angst, Frau und Kind anzustecken, schrieb sein Testament, vermachte seine sterblichen Überreste der Wissenschaft, damit niemand mehr krank wird und leidet, ließ Schlüssel und Handy zurück, verließ sein Zuhause und starb auf dem Weg zu seinem Geburtsort.
Schrieb: »Meine sterblichen Überreste vermache ich dem Staat – aber was wird mit meiner Frau?«

Die Stadt war zu und Autofahren verboten, nahm seine Mutter halt huckepack und suchte überall ärztliche Hilfe, lief drei Stunden.
Vertraute das Neugeborene dem Krankenhaus an und schrieb: »Die Geburt hat die Ersparnisse aufgebraucht, weiß nicht aus noch ein und bin jetzt hier.«
Stieg außen vom neunten Stock runter, um Fleisch kaufen zu gehen.
Wachte bei der Leiche des Großvaters fünf Tage und legte eine Decke auf ihn, das Kind.
Kehrte nach schwerer Krankheit heim, fand alle tot und erhängte sich auf dem Dach.
Über sechzig Jahre schon und alleine zuständig für über sechzig Polizisten auf der Wache: Einkauf, Gemüseputzen, Kochen, Spülen, Kehren der Küche, stand am Ende weinend im Flur.
Irrte über zwanzig Tage durch die Straßen von Wuhan, die Haare wurden halb weiß dabei.
Hatte kein Geld für ein Handy, um Kurse online zu besuchen, und schluckte die ganzen Medikamente der dementen Mutter.
Nahm mit fünfundzwanzig seinen Abschied vom Zentralfernsehen, ging in der gefährlichsten Zeit nach Wuhan, berichtete live im Internet, rezitierte, als die Polizei vor der Tür ihn mitnehmen wollte: »Ist die Jugend stark, ist das Land stark, ist die Jugend schwach, ist das Land schwach.«
Schrie, als die Staatsführung auftauchte, vom Dach: »Alles fake.«
Rettete aus den Trümmern des Quanzhou-Hotels die Leichen von drei Kindern, brach in Tränen aus.
Schrieb ein Lockdown-Tagebuch mit sechzig Kapiteln, Account mehrfach gesperrt, von den Leuten geschlagen und beschimpft.

*War erst sieben oder acht, folgte verwirrt der Prozession der Großen, nahm die Asche der Eltern in Empfang.
Rief einen Regierungsfunktionär an, redete geduldig und vernünftig auf ihn ein, es müsse etwas getan werden gegen das Virus, aber die Menschen brauchten auch etwas zu essen, seufzte leise zum Schluss.
Genoss die Liebe und den Respekt der Kranken, wurde von der Klinik scharf kritisiert wegen seiner Schutzmaske, infizierte sich und starb.
Sagte: »Hätte ich früher gewusst, was ich heute weiß, die Kritik wäre mir gleich gewesen, und ich hätte doch nirgendwo hinter dem Berg gehalten.«*

8. Juni 2020 / 19. Oktober 2020

ANHANG

An die Leser

Der Begriff »Virus aus Wuhan« ist nicht als politischer Terminus gedacht, sondern er ist eine objektive Beschreibung realer Fakten: Wuhan ist der Ursprung dieses derzeit weltweit katastrophalen, virulenten Virus, oder anders gesagt: Das Virus wurde zuerst in Wuhan entdeckt – »Wuhan-Virus« ist deshalb im Wesentlichen identisch mit Begriffen wie »Reaktorunfall von Tschernobyl«, »Nuklearkatastrophe von Fukushima« oder »Ebolavirus«. Die Bezeichnung »Coronavirus disease 2019, kurz: COVID-19« durch die Weltgesundheitsorganisation ist demgegenüber das Produkt eines zweifelhaften Entgegenkommens, das bewusst den Ursprungsort vermeidet, genauso wie schon 2003 beim SARS-Virusausbruch in China, als man die Stadt des ersten Auftretens ebenfalls nicht benannte, wodurch die überwältigende Mehrheit der Chinesen später vergaß, dass schon der erste SARS-Kranke in der Provinz Kanton, der Stadt Foshan, entdeckt worden war.

Der Begriff »Wuhan-Pneumonie« wurde eine Zeitlang von den Behörden in Wuhan selbst verwendet, vom Zentralkomitee der Kommunistischen Partei Chinas später jedoch strengstens verboten, und weil eine Welle nationalistischen Fremdenhasses hochschlug, benannten auch alle anderen Länder der Welt, der Weltgesundheitsorganisation der Vereinten Nationen folgend, das »Wuhan-Virus« in »COVID-19« um. Das aber wird in der Zukunft die Geschichtsklitterung (welche die Kommunistische Partei Chinas perfekt beherrscht) erleichtern. Vielleicht wird in einigen Jahren ideologischer Propaganda die überwältigende Mehrheit der Chinesen allein noch wissen, dass COVID-19 aus Amerika nach China gekommen, Wuhan hingegen die erste chinesische Stadt gewesen sei, die infiziert wurde – das entspräche exakt den Beschreibungen der Großen Chinesischen Hungersnot 1959–1962, bei der an die 40 Millionen Menschen verhungerten und von der in offiziellen Lehrbüchern behauptet wird: »Unter der Führung des Vorsitzenden Mao und der Kommunistischen Partei haben wir die dreijährige Naturkatastrophe besiegt, die der Sowjetische Revisionismus verursacht hat.« – Es bewahrheitet sich darin ebenfalls eine der Gehirnwäschelehren aus Orwells Ozeanien in *1984*: »Wer die Gegenwart kontrolliert, kontrolliert auch Vergangenheit und Zukunft.«

1. Mai 2021

SPUCKE IST MEINE EINZIGE WAFFE
BALLADE

Inschrift: Ein Verbrechen verwischt das andere. Das Virus aus Wuhan verwässert die Erinnerung der Menschen an das Massaker von Hongkong. Als »Aufnahmegerät der Zeit« fühle ich zutiefst, wie machtlos ich bin. Ich habe wirklich genug geschrieben, werde womöglich schreiben, bis ich sterbe, doch ich halte nicht Schritt mit dem Tempo ihrer Verbrechen ... hat es überhaupt einen Sinn? Doktor Shiwago, Archipel Gulag, Atemschaukel, aber auch Für ein Lied und hundert Lieder, Die Kugel und das Opium – *haben diese Bücher irgendeinen Sinn angesichts der zahllosen Opfer einer sich gegenwärtig unkontrolliert ausbreitenden Pandemie?*

1. Das Gerücht

Ich bin krank und aus Wuhan
Sie nennen mich Virus aus Wuhan
Ich bin auf der Flucht, im eigenen Land
Ich bin Arzt, das ist mein Beruf

Ich verbreite Gerüchte im Netz:
Ein Virus, ein
Neues Corona-SARS-Virus
Von Fledermäusen im P4-Labor
Geht auf dem Meeresfrüchtemarkt von Hua'nan

Bei den Wildständen
Um
Ein Gerücht, wie Karl Marx 1840 schrieb:
Ein Gespenst, das Gespenst
Des Kommunismus
Geht um
In Europa

Ich sage voraus, in unbekannten Mutationen
Verliert das Virus die Fesseln
Infiziert die ganze Welt
So steht es im *Kommunistischen Manifest*:
In dieser Revolution
Streift der Proletarier die Fesseln ab
Und gewinnt die ganze Welt

2. Verhöre

Karl Marx wurde nicht verwarnt
Obwohl er die Quelle ist für das ganze rote Desaster
Ich wurde verwarnt, von den Behörden
Acht Gerüchtemacher, alles Ärzte
Beschimpft und geschlagen wie räudige Ratten
In den gleichen Käfig gesteckt
Verhör Tag und Nacht, die Beamten zeigen auf drei
    Larvenroller
Ein paar hundert Fledermäuse, eine Horde Affen und fragen
Wie sollten diese Opfer des Forschungslabors
Auf den Wildbretmarkt kommen?

Ha-, ha-, hat man die nicht gegessen?
Wa-, wa-, warum aber hier?

Ihre Seelen sind hier, sagt der Polizist
Ihre Seelen tragen Polizeiuniform
Tragen Gefängniskluft, das bist du, das bin ich

Sage ich, du bist verrückt?
Man darf Pandoras Büchse nicht öffnen
Und wenn sie auf ist
Muss das Volk das erfahren
Sagt der Polizist, bist du verrückt?
China fehlt nicht das Volk, ihm fehlt Sicherheit
Ein sicheres Volk könnte die Büchse der Pandora
    verschlingen
Ein unsicheres Volk
Wird von Viren gefressen, Fledermaus-, Larvenroller-,
    Affenviren

Ich sage, du irrst dich
Es war der Mensch, er hat Versuche gemacht mit
    Fledermaus-, Larvenroller-, Affenviren
Es war der Mensch, er hat infizierte Fledermäuse,
    Larvenroller, Affen verkauft und gegessen
Und dann wurden die Menschen gefressen von Fledermaus-,
    Larvenroller-, Affenviren

Der Polizist sagt, was hat das mit dir zu tun
Was hat das mit dir zu tun, wenn die Hälfte der Chinesen
    stirbt
Was hat das mit dir zu tun, wenn die Hälfte der Menschheit
    stirbt

Ich sage, auch ich werde sterben
Der Polizist sagt, aber du bist noch nicht tot
Ich sage, ich bin Arzt, der Polizist sagt
Totschlagen sollte man dich, Gerüchtemacher, medizinischer

Ich stehe hier für Fledermäuse, Larvenroller, Affen und für das Volk
Totschlagen sollte man dich, Unruhestifter ...

Ich musste mein Zeichen daruntersetzen, die Hand heben, kapitulieren
Weiter warten im Käfig
Ein Fernsehgeständnis, dass auf einmal sich die Kerkertür auftut
Und die Strahlen der Wintersonne reinknallen wie Kugeln
Wir sind nicht exekutiert worden, doch
Der Big Brother von 1984 verbirgt sich im Schwarzen der Sonne
Genossen, sagt er, willkommen zurück

3. Die geschlossene Stadt

Wetterwendisch sind die Wechselfälle des Lebens
Doch ich lehne die Frontlinie der Partei ab
Ich bekomme Maske, Handschuhe, Schutzkleidung
Fahre mit einer Spezialimousine in eine Frontlinienklinik
Unterwegs fast menschenleer die Weite, ach, Himmelgott, die Stadt ist wirklich zu
Das war an Silvester, auf 1000 Meilen die Ebene von Jianghan, die Ufer des Yangtse
Bahnhöfe, Kreuzungen, Piers, von massiven Streitkräften gesichert
Die spärlichen Reisenden
Abgefangen von Kampftruppen mit Antivirusmasken
Fiebermessen, »Passierschein« checken, einzeln jede Handynachricht durchsieben
Doch Gerüchtemacher treten in Wellen auf:
Alles »entfernt«? Ja ja

Noch was weitergeleitet? Nein nein
Schon bist du verdächtig, Unruhestifter, ich ich

Keine Erklärungen, auf den Boden mit dir
Hände auf den Rücken, rein in den Gefangenentransporter
Ein anderer Gerüchtemacher, bevor man ihn zwingt
Wirft sich zu Boden, strack wie ein Brett
Ein schnaufender Stock am Straßenrand
Leichenwagen fahren vorbei
Nein, sagt der Leiter an meiner Seite, das sind Rettungswagen

Ich möchte ihn ohrfeigen
Wie vor einem Monat, als dieser Mitgehangene
Gern mir eine verpasst hätte – und dann vom Lokalblatt
Bis zum Zentralfernsehen auf ganzer Linie alles dementiert
Und dann noch die Reiselawine zu Neujahr, wie Flüsse strömen
Alle nach Hause, von hier
In alle Himmelsrichtungen
Und das Virus fährt mit, und das Kind liegt im Brunnen
Nur acht Gerüchtemacher
Wurden so vom Virus gerettet

4. Die Krankenhäuser

Ich bin ein Vogel im Käfig
Zu spät das Flügelgeschlage
Ich werde verlegt, in einen anderen Käfig
Vor der Scheibe, in der Ambulanz
Fiebernde Massen wie endlose Strömungen aus dem All
Streifen das Firmament und die See
Welle schluckt Welle
Und das Virus schlägt zu wie in den Wogen verborgen der Hai
Mordet uns Organe und Eingeweide

Das ist der schwierigste Treck der Menschheitsgeschichte
Treppe – Korridor, Ambulanz – Krankenzimmer
Nicht einmal hundert Meter
Und man braucht Tage und Nächte. Nicht wenige
Fallen tot um auf dem Weg, schnell in den Leichensack, weg
Kein Abschied, nicht einmal klar, wer das war. Nicht wenige
Schlafen im Flur, ohne Befund, schrein im Traum
Schwester, Schwester
Die Schwestern brechen zusammen, schlagen sich die Brust,
   stampfen mit den Füßen
Ein Mädchen, zwölf Jahre, quetscht sich durch
Tröstet sie wie ein Vater: Tante, nicht weinen
Bei uns sind vier gestorben von fünf
Ich hab auch nicht geweint – Kannst du mich anmelden? Im
   Waisenhaus?

Noch kein Bett? Eine alte Großmutter
Murmelt so vor sich hin, ihr alter Partner
Sei im Rollstuhl leis' aus der Welt gegangen
Ich weiß, er wollte sich hinlegen, ich wollte das auch
Hinlegen, nur ein paar Minuten

Das Krematorium ist aus einer anderen Welt, auch aus
Der Nähe, bei Tagträumen mit offenen Augen
Oder geschlossenen auf Nachtschicht
Die ganze Wand brennt, lichterloh, das verstellbare Bett
Fängt an zu schillern, ich werde Bestatter
Lege das Stethoskop beiseite, entsorge Überreste per Zange
Ein paar hundert Smartphones
Wie die Nazis in den Gaskammern von den Juden
Die Brillen, die Zähne sich griffen und anderes Gold

Und dann meine Assistenten
Einer geht direkt zu Boden, einer wird isoliert

Für immer, der Patient mit der größten Überlebenschance
Reißt plötzlich die Maske runter, spuckt wie ein MG
   t'ü-t'ü-t'ü
Dieser große Dichter brüllt:
Spucke ist meine einzige Waffe
Mein Glaube wimmelt von Fliegen

Bewaffnete Polizei stürmt die Klinik, er wird überwältigt
Zu einem Paket verschnürt, durchsichtiger Betonkleber
   schließt ihm den Mund
Jemand fragt, und was ist mit essen, jemand sagt
Der kommt nicht über den Abend
Der braucht nichts mehr.

5. Heimkehr

Ausruhen, sagt auch der Leiter
Ausruhen, anderthalb Monate nicht zu Hause
Das Virus ist längst nicht mehr die namenlose Missgeburt
Er hat sich geteilt in zahllose Monster, berühmte Unruhestifter
Das Imperium
Stopft erst acht Gerüchtemachern das Maul, stopft dann
Milliarden Gerüchtemachern das Maul, kann aber dem Virus
Das Maul nicht stopfen. Dem Imperium
Ist die Redefreiheit des Virus wichtiger als die Menschheit
Das Virus widersetzt sich mit Wucht
Und muss doch nicht in den Knast. Und so schließt die
   hilflose Menschheit
Eine Stadt nach der anderen, umkreist, verfolgt und stoppt
Wer flieht aus der Stadt

Völlig erschöpft, will nur nach Hause, will nur
Zurück in mein Leben. Heiße Nudeln, heiße Bettdecke

Trinken, plaudern, vom Hölzchen aufs Stöckchen
Nur keine Staatsaffären mehr
Alles schön weit weg, mal Verwandtschaft besuchen, heute
Weiter weg als der Mond, wo das Zuhause mehr Gefängnis ist
Als das Gefängnis. Die Tür des Wohnareals ist verschlossen,
   auch die Tür zum Flur
Ist verschlossen, die Wohnungstüren sind verschlossen
Schlüssel verwahrt die liebe Partei
Meine Frau schließt mit dem Ersatzschlüssel auf, das ist
   verboten, das melden
Die Nachbarn sofort, da wird die Tür mit dem Fuß
   eingetreten
Die Polizei steht in der Mitte, verliest die »Verwarnung«:
Wir hoffen, Sie gehn in sich
Denken an Reue, sonst
Müssen Sie mit rechtlichen Schritten rechnen

Verstanden?
Verstanden – antwortet meine Frau
Li Wenliang, infiziert und viel zu früh von uns gegangen,
   hat das auch geantwortet. Wenn du
Antwortest: nicht verstanden, wirst du auf unklare Weise
   sterben
Aber alle verstehen, dass eine normale Gesellschaft
Mehr braucht als nur eine Stimme

Da ist dieses Wiedersehen, als die Seuche grassiert, ein
Ehepaar mit Maske, begleitet von maskierter Polizei
Nicken, hineingehn, abschließen
Dann noch ein Siegel, Papier. Verdammt
Sehr viel besser behandelt als zum Tode Verurteilte
Ich dusche und desinfiziere mich, hänge auf dem Bett ab,
   stürze, dumm wie ein Schwein, in den Schlaf
Zwei Tage, zwei Nächte, dann essen, Sex

Forscher wissen, selbst
Labormäuse
Wollen essen und Sex

Dann ein paar Schritte, vom Schlafzimmer in die Küche
Via Wohnzimmer, lesen, ins Netz
Puzzle mit der vierjährigen Tochter
In den chinesischen Geschichtsbüchern
All das vergeudete Leben, der König von Zhou im Verlies
Deduziert das *Yi Jing*
Hu Feng schrieb eine Eingabe, eine Viertelmillion Zeichen,
 an Mao Zedong
Und verbrachte zwanzig Jahre im Umerziehungslager
Schreibe ich auch? – Aber es ist zu spät
Auch meine Tür wird von einem Fuß eingetreten
Die Polizisten, die uns verwarnen, stehen in der Mitte,
 verkünden, in diesem Gebäude
Gibt es eine Reihe von Infektionsfällen, alle Bewohner
Müssen sofort in Quarantäne

Ich rufe: Ich habe kein Fieber!
Aber ein Einzelner kann gegen viele nichts machen. Die
 verängstigte Tochter
Wird vom Adler im Schnabel weggeschafft wie ein Küken
Die häusliche Frau will sich nicht beugen
Stürzt in die Küche, weigert sich stur
Ein paar kräftige Kerle schlagen die Glastür ein
Nehmen ihr das Küchenmesser weg, als hätten
Sie eine jaulende streunende Hündin vor sich
Schrill schreit sie: Ich habe das Recht, in meinen
eigenen vier Wänden zu sterben!
Sie ziehn ihr den Schlafanzug runter
Und ihr Unterleib nackt

Himmelgott, ach
Was tun
Sie darf ihre Blöße nicht bedecken, wird mit nacktem Hintern
Hinuntergetragen, mit nacktem Hintern
In den Wagen gesteckt, mit einem Elektrostock
Stoßen sie eine Weile auf sie ein, bis sie die Besinnung
   verliert
Der Mann und die Tochter sehen das an den Augen

6. Quarantäne

Die Zahl der Leichen macht Probleme, Krematorien
Eins nach dem andern, Alarm, Krematorien von außen
Eins nach dem andern, helfen Wuhan, bevor es losgeht,
   ballen sich Fäuste
Vor der Roten Flagge mit den fünf Sternen zu heiligem
   Schwur:
Für die Verwirklichung des Kommunismus, schnell
   verbrennen, viel verbrennen
Mit Höchstlast verbrennen, Jahrzehnte sind wie ein Tag
Ein paar hundert verbrennen ist wie einen verbrennen

Ein unsichtbarer Krieg
Virenverbände versetzen Berge, unaufhörlich Explosionen
Bersten, Scherben bringen Glück und ab in die Welt
Doch ich ging die andere Richtung
Ein fledermausförmiger Wind pfiff scharf
Als seien, so weit das Auge reicht, Besoffene, taumelnde
Frauen, im Handumdrehen nur noch Erinnerung, es heißt, sie
Seien in einem KZ namens »Arche«
Nein »Container«
Aber so groß
Wie bei Noah

Aber der Ort, zu dem ich gehe, hat keinen Namen
Keinen Wald
Keine Unglücksraben, nur
Schusssicheres Glas und Backsteingemäuer. Durch
Desinfektionsspray sinke ich wie ein nackter
Völlig entschuppter Fisch
In irgendein Fischglas
Zerschreie die Kehle
Höre die eigene Stimme nicht. Das ist
Ein Albtraum ohne Erwachen, der Arzt rettet Patienten
Vor den Pforten der Hölle, passt ein bisschen nicht auf
Vertauscht Bettdecke und Leichensack
Drei Kinder in einem Sack
Eine asthmatische Frau
Reißt sich die Maske herunter, Krankenschwestern rennen,
   Feuerlöscher in der Hand
Sie geht aus dem Weg, immer wieder, ruft, ich ersticke
Geht zu Boden
Haucht aus

Schlaflos im Traum
Lachen unansehnlicher als Weinen
Hast du Fieber? Atem-
probleme? Nein, nein, ich antworte schnaufend
Und dann intubiert, ohne Erklärung, Infusion
Sauerstoffmaske

Leichenwagen durchfahren den Kopf, meine Seele
Umklammert das Steuer. Meine Seele
Hühü springt auf, wie ein überdrehter Aufziehfrosch aus
   Blech
Der diensthabende Leiter kommt, geistesabwesend
Kommt auch der amtierende Kaiser, mit Maske, ich sage
Ich will nicht hier sterben

Wo willst du denn sterben
Zu Hause
Du hast kein Zuhause mehr
Dann in der Stadt
Das ist nicht deine Stadt, das ist auch
Nicht dein Vaterland
Wessen dann
Des Volkes
Bin ich nicht das Volk
Nicht infiziert bist du das Volk
Infiziert bist du es nicht. Kennst du
Tschernobyl? Du kannst hier nur sterben
Wie die armen verstrahlten Teufel, tot kann man dich nur
In eine Bleikapsel legen

Mir stehen die Haare zu Berge
Ich springe hoch wie eine Sprungfeder
Treffe den Leiter am Kinn
Alarm überall, Krankenschwestern, Patienten
Schreie und Schreie, Hände und Füße drücken mich runter
Man spritzt Beruhigungsmittel, doppelte Dosis
Als ich erwache
Ist es zwei Tage später, im Leichensack
Wie hartes Feuerstroh
Geworfen auf einen berghohen Feuerstrohhaufen

7. Flucht

Das ist die grausamste, die fliederträchtige Jahreszeit ...
Ein Einäscherungsmeister, der Gedichte schreibt im Stil von
 Eliot,
Seufzt in *The Waste Land*:
Das ist der grausamste Weg in den Himmel

Keine Pforte vonnöten
Tote laufen nicht rum …

Kaum, dass das gesagt, setze ich mich
Im Leichensack auf. Der Kerl
Wird weiß wie die Wand, schreit nur »Zur Hölle«
Ich antworte auf dieser Seite der glühenden Ofentür:
»Ja, zur Hölle«
Drehe den Kopf und gehe

Die Straßen zur und aus der Stadt
Blockiert, mäandernde Schützengräben
Laufen voll wie ein Grenzfluss zwischen Reich und Reich
Wer das sieht, erschrickt. Ich gehe nach Süden
Ein Schutzwall kreuzt die Straße
Er zieht sich durch und teilt die drei Städte Wuhans
In Ost- und Westberlin
Ist das der Kalte Krieg? Hat Westwuhan mehr demokratische
Rechte als Ostwuhan und keine Stasi?
Oder sind hier die mit Corona infizierten und Infizierte denunzierenden Massen
Weniger zahlreich, langsamer?
Ich gehe eine Mauer entlang, überlege
Wie ein Philosophiehund, der sich in den eigenen Schwanz beißt
Ich bleibe stehen, da
Stürzen zwei Volksbefreiungssoldaten vor
Und rufen »Parole«

Ich hebe die Schultern: Kommt doch
Das Volk ist zornig, es hat keine Angst mehr

Ich ziehe die Maske zur Seite, spucke
Das ist die einzige Waffe des Volkes

Sie springen davon wie Antilopen, ich springe wie eine
    Antilope
Auf das Wagendach, dann über die Mauer
Hinter mir wehen Schüsse und Trillerpfeifen heran – was
    sollen sie tun
Diese Nacht weiß kein Patient, quasi oder bestätigt
Wohin, keine Familie
Kein Ort, Leichenwagen
Rettungswagen oder Polizeiwagen
Fahren hin und her zwischen Leuten

Ein kleines Mädchen folgt dem Leichenwagen
Ihre Mutter wird weggebracht, gestern
Wurden schon Papa und Opa weggebracht
Ihre Stimme ist heiser, sie überschlägt sich im Fallen
Der Wagen ist fort, weg, und sie folgt ihm
Und schreit: Mama, du willst mich nicht mehr …

Auf einer Überführung treffe ich
Zwei ausgemergelte Gespenster
Eines ist heimlich aus einem Quarantänegebiet weg, eines
    von zu Hause
Sie schwanken Richtung Mitternacht, belagert von Hunger
    und Frost
Bitten mich, ihren letzten Willen zu filmen, ins Netz zu
    stellen
Und dann auf das Brückengeländer und runter
Ich benachrichtige mit ihrem Handy
Die Polizei, überlege, ob ich nicht selbst auch
Springen soll

Bald wird es hell, Schneegestöber
Auch die Schnellstraßen sind zu. Ein Transporter
Hat sechs Tage gesucht, keine Ausfahrt gefunden
Am siebten Tag, dem Tag, an dem der Herr ruhte
Hat er den Wagen stehen lassen und ist ab, von jenseits der Schnellstraße
Rief eine Patrouille:
»Stehenbleiben!
Parole!«

Aus der Ferne sehe ich
Er springt von einer anderen Überführung
Wieder überlege ich
Ob ich nicht auch springen soll

– Ich bin krank und aus Wuhan
Sie nennen mich Virus aus Wuhan
Ich bin auf der Flucht, im eigenen Land
Ich bin Arzt, das ist mein Beruf –

Das soll auf mein Grab, hab ich im Voraus geschrieben
Dabei weiß ich
In dieser beispiellosen Seuche
Wird, wen das Imperium als Lügner mit den andern begrub,
Eins nicht haben: eine Inschrift auf seinem Grab.

18. Februar 2020

EIN JAHR SPÄTER

Nachtrag

Heute ist der 22. Februar 2021, die Titelseite der *New York Times* ist voller schwarzer Punkte, 500 000 Punkte, jeder Punkt steht für einen vom »Virus aus Wuhan« getöteten Amerikaner.

Und ich erfahre durch Zufall, dass die Verfasserin der *Wuhan-Elegie* verhaftet und verurteilt worden ist ... das ist nicht Teil des Romans ... ein Auszug aus der »Urteilsbegründung des Volksgerichts der Stadt Sanhe, Provinz Hubei« lautet:

»... die Verurteilte Zhang Wenfang, weiblich, geboren am 26. Juli 1980 in Yantai in der Provinz Shandong ... zum Zeitpunkt ihrer Verhaftung wohnhaft in der Entwicklungszone Yanjiao in Sanhe-Stadt, wurde am 7. April 2020 wegen schwerer Störung der öffentlichen Ordnung von der Exekutive des Büros für Öffentliche Sicherheit von Sanhe-Stadt für zehn Tage arrestiert. Am 17. April 2020 vom Amt für öffentliche Sicherheit von Sanhe-Stadt wegen des Verdachts des ungehörigen Betragens als Kriminelle in Gewahrsam genommen, am 29. April des gleichen Jahres verhaftet, sitzt sie zurzeit im Untersuchungsgefängnis von Sanhe-Stadt ein ...

... Die Anhörung hat erbracht, dass, während sich die gesamte Nation im Verlauf der nationalen Trauerkampagne für die verstorbenen Landsleute und die Märtyrer, die sich im Kampf gegen die Epidemie der neuartigen Corona-Lungenentzündung geopfert haben, in tiefer Trauer befand, die Angeklagte Zhang Wenfang am 4. April 2020 um etwa ein Uhr nachts zu Hause auf einem von ihr »Marilyn6« genannten Account bei Sina Weibo einen langen Artikel gebloggt hat, unter anderem des Inhalts, im Container-Krankenhaus in Wuhan hätten tausend Personen sich eine Toilette geteilt, Menschen seien in häuslicher Isolation verhungert, Menschen hätten sich aus Angst, ihre Familie anzustecken, ihr eigenes Grab gegraben und heimlich aufgehängt, Menschen, die sich nirgends hatten behandeln lassen können, hätten sich aus Angst, die Familie anzustecken, das Leben genommen, Leichen von Selbstmördern seien erst nach sechs Stunden weggebracht worden, jemand sei, um Fleisch zu kaufen, aus dem 9. Stock außen an einem Haus herabgestiegen, mancher hätte auf der Polizeistation zur Strafe hundertmal schreiben müssen ›Wer vor die Tür geht, hat eine Maske zu tragen‹, und mancher sei nach seiner Heilung nach Hause gekommen, nur um zu erfahren, dass seine Familienangehörigen tot waren, und hätte sich auf dem Dach seines Gebäudes aufgehängt. Die gerade in Auszügen zitierten Inhalte waren zuvor bereits von den Behörden in Teilen als falsch dementiert worden. Die Angeklagte Zhang Wenfang hat dies in dem zitierten Statement nicht berücksichtigt, ihr Mikroblog wurde bereits in großem Umfang weitergeleitet, gelesen und hat einen schlechten gesellschaftlichen Einfluss verursacht ... Am gleichen Abend um 22.09 Uhr erreichte die lokale Polizeiwache in der Yanshun-Straße des Büros für Öffentliche Sicherheit von Sanhe-Stadt eine Warnung der vorgesetzten Instanzen, dass nach Berichten von Internet-Usern die Userin des Blogs ›Marilyn6‹ einen langen, Gerüchte in Umlauf setzenden Artikel gepostet habe, die verdächtige Person befinde sich im Kleindistrikt 42–1–1003 der Oberstadt der Entwicklungszone Yanjiao. Zivilpolizei fuhr auf der Stelle zu dieser Wohnung, Zhang Wenfang von ›Marilyn6‹ wurde auf die Polizeiwache vorgeladen, einer Untersuchung unterzogen, und nach Ablauf von drei Tagen wurde eine Disziplinarhaft gegen sie ausgesprochen ...

... nach Artikel 293, Paragraph 1, Absatz 4 des ›Strafrechts der Volksrepublik China‹ und der ›Erklärung über die Behandlung von Problemen bei der Anwendung angemessener Gesetze bei Kriminalfällen wie u.a. verleumderischen Nachrichten im Internet‹ der höchsten Volksstaatsanwaltschaft und des höchsten Volksgerichts ... lautet das Urteil wie folgt:

Die Angeklagte Zhang Wenfang ist schuldig des ungehörigen Betragens und wird zu einer Gefängnisstrafe von sechs Monaten verurteilt ...«

Liebe Leser und Leserinnen, erinnern Sie sich an den Anfang dieses Buches? Der 1995er Jahrgang Kcriss war vom Büro für Nationale Sicherheit verhaftet worden, er war aus der Nähe des P4-Labors bis zu seiner Wohnung geflohen, hatte vier Stunden live aus einem schwarzen Bildschirm gesendet und war schließlich mitgenommen worden. Damals hätte ich mir nicht vorstellen können, dass diese beiden Menschen, die den Anfang und den Schluss meines Buches bilden, mitgenommen werden würden ...

DIE SEELEN ZAHLLOSER OPFER ERÖFFNEN UND BESCHLIESSEN DIESES BUCH

Dank den Freunden, die an seinem Zustandekommen beteiligt waren

ZUR ENTSTEHUNG

Kcriss

Dies ist ein auf realen Begebenheiten und Hintergründen beruhender Roman. Mein erster Dank gehört dem 95er-Bürgerjournalisten Kcriss, es war sein mutiger Einsatz, der meine Inspiration angefacht hat. Ich habe anschließend wie ein gut trainierter Jagdhund die Spur aufgenommen.

Ich habe dokumentiert, wie die Suche Kcriss kreuz und quer durch die leere Stadt führte, und die Figur des Zhuang Zigui, die sich durch das gesamte Buch zieht, erfunden. Andererseits habe ich wie Kcriss versucht, mich dem P4-Labor in Wuhan zu nähern und seine Entstehung zu untersuchen. Ich habe Tage auf der offiziellen Seite des Virologischen Forschungsinstituts der Chinesischen Akademie der Wissenschaften in Wuhan verbracht und relevantes Material heruntergeladen; ich bin durch inländische Internetplattformen gebrowst und habe die Konfrontation und Debatte zwischen Shi Zhengli, der »Königin der Fledermäuse«, und ihren Fachkollegen heruntergeladen und damit gerettet – bevor eines Tages ein Großteil der offiziellen Beweise von den Netzadministratoren komplett gelöscht wurde und das offizielle China, die WHO und viele chinesische und westliche Virologen einmütig ein Entweichen des Coronavirus aus dem

P4-Labor ausgeschlossen haben – wenn jemand dieses Thema noch aufgriff, so wurde das als gegen China gerichtete »Verschwörungstheorie« angesehen; man vergaß dabei allerdings, dass China unter der Herrschaft der Kommunistischen Partei eine hochgradig intrigante Großmacht ist, die seit gut einem halben Jahrhundert die internationale Gemeinschaft betrügt und für dumm verkauft.

Ai Ding

Ich begann aus Ärger zu schreiben. Der Übergang von der realen Person Kcriss zur Kunstfigur Ai Ding war ein allmählicher Prozess, Beobachter und Gesprächspartner der beiden ist Zhuang Zigui im fernen Berlin – darüber hinaus Protagonist meines Romans *Liebe in den Zeiten Maos*.

Gebürtig aus Wuhan, ist Ai Ding Historiker, vom akademischen Austauschaufenthalt in Deutschland kehrt er am Vorabend des Frühlingsfestes 2020 nach alter Tradition nach Hause zurück und wird bei der Landung in Peking von der Ausbreitung des neuen Coronavirus und dem Lockdown von Wuhan überrascht. Notgedrungen besteigt er einen Flieger nach Changsha in der Provinz Hunan, kann jedoch dem Schicksal der Quarantäne nicht entrinnen.

In der vierzehntägigen Quarantäne spricht Ai Ding regelmäßig mit seiner Frau in Wuhan und hat trotz Firewall auch Kontakt mit Zhuang Zigui, wie einige Ärzte, Spezialisten und Bürger in Wuhan beginnt er, nach dem Ursprung des Virus zu fragen, verfolgt gleichzeitig den Widerstand in Hongkong und den »*Unrestricted War*«, 5G, Fledermäuse und das dem Leck im Kernkraftwerk von Tschernobyl so ähnliche Leck im Viruslabor von Wuhan – schließlich ist die Zeit seiner Quarantäne vorbei, und Ai Ding bekommt vom Seuchenschutz seines Wohnviertels die Erlaubnis, nach Hause zurückzukehren.

Doch wer hätte gedacht, dass es hundertmal schwieriger sein würde, nach Hause zu kommen, als das Land zu verlassen. Da ganz China in eine historisch einmalige Viruszeit eingetreten ist, müssen nicht nur einzelne Personen in Quarantäne, ganze Dörfer, Städte und Autobahnen stehen unter Quarantäne. Wohin er auch kommt, er muss sich die Körpertemperatur messen und Personalausweis und Passierschein überprüfen lassen. Akt für Akt durchlebt Ai Ding ein absurdes Theater; als wäre es ein »heimliches Überschreiten der Landesgrenze«, ist es mit Risiken behaftet, die Provinzgrenze zwischen Hunan und Hubei zu überqueren – bis er schließlich nach über zwei Monaten und nach der Aufhebung des Lockdowns in Wuhan zu Hause ankommt. Inzwischen ist seine Frau jedoch am Virus gestorben und hat ihre zehnjährige Tochter allein zurückgelassen. Die Wiedervereinigung von Vater und Tochter ist entsprechend eine Mischung aus Freude und Trauer, gemeinsam erleben sie die heißeste Phase der Epidemie, allerdings dauert es nicht lange, und das Amt für öffentliche Sicherheit steht vor der Tür und nimmt Ai Ding mit, einzig weil er irgendwann einmal im Netz seine Meinung gesagt hat ...

Michael M. Day

Michael M. Day (Dai Maihe) hat die ersten Abschnitte ins Englische übersetzt – und er ist der erste Mensch aus dem Westen, den ich in diesem Leben kennengelernt habe. Im Herbst 1987 erreicht er mit einem Heft der Untergrundzeitschrift *Moderne Gedichte aus dem alten Bashu (Sichuan)* unter dem Arm, das ihm Liu Xiaobo geschenkt hat, von der

Kaiserstadt Peking aus nach Tagen und Nächten im Zug die Bergstadt Fuling am Yangtse und findet den leitenden Redakteur, nämlich mich, gerade von einer Vorladung durch das Amt für öffentliche Sicherheit nach Hause zurückgekehrt vor. Zwei Jahre später kommt es zum großen Massaker auf dem Platz des Himmlischen Friedens, ich mache eine Tonbandaufnahme des epischen Gedichts *Das große Massaker*, und da er vor Ort ist, übersetzt er den Text und bringt ihn in Umlauf, was ihn zum Mittäter macht und für die chinesische Regierung zu einem »Kulturspion«, den sie des Landes verweist – diesmal, einunddreißig Jahre später, macht uns das frisch veröffentlichte »Nationale Sicherheitsgesetz Hongkongs« zu »konterrevolutionären Spießgesellen«, die aus Amerika und Deutschland als Gefangene nach China ausgeliefert werden müssten.

Wie schon am Vorabend des Großen Massakers auf dem Tian'anmen, dem Platz des Himmlischen Friedens in Peking, stehen wir in ständigem Austausch und in pausenloser Diskussion, unter anderem über die DNA des neuen Coronavirus. Bis noch Janice M. Englehart und David W. Novack dazustoßen und zusagen, als erste Leser und Kritiker der englischen Übersetzung zu fungieren.

Janice M. Englehart und David W. Novack

Janice und David sind Produzent und Regisseur eines Dokumentarfilms. Dieser Film wurde über einen Zeitraum von drei Jahren gedreht; das kurz vor der Vollendung stehende Riesenwerk folgt unermüdlich den Spuren von mehr als 150 seit dem 9. Juli 2015 nacheinander inhaftierten Menschenrechtsanwälten und ihren Widerstand leistenden Familienangehörigen, von Konzentrationslagern für Millionen Uiguren in Xinjiang und der Familie des uigurischen Wissenschaftlers Ilham Tohti sowie von dem Großen Massaker und von mir, Liao Yiwu, dem Dichter im Exil. Er verzahnt drei historische Ereignisse in ihrer Entwicklung miteinander und zeigt zur Gänze das böse Imperium der chinesischen Kommunisten und seine wunderbaren Feinde. Erst vor kurzem haben sich Wang Quanzhang, ein Anwalt des 9. Juli*, und seine Frau Li Wenzu nach fünf Jahren »Trennung auf Tod und Leben« am Ende gemeinsam zu Hause wiedergefunden. Ich schrieb dazu:

Das ist seit dem Massaker auf dem Tian'anmen
das bewegendste Wiedersehn
Von einer Poesie
die kein Gedicht ausdrücken kann

Die Tricks der Dichter, die Liebesgedichte
alles gelogen
Liebesschwüre in Zeiten von Covid-19
alles gelogen. Und
die Liebesgedichte der Politischen?
Man darf das nicht verschweigen, großenteils
auch: gelogen, ein Gefangener braucht das

Natürlich sind auch die Gebete
alle gelogen
Weinst du denn im Gebet
weil du das Gefühl hast, es hilft?
Natürlich nicht

Janice ist von einer überbordenden Begeisterung und von einem seltenen Charme. In ihrem ersten Brief schrieb sie, dass sie dem *New Yorker* bzw. *Atlantic Monthly* das Gedicht *Spucke ist meine einzige Waffe* aus dem Anhang des Buches empfohlen habe. Ihr Schreiben begann so:

Hey, Yiwu und Michael,

mittlerweile bin ich auf meinem Boot auf dem Washington-Kanal in Quarantäne. Ich war vergangenen Donnerstag möglicherweise einer Frau mit dem Virus ausgesetzt. Es ist kein Test für sie aufzutreiben, so dass wir im Dunkeln tappen. Ich warte – und frage mich, ob das Virus auch mich erwischt hat. Ich spüre einen Druck auf der Brust. Ist das die Pneumonie, die sich in meinen Lungen eingenistet hat, oder ist es die Schwere meines Herzens, das realisiert, dass das China, das Yiwu eingesperrt und Michael ausgewiesen hat, überall ist ...

Davids erster Brief lautete:

Guten Morgen, Yiwu und Michael,

ich bin sehr interessiert, natürlich, und fühle mich geehrt. Dass sich das Ganze bis zu Mao und zum Tian'anmen und Tschernobyl zurückbezieht, gefällt mir. Ich halte das für notwendig. Ich halte es für notwendig, dass es sich auch noch auf weitere Dinge bezieht. Den 9. Juni[*]. Die Untersuchungshaft. Die Arbeitslager für Moslems. Hongkong damals und heute. Die steigenden Zahlen. Die Antwort Europas. Es entfaltet sich. Das sind die Fakten, die der Treibstoff sind für einen Dokumentarfilmer oder jeden, der von der Wahrheit besessen ist. Und, was ist sein Hintergrund? Warum ist er von der Wahrheit besessen?

Aber ich habe ein paar Fragen, die mit der dokumentarischen Natur des Narrativs zu tun haben. Der Roman muss vor dem Angriff geschützt werden, es handele sich dabei um Propaganda. Wie machen wir das im Dokumentarfilm? Wie folgt ...

Die Anhaltspunkte müssen real sein, auch wenn wir deren Quelle fiktionalisieren oder den Weg, auf dem der Protagonist sie entdeckt. Gegenteilige Meinungen sollten präsentiert (und widerlegt) werden, gleichermaßen die Schwierigkeiten, die es macht, sowohl die globale Propaganda als auch die chinesische Softpower zu bekämpfen. Wenn wir unsicher sind, muss auch das Buch unsicher sein, das Gewicht der KPCh und ihres Einflussnetzes wird dennoch sichtbar werden. Dann wäre es in der Tat ein Dokumentarroman.

Ich glaube, dass der Roman, selbst wenn die Antwort nicht »schlüssig« ist, dennoch auf diese Weise von unschätzbarem Wert sein wird, und das wird ihn gegenüber Anfeindungen stärken, es handle sich nur um Gegenpropaganda. Natürlich, wenn entdeckte rechtmäßige Beweise offensichtlich wahr sind, dann sind die der Höhepunkt der Geschichte.

Wenn der Protagonist als Dokumentarist, als Journalist und als Mensch Beweise entdeckt, auf der Basis von Beweisen von Experten und Whistleblowern, die in der realen Welt existieren (selbst wenn wir ihre Namen ändern müssen), dann bleibt mein dokumentarisches Ethos stark, und ich würde sehr gerne bei einem Dokumentarroman mitmachen. Auch würde ich mich gerne um eine Version als Graphic Novel kümmern.

Herzlich,
David

PS: Ich habe einen Abschluss in Bioengineering von einer Top-Uni. Ich kenne die Wissenschaft (und ihre Sprache) sehr, sehr gut.

Ross Perlin, Amy Daunis Bernstein und Peter Bernstein

Später haben David und Janice noch viel über ihre Leseerfahrung geschrieben, was für Michael sehr von Nutzen war – er ist im gleichen Alter wie ich, doch er brauchte die Ermutigung, Ermutigung von so außerordentlichen Menschen wie Janice und David. Anschließend hat Michael über mich Ross Perlin kennengelernt, den Übersetzer von *Bullets and Opium: Real-life Stories of China after the Tian'anmen Square Massacre*, die beiden haben sich per Telefon unterhalten und beschlossen zusammenzuarbeiten.

Ich möchte hiermit Michael, Janice, David, Ross und meinen so umsichtig weltweit tätigen Agenten Amy Daunis Bernstein und Peter Bernstein meinen herzlichsten Dank aussprechen! Ohne euch gäbe es die zu Recht als perfekt zu bezeichnende englische Version dieses Buches nicht. Lieber Michael, du bist eine Wucht, möge unsere so perfekte Zusammenarbeit noch viele Jahre andauern!

Peter Hoffmann und Brigitte Höhenrieder

Mitte Juni war das Buch abgeschlossen und die englische Übersetzung auf dem Weg. Ich habe das chinesische Original auch an Prof. Peter Hoffmann, den Leiter des Arbeitsbereichs Chinesisch, und Dr. Brigitte Höhenrieder vom Arbeitsbereich Interkulturelle Germanistik am FTSK Germersheim der Johannes-Gutenberg-Universität Mainz geschickt – die Hauptübersetzer meiner Werke ins Deutsche, von denen u.a. *Fräulein Hallo und der Bauernkaiser*, *Für ein Lied und hundert Lieder* und *Gott ist rot* auf breite Anerkennung gestoßen sind und mir zu einer ganzen Reihe von Ehrungen wie dem Geschwister-Scholl-Preis und dem Friedenspreis des Deutschen Buchhandels verholfen haben – ohne ihren Zuspruch wäre mir alles sehr viel schwerer geworden. Schließlich haben sie nach einer eingehenden Lektüre dem S. Fischer Verlag geschrieben:

Der Dokumentarroman Liao Yiwus gibt einen spannenden, wie immer glänzend geschriebenen Einblick in das Leben und den Umgang mit dem Coronavirus in China, der viele Informationen und Details auf der Grundlage chinesischsprachiger (oft kurzlebiger Internet-) Quellen vermittelt, die deutschen Lesern im Allgemeinen nicht zugänglich sind. Das multiperspektivische Verweben unterschiedlicher Themen macht die Darstellung lebendig und plastisch. Dabei werden keine Verschwörungstheorien verfolgt, sondern Fragen gestellt und Hinweise gesammelt, wo bisher zufriedenstellende Antworten fehlen. Ein Plädoyer, wie immer bei Liao Yiwu, für Menschlichkeit und Menschenrechte.
Ein wichtiges Buch für alle, die eine Ahnung davon bekommen wollen, wie China aktuell agiert – eine Innenperspektive von außen und eine Außenperspektive von innen.

Ich danke Peter Hoffmann und Brigitte Höhenrieder von ganzem Herzen! Ohne euch und den S. Fischer Verlag hätte ich im deutschen Sprachgebiet niemals eine so große Leserschaft erreicht! Berlin, wo ich heute in Frieden mit Frau und Tochter lebe, ist mir, dem Mann aus dem alten Staat Shu (Sichuan), zur zweiten Heimat geworden.

Dem Asian-Culture-Verlag in Taiwan und Liao Zhifeng

Schließlich möchte ich Liao Zhifeng, dem Chefredakteur des Asian-Culture-Verlags, von Herzen danken – seit 2009 und dem Buch, das später in der englischen Übersetzung *The Corpse Walker* (deutsch: *Fräulein Hallo und der Bauernkaiser*) heißen sollte, ist er der Herausgeber der muttersprachlichen Ausgaben meiner Bücher, bis heute hat der Asian-Culture-Verlag elf davon herausgebracht. Viele chinesische Leser nutzen ihre Reisen nach Taiwan, um dort meine in China verbotenen Bücher zu kaufen; sie bringen sie auf das Festland und sorgen dafür, dass »Raubkopien« davon auf den Straßenmärkten meines »Vaterlands« verbreitet werden – diesmal hat Liao Zhifeng wegen der nie dagewesenen weltweiten Ausbreitung des neuen Coronavirus in ebenso nie da gewesener Weise beschlossen, am 9. Mai 2020 gleich zwei Bücher von mir herauszubringen: *18 Gefangene und der Ausbruch von zwei Hongkonger Bürgern* und *Wuhan. Ein Dokumentarroman*.

Besonders wertvoll war mir dabei, dass sich Liao Zhifeng bei allem Stress die Zeit genommen hat, die neuen Sachen genau und kritisch zu lesen, er hat drei Änderungen vorgeschlagen, die ich nur zu gern aufgegriffen habe. Wenn ich auf seine Publikation von *Die Wiedergeburt der Ameisen* vor zwei Jahren zurückschaue, so hat er das ähnlich professionell redigiert und Vorschläge gemacht, die ich aufgegriffen habe. Dann hat es nicht lange gedauert, bis das Buch von der Hongkonger Zeitschrift *Asiaweek* als einer der »Zehn großen Romane der chinesischsprachigen Welt« ausgewählt wurde.

1. bis 6. August 2020

LETZTES NACHWORT

Heute ist der 2. September 2021, spät in der Nacht, ich schaue noch die E-Mails meines New Yorker Agenten durch, September vergangenes Jahr, an die zehn amerikanische Verlagshäuser hatten das erste Manuskript meines Wuhan-Buches abgelehnt: Man fühlte sich erinnert an *Die Nacht*, wo Elie Wiesel seine Erfahrungen im KZ von Auschwitz beschreibt, ein Text, der ebenfalls von an die zehn (jüdischen) Verlagshäusern abgelehnt worden war – später hat Wiesel erklärt, der Holocaust sei noch zu nahe gewesen und die Menschen nicht bereit, die kaum vernarbte Wunde wieder aufzureißen.

»Wäre es leichter gewesen, wenn die Wunde schon lange vernarbt gewesen wäre?«, murmelte ich, als mich unversehens eine neue Mail erreichte, von einer Menschenrechtsaktivistin namens Wang Jianhong. Sie schrieb: »Heute ist Zhang Zhans 38. Geburtstag, könnten Sie bitte etwas über sie schreiben …«

Sie bat mehrmals inständig, ich konnte also schlecht nein sagen und öffnete auf YouTube ein Video von Zhang Zhan. Es war der Vormittag des 27. April 2020, sie war an der Umgrenzungsmauer des P4-Labors von Wuhan und legte ohne Umschweife los: »Das P4-Labor, ich bin zum dritten Mal hier, die kleine Straße hier ist frisch angelegt, auf der anderen Seite ist das P4-Labor …«

Eine vor einem Jahr schon abgeschlossene Geschichte beginnt von vorne – der Eindringling Kcriss wird kontrolliert und gejagt und ist jäh spurlos »verschwunden«; anderthalb Monate später erreicht ein weiterer Eindringling namens Zhang Zhan das »andere Ufer«, die Paramita des Erwachens.

»Alle Protagonisten dieses Buchs werden abgeführt werden …« Stimmt, sie sind alle abgeführt worden, am Ende werden sie vergessen sein. Und ich bin nicht mehr als ein kleiner Protokollant, ein nutzloses Etwas mit einem schmerzenden Stachel im Herzen.

Doch etwas anderes ist mir nicht gegeben. Wang Jianhong konnte ich nur antworten:

Nietzsche sagt: »Gott ist tot!«
Was auch immer ich schreibe, es hat keinen Zweck, ich weiß das.
Weil, wie es aussieht, auf diesem Erdball die Tragödien nicht enden wollen.
Vor kurzem kam Video über Video: der Flughafen von Kabul, viele einfache Leute wollten nur noch weg, wie von Sinnen kletterten sie auf schon rollende amerikanische Flugzeuge, kurz später stürzte jemand ab, der sich an das Radwerk eines Flugzeugs gehängt hatte.
Himmel, die Hoffnung auf Freiheit war in diesem zerschmetterten Menschen stärker gewesen als das Leben.
Kurz darauf gab es auf dem Flughafen von Kabul in der gleichen wogenden Menge einen Selbstmordanschlag des »Islamischen Staates«, 184 Menschenleben in einem Augenblick ausgelöscht, auch 13 amerikanische Soldaten – ausgelöscht. Doch die Taliban, die sämtliche Zufahrtswege zum Flughafen überwachten, verkündeten, mit den Taliban der Gruppe um Bin Laden, die die Terroranschläge vom 9.11. geplant hat, nichts zu tun zu haben.
So viele Tragödien! So viele Tragödien!
Und bei all diesen Tragödien vergisst man leicht die Tragödie einer vereinzelten Ameise.
Diese denkende Ameise heißt Zhang Zhan.
Am 23. Januar 2020, am Vorabend des traditionellen Frühlingsfests, war sie eine von vier Bürgerjournalisten der WeMedia, die nach der aufgrund der unkontrollierten Verbreitung des Virus ins Werk gesetzten militärischen

Abschottung von Wuhan, der größten Stadt in Mittelchina, unerlaubt in dieses »Tschernobyl«, das Ausgangsgebiet des hochinfektiösen Virus, eingedrungen waren.
Die anderen waren Fang Bin, Chen Qiushi und Li Zehua (Kcriss); sie wurden »zu Hausarrest« verurteilt und sind dann auf geheimnisvolle Weise verschwunden; Zhang Zhan, die Vierte im Bunde, zeigte als Bürgerjournalistin die größte Entschlossenheit.
Als sie zum ersten Mal meine Aufmerksamkeit auf sich zog, war sie mutterseelenallein und ohne jede Schutzausrüstung zu dem Ort unterwegs, an dem, wie man sich erzählte, der Ursprung des Virus lag: dem der Chinesischen Akademie der Wissenschaften unterstellten P4-Labor des Virusforschungsinstituts von Wuhan; sie hatte keine Möglichkeit, auf das Gelände zu kommen, also ging sie bei ihrem Bericht in einem großen Bogen um die Umgrenzungsmauer des P4-Labors herum, wagte aber nicht, irgendwelche Behauptungen aufzustellen, und sagte nur: Hier, in einem eckigen und in einem runden Gebäude, liegt womöglich auch der Ursprung des Virus. Am Ende dauerte es nicht lange, und sie wurde verhaftet.
Zhang Zhan war sich keiner Schuld bewusst, sie hielt es für die Pflicht und Aufgabe jedes Bürgers, die Wahrheit herauszufinden. Nur mit der Wahrheit und mit der Aufklärung von Gerüchten könne man dem Virus wissenschaftlich beikommen, Fehler ausräumen und verhindern, dass das Virus sich weiter auf der ganzen Welt verbreitet. Unter Umständen, die ihr selbst nicht ganz erklärlich waren, war sie zu einem neuen Liu Xiaobo geworden, dem Friedensnobelpreisträger von 2010 – der von sich selbst gesagt hatte: »Ich habe keine Feinde!«, selbst aber einer der gefährlichsten Feinde der kommunistischen Diktatur war – ob man einen politischen Standpunkt hat oder nicht. Wenn man sich für die Wahrheit interessiert

und sich unbeirrt auf die Suche macht, wird man zum gefährlichsten Feind der kommunistischen Diktatur.
Deshalb wurde sie klammheimlich verhaftet und hat in diesem Menschheitsunglück, zu dem das Virus aus Wuhan geführt hat, den höchsten Preis gezahlt: Von ihrer Verhaftung bis zu ihrer Verurteilung vergingen siebeneinhalb Monate, und da sie sich weigerte, ein Geständnis abzulegen, wurde sie misshandelt und gefoltert. Von einem langen Hungerstreik geschwächt, konnte sie ihr Urteil nicht im Stehen entgegennehmen, sie saß, die Hände auf dem Rücken gefesselt, im Rollstuhl. Wie Dutzende der größten Städte Chinas war auch ihr Mund locked down, aber ihre Mimik und die Bewegung ihrer Gliedmaßen haben weiter deutlich gemacht, dass sie niemals klein beigeben würde.
Sie wurde vom zuständigen Gericht zu vier Jahren Haft verurteilt. Sie hätte Rechtsmittel einlegen können, für sie aber war dieses Gericht die gleiche Farce, der gleiche ausgemachte Schwindel wie in Kafkas Roman Der Prozess. Sie ging in Hungerstreik. Gut zwei Monate später wurde sie zur Umerziehung durch Arbeit zum Strafvollzug nach Shanghai verlegt, ihr Hungerstreik ging weiter, sie war völlig abgemagert, und ihr Leben hing an einem seidenen Faden, Menschenrechtsorganisationen im In- und Ausland schrieben Appelle aus Sorge, sie könne im Gefängnis sterben. Doch wenn man ein Regime vor sich hat, das kalt ist bis ans Herz, ist eine »Drohung mit dem eigenen Tod« nutzlos! Für Zhang Zhan war das allerdings nicht wichtig, wichtig war, dass sie den Kopf nicht beugte. Wo jeder Gedanke an »Zivilcourage« und jede entsprechende Handlung als Verbrechen gilt, blieb ihr nichts als Selbstverstümmelung, Hungerstreik und Freitod, um zu zeigen, dass das Verlangen des Menschen nach Wahrheit seine Bestimmung ist.
Bestimmung, das hätte man im alten China gesagt, im Westen heißt das »Natur des Menschen« oder »Menschsein«.

Zhang Zhans Mut und Standhaftigkeit erwachsen aus einer Minimalforderung an Menschlichkeit: Wenn du aus Feigheit oder Angst vor diesem »Menschsein« Augen und Ohren verschließt, dann bedenke, dass du als Mensch geboren bist und nicht als Hund, der vor Mördern jaulend den Schwanz einzieht!
Oriana Fallaci, eine der bekanntesten Journalistinnen Italiens, schreibt am Ende ihres Meisterwerks Ein Mann: »Ich glaube, das beste Denkmal für die Würde des Menschen steht auf der Peloponnes. Es ist keine Statue und auch keine Fahne, es sind nur drei griechische Buchstaben: OXI – das heißt: NEIN.
Warum denn muss man Schmerzen ertragen, warum denn kämpfen, warum denn das Risiko eingehen, von den Bergen ins Meer zu den Krabben geweht zu werden? Weil, wenn man kein Schaf sein will, das die einzige Form zu leben ist, als Mann, als Frau und als Mensch.«
Ich bitte um Unterstützung für Zhang Zhan, ich bitte um Unterstützung für diese von Fallaci gemeinte so schwache Frau, die für die Tatsache, dass die »Katastrophe von Wuhan« das gleiche Ausmaß hat wie die von »Tschernobyl«, bereit ist, mit ihrem Leben zu zahlen. Als Dichter und Schriftsteller, der seit 10 Jahren im Exil lebt, hoffe ich, dass meine westlichen Leser begreifen: Wenn man die Suche nach Wahrheit und Wissenschaft aufgibt, wenn die Globalisierung ausschließlich aus Profitstreben besteht, dann ist die Prophezeiung oder Warnung Nietzsches Realität geworden: »Gott ist tot!!!«

»Gott ist tot! Gott bleibt tot! Und wir haben ihn getötet! Wie trösten wir uns, die Mörder aller Mörder? Das Heiligste und Mächtigste, was die Welt bisher besaß, es ist unter unsern Messern verblutet – wer wischt dies Blut von uns ab? Mit welchem Wasser könnten wir uns reinigen? Welche Sühnefeiern, welche heiligen Spiele werden wir erfinden müssen? Ist nicht die Größe dieser Tat zu groß für uns?

Müssen wir nicht selber zu Göttern werden, um nur ihrer würdig zu erscheinen?«
Friedrich Nietzsche, *Die fröhliche Wissenschaft, Aphorismus 125*

WIR ERWARTEN DIE NACHRICHT VON IHREM TOD

14. November 2021, Mittag, die Menschenrechtsaktivistin Wang Jianhong, schickt mir per Email einen »Schriftlichen Antrag auf medizinische Behandlung Zhang Zhans außerhalb des Gefängnisses«, den die Angehörigen von Zhang Zhan an die Shanghaier Gefängnisverwaltung gerichtet haben.

Sehr geehrte Führung,

ich bin Zhang Ju, der ältere Bruder von Zhang Zhan. Zhang Zhan sitzt zur Zeit im Bereich 5 des Shanghaier Frauengefängnisses ein, ihre Gefangenennummer ist 27997. Im August 2021 haben wir im Besuchsraum des Frauengefängnisses mit der ins Krankenhaus verlegten Zhang Zhan und ihrem Arzt telefonieren können. Daher wissen wir, dass Zhang Zhan extrem geschwächt ist und keine 40 Kilo mehr wiegt. Zhang Zhan ist 1,77 m groß, ihr normales Körpergewicht liegt bei 60–65 Kilo. Seit ihrer Internierung im Shanghaier Untersuchungsgefängnis, bis zur Verlegung in das Frauengefängnis, ist Zhang Zhan aus verschiedenen Gründen so schwach geworden, dass sie nichts mehr standhält. Ich habe den Arzt gefragt, ob Zhang Zhan sterben könnte. Der Arzt hat mir unmissverständlich gesagt, dass das sehr gut möglich ist.
Am 29. Oktober 2021 wurde meine Mutter vom Gefängnis aufgefordert, ins Gefängnis zu kommen und mit Zhang Zhan

über Video zu sprechen. Die Zhang Zhan, die meine Mutter dort zu Gesicht bekam, muss noch geschwächter gewesen sein als die, mit der wir im August telefoniert hatten, sie hat offenbar weiter an Gewicht verloren, beim Gehen musste sie gestützt werden, sie hatte nicht einmal mehr genug Kraft, den Kopf aufrecht zu halten, Gesicht und Stirn waren nur Haut und Knochen, total blass. Ihr Leben hängt am seidenen Faden. Zhang Zhans Zustand ist so schlecht, dass sie alleine nicht mehr gehen kann. Nur gestützt und gehalten, schafft sie mit Mühe 20–30 Meter. Meine Mutter war über diese schrecklichen Nachrichten derart entsetzt, dass sie vor den Gefängnisangestellten auf die Knie fiel, in der Hoffnung, sie möchten Zhang Zhan eine humane Behandlung zukommen lassen.

Die lange Haft und das Hungern haben in Zhang Zhans Organen und in ihrem Hormonsystem irreparable Schäden verursacht. Nach den entsprechenden Bestimmungen in der »Mitteilung über die ›Regeln eines vorübergehenden Aufenthaltes außerhalb des Gefängnisses‹ des staatlichen Gesundheits- und Geburtenplanungskomitees, des Justizministeriums, des Ministeriums für öffentliche Sicherheit, der obersten Volksstaatsanwaltschaft und des höchsten Volksgerichtshofs« erfüllt Zhang Zhans gegenwärtiger miserabler Gesundheitszustand bereits die entsprechenden Bedingungen für eine »Krankenhausbehandlung außerhalb des Gefängnisses«. Aufgrund dieser gesetzlichen Regelungen, oder alternativ aus humanitären Gründen, stellen wir hiermit den Antrag, Zhang Zhan bitte eine Krankenhausbehandlung außerhalb zu erlauben. Wir sind uns absolut darüber im Klaren, dass Zhang Zhans Fall eine gewisse Sensibilität aufweist. Wir als ihre Angehörigen werden bereitwillig bei allen entsprechenden Forderungen der Polizei, des Gefängnisses und entsprechender Abteilungen kooperieren.

Zhang Ju
6.11.2021

Vor zwei Monaten habe ich das letzte Nachwort dieses Buches, »Gott ist tot«, an viele Menschen im Westen geschickt, unter anderem an den ehemaligen Vorsitzenden des amerikanischen National Endowment for Democracy (NED), Karl Gershman. Karl war zutiefst bewegt und leitete es an die Washington Post weiter. Vor fünf Tagen brachte die Post im Namen der Redaktion folgende Stellungnahme: »Opinion: She told the truth about Wuhan. Now she is near death in a Chinese prison«. Die Schlussfolgerung: »Ms. Zhang should be saluted for her intrepid attempts to record the chaos and cataclysm of Wuhan in those early weeks. She was a sentinel of a looming disaster. Her journalism was not a crime. She must not spend another moment behind bars. She must not be allowed to die.«

In meinem Kopf drehte und drehte sich dagegen immer nur ein Satz von Zhang Zhans Bruder auf Twitter: »Meine Schwester wird womöglich nicht mehr lange leben, der kalte Winter steht vor der Tür, wenn sie ihn nicht durchsteht, wird sich die Welt hoffentlich an sie erinnern, wie sie einmal war.«

Was kann ich über einen sehr begrenzten Appell und meine Aufzeichnungen hinaus tun? Aus Becketts unsterblichem Drama Warten auf Godot ist jetzt und hier ein »Warten auf den Todgott« geworden – Millionen chinesische Internetnutzer, die das Schicksal von Zhang Zhan verfolgen, wissen, Godot oder der Todgott, am Ende wird er erscheinen, nur weiß keiner wann und wo, vielleicht in einer Zelle, vielleicht wie bei Liu Xiaobo während einer dem Gesetz gemäßen nominellen »Krankenhausbehandlung außerhalb des Gefängnisses«, aber doch immer noch in Gefangenschaft.

Während wir auf die Nachricht von ihrem Tod warten, sind uns die Hände gebunden. In der Bibel gibt es das Wunder der Auferstehung, Bericht oder Erfindung, lässt es, wie auch Godot, die vom globalisierten Internet beherrschte Menschheit von Tag zu Tag mehr die Geduld verlieren. Ich bin inzwischen seit 10 Jahren im Exil, bin weit genug von der Einflusssphäre der chinesischen Kommunisten entfernt und lebe dennoch im Schatten des Virus aus Wuhan, der noch weniger Grenzen kennt als der Nuklearunfall von Tschernobyl. Hans Balmes, dem Lektor der deutschen Ausgabe meines Buches Wuhan, habe ich über dieses geschrieben: »Die fiktionalen wie die nicht-fiktionalen Figuren im Buch sind eine nach der anderen verschwunden, die letzte, eine Frau mit Namen Zhang Zhan, gehört nicht zu den spurlos Verschwundenen, doch sie wartet auf den Tod ...«

Zhang Zhan hat über Wuhan 122 Videos auf unabhängigen sozialen Medien gepostet, Kcriss vier. Gemeinsam ist diesen »Draufgängern«, dass sie das P4-Labor zu ergründen versuchten. Zhang Zhans längstes Video dauert 21 Minuten und 46 Sekunden, es ist vom 27. April 2020, und sie hat es unter dem Titel Besuch beim geheimnisvollen Virologischen Forschungsinstitut von Wuhan: Hat der Ursprung des Virus mit diesem Ort zu tun? höchstpersönlich auf Youtube hochgeladen. Siebzehn Tage später wurde sie von der Shanghaier Polizei verhaftet, über die Provinzgrenzen hinweg, die Straftat: »Unruhestiftung.«

Ich habe Zhang Zhans vereinzelte und atemlose Kommentare im Film niedergeschrieben und zusammengestellt:

Ich habe erst nach drei Uhr nachts Schlaf gefunden, um acht in der Früh hat mich der Wecker wieder geweckt.

Das P4-Labor, ich bin dieses Jahr zum dritten Mal hier. Der Weg unter meinen Füßen ist frisch angelegt, direkt nebenan ist das P4, auf einer Mauer ist Hochspannungsstacheldraht, die Armee hat die Kontrolle übernommen, niemand kommt mehr hinein. Ich gehe trotzdem noch einmal rum, einen Ver-

such ist es wert. Denn es findet weltbekannte, höchst gefährliche Virenforschung in jenen teils runden, teils viereckigen Gebäuden statt ...
Die Umgebung hier ist perfekt, hinter mir grüne Berge, vor mir eine Wiese mit einem kleinen Fluss, irgendwelche schwarzen Vögel, keine Ahnung welche, fliegen über mich hinweg. Ohne die Hochspannungsleitung und diese Arbeitseinheit hinter Mauern ... Als ich das letzte Mal hier war, bin ich auf den Berg gestiegen, bis ich zu einer Schlucht kam und es nicht mehr weiterging. Dichter Wald verstellte mir dann die Sicht. Am Berg gibt es einen Friedhof, weckt in uns kummervolle Erinnerungen an die Toten.

Bei jedem Besuch bietet sich mir ein anderer Anblick, stoße ich auf etwas anderes, jedes Mal dringe ich ein wenig weiter vor. Unsere Suche nach der Wahrheit über die Herkunft des Virus funktioniert nur mit beharrlicher Geduld. Hier bin ich der Hintertür schon ganz nah, solange es keine Beweise gibt, müssen wir raten, wie das Virus von der Fledermaus zum Menschen gekommen ist, wie es auf die Tische gefräßiger Allesfresser gekommen ist, Gerüchte unter den Leuten, Verschwörungstheorien und all das haben ihre Wurzeln letztlich in Angst vor der Staatsmacht und dem System. Niemand hat die Möglichkeit, es zu stoppen. So wie heute suchen wir die Wahrheit von außen, bei der Suche nach einem Weg sind wir auf unsere Instinkte angewiesen.

Okay, jetzt bin ich von der Schutthalde runter, alles voller Unkraut, da sollte es keine Schlangen geben. Direkt vor uns befindet sich ein rotes Gebäude im Bau, in der Ferne sind vier hohe Schornsteine zu sehen, das Gebäude hinter den Schornsteinen ist das P4. Wie bei jedem meiner Besuche kann ich die Brennöfen und Maschinen hören.

Soweit ich sehen kann, ist das P4 inzwischen mit Eisenzäunen, Eisenplatten und Stahlplatten umzäunt worden, ich würde gern für meine Zuschauer noch ein paar Perspekti-

ven mehr einfangen, und ein paar mehr Details. Aber egal von welcher Position aus man es versucht, überall trifft man auf die Überwachungskameras und selbst andere Orte innerhalb der Ummauerung sind nochmal vom P4 abgetrennt ...

Eine Sperrzone in der Sperrzone ...

Berlin, 8. Juni 2020 Vollendung des Manuskripts

Geändert am 15. Juni
Noch einmal geändert am 19.10.2020
Noch einmal korrigiert am 22.2.2021
Noch einmal korrigiert und geändert am 2.9.2021
Noch einmal korrigiert und geändert am 14.11.2021

ANMERKUNGEN DER ÜBERSETZER

Seite 7 Ein »P4-Labor« ist ein biologisches Hochsicherheitslabor der höchstmöglichen Sicherheitsstufe 4, in Deutschland entsprechend »S4-Labor« genannt. Erforscht werden dort u. a. hochansteckende Viren, die Pandemien auslösen können und für die noch kein Mittel zur Vorbeugung und Heilung existiert.

Seite 9 In ihrem selbstfinanzierten, unabhängigen Dokumentarfilm *Unter der Glocke* aus dem Jahr 2015, international bekannter unter dem englischen Titel *Under the Dome*, berichtet die Filmemacherin und Journalistin Chai Jing (*1976), ehemals Moderatorin beim Chinesischen Zentralfernsehen und dort schon mit vergleichsweise kritischer Berichterstattung befasst, über den lebensbedrohlichen Smog in China, die »Dunstglocken« insbesondere über vielen chinesischen Städten.

Seite 9 Skynet, »Himmelsnetz«, heißt das landesweite Videoüberwachungssystem der Regierung der Volksrepublik China, mit Millionen öffentlicher Kameras im ganzen Land und mit digitaler Speicherung umfangreicher Datenmengen, Gesichtserkennung und künstlicher Intelligenz.

Seite 10 Fang Bin, Geschäftsmann, bei Ausbruch der Covid-19-Epidemie wohnhaft in Wuhan, einer der sogenannten »Bürgerjournalisten«, zu denen Kcriss ebenfalls zählt, die gegen alle Gefahr kritischer Berichterstattung in China Missstände aufzuklären suchen. Begann Anfang des Jahres 2020, mit Live-Videos auf YouTube und der chinesischen Internetplattform WeChat über die Situation in Wuhan während der Epidemie zu berichten, gilt deshalb als Whistleblower und wurde Anfang Februar 2020 mehrmals verhaftet. Seither spurlos verschwunden.

Seite 10 Chen Qiushi (*1985), Anwalt mit Spezialisierung auf

Arbeitsrecht und geistiges Eigentum, ebenfalls Bürgerjournalist. Berichtete 2019 bis 2020 mit Videos auf der chinesischen Internetplattform Weibo über die Proteste in Hongkong gegen das Gesetz zur Auslieferung Oppositioneller an die VR China, später über die Covid-19-Epidemie in Wuhan. Wich aufgrund der Schließung seiner chinesischen Accounts wegen der Hongkong-Berichterstattung auf YouTube und Twitter aus, Anfang Februar 2020 gleichfalls verhaftet und in einmonatige »Quarantäne« verbracht, anschließend in Polizeigewahrsam, lebt inzwischen angeblich unter strenger Überwachung und ohne Kontakt zur Außenwelt in verschärftem Hausarrest.

Seite 13 Das berühmte »Bad Maos im Yangtse« 1966, womit er zeigen wollte, dass er noch voller Kraft und Lebensenergie war – eine Propagandaveranstaltung, der die Auslösung der Kulturrevolution (1966–1976) auf dem Fuß folgte.

Seite 13 »... sein Schlag stäubt das Wasser 3000 Meilen«, Zitat vom Anfang des Textes *Zhuangzi* (im Deutschen auch bekannt als *Das wahre Buch vom südlichen Blütenland*) durch Mao, wo der mythische Vogel Peng diese Fähigkeit besitzt.

Seite 21 Tao Yuanming (4.–5. Jh. n. u. Z., genaues Geburts- wie Todesjahr sind kontrovers), einer der berühmtesten Dichter Chinas, mehrfach in der Verwaltung des Reichs (Östliche Jin-Dynastie) tätig, zog sich jedoch jedes Mal aus Unzufriedenheit mit den Zuständen zurück. Zuletzt Landwirt auf seinem Gut, wo er sich gleichzeitig seinem lyrischen Werk widmete, das sich insbesondere mit Themen des Rückzugs aus der (schlechten) Welt befasst.

Seite 21 Jing Ke (gest. 227 v. u. Z., Geburtsjahr unbekannt) beging ein – gescheitertes – Attentat auf den ersten chinesischen Kaiser Chinas, Qin Shihuangdi (259–210 v. u. Z., Regierungszeit: 221–207), von dem die *Aufzeichnungen der Historiker*, vgl. Anmerkung zu S. 41, im Kapitel *Biographien von Attentätern* berichten. In jüngerer Zeit entstand dazu der chinesische Spielfilm *Der Kaiser und sein Attentäter* (1999).

Seite 21 Die Zeile stammt aus Tao Yuanmings Gedicht *Ode auf Jing Ke*.

Seite 22 »Smurf« leitet sich von der englischen Bezeichnung »smurf« für »Schlumpf« ab und steht im Allgemeinen für einen frei gewählten Namen bei Online-Spielen. Wikipedia erklärt im Artikel *Gamersprache* dazu: »Meistens erstellen Spieler neue *Smurfs*, wenn ihnen an ihrem alten Nutzerkonto etwas nicht mehr passt, wie zum Beispiel das Sieg/Niederlage-Verhältnis, sie aufgrund ihres Bekanntheitsgrades einen Erfolgsdruck verspüren, sie einfach nicht erkannt werden wollen [...]. Sogenannte ›Smurf-Accounts‹ sind Zweit- oder Drittkonten.« *Wikipedia*, de.wikipedia.org/wiki/Gamersprache#S (6.6.2021)

Seite 22 Casey Owen Neistat (*1981), amerikanischer Internetvideoproduzent, YouTuber, auch Schauspieler, Regisseur und Produzent im (nicht virtuellen) Filmgeschäft.

Seite 26 »Papa Xi«, Spitzname für Xi Jinping.

Seite 27 »Dickwanst Plim Plum-Un« spielt auf den nordkoreanischen Diktator Kim Jong-un an, Übersetzung eines chinesischen Wortspiels, welches die chinesische Aussprache seines Namens »Jin Zheng-en« verballhornt zu »Jin San-peng«: Jin, der Dritte, Dickwanst.

Seite 28 *Shuanghuanglian*, pflanzliches Heilmittel, das in der traditionellen chinesischen Medizin (TCM) bei verschiedenen Erkrankungen, insbesondere der Atemwege, Anwendung findet. Besteht aus den Pflanzen Japanisches Geißblatt (Lonicera japonica), Chinesische Schädeldecke (Scutellaria baicalensis) und Hänge-Forsythie (Forsythia suspensa). Als in China bekanntgegeben wurde, dass es vor Corona-Erkrankung schützen soll, führte das zu einem Run auf Apotheken der TCM, wodurch das Mittel innerhalb kürzester Zeit ausverkauft war. Eine tatsächliche Wirkung des Medikaments ist jedoch bisher nicht bestätigt.

Seite 32 Spielt auf acht Heilige (Unsterbliche) der chinesischen Mythologie an, die auf Kunstwerken häufig bei der Überquerung des Meeres in ein jenseitiges Paradies dargestellt werden. Sie besitzen besondere Fähigkeiten und setzen sie ein, um Menschen zu helfen.

Seite 32 *Weibo* bedeutet auf Deutsch »Mikroblogging«, der größte chinesische Mikroblogging-Dienst, bekannt auch unter (dem früheren Namen) *Sina Weibo*.

Seite 36 *Yuan*, standardsprachliche Bezeichnung für die größte chinesische Geldeinheit, umgangssprachlich auch *Kuai*.

Seite 37 Anspielung auf das *Liaozhai Zhiyi, Seltsame Geschichten aus einem Gelehrtenzimmer*, das berühmteste Werk des chinesischen Schriftstellers Pu Songling (1640–1715), eine Sammlung von über 400 skurrilen Geschichten, vielfach über Geister und Liebe.

Seite 41 Sima Qian (etwa 145–90 v. u. Z.), chinesischer Historiker am Hof der frühen Han-Dynastie (206 v.–220 n. u. Z.), verfasste mit seinem Vater Sima Tan (etwa 165–110 v. u. Z.) und in dessen Nachfolge den historischen Klassiker *Aufzeichnungen der Historiker*, chinesische Geschichte von ihren frühesten Anfängen bis zur Han-Dynastie, gilt damit als Begründer der chinesischen Geschichtsschreibung. Als Mitarbeiter des Hofes hatte er Zugang zu den kaiserlichen Archiven.

Seite 51 Lu Xun (1881–1936), einer der bekanntesten und wichtigsten modernen Schriftsteller Chinas, setzte sich mit seinen Schriften und in der akademischen Lehre intensiv für eine Modernisierung der chinesischen Gesellschaft und Kultur ein. Gilt als Begründer der modernen Literatur Chinas.

Seite 54 Liao Yiwu, *Fräulein Hallo und der Bauernkaiser – Chinas Gesellschaft von unten. Aus dem Chinesischen von Hans Peter Hoffmann und Brigitte Höhenrieder.* Frankfurt am Main: S. Fischer, 2011.

Seite 59 Renminbi heißt »Volkswährung«, die offizielle Währung der Volksrepublik China, 1000 Renminbi entsprechen etwa 130 Euro.

Seite 66 *Sina Corporation, Sohu, Tencent* und *Alibaba*, chinesische Internetunternehmen, nacheinander gegründet in den 1990er Jahren, alle mit einem breiten Angebot an Internetdiensten.

Seite 72 Jiang Baishi, Künstlername, eigentlich Jiang Kui, Dichter und Komponist während der Song-Dynastie (960–1279), lebte Ende des 12., Anfang des 13. Jahrhunderts.

Seite 72 Kang Zhengguo studierte in der VR China an der Lehreruniversität Shaanxi, 1965 (kurz vor Beginn der chinesischen Kulturrevolution, 1966–1976). Als »reaktionäres Element« gebrandmarkt, konnte er 1994 China nach weiterhin größten Schwierigkeiten aufgrund seiner politischen Ansichten schließlich nach Amerika an die Yale Universität verlassen, dort Dozent für Chinesisch. Veröffentlichte 2007 ein Buch über sein Leben in China: *Confessions: An Innocent Life in Communist China.*

Seite 72 Fang Fang (*1955), chinesische Schriftstellerin, lebt in Wuhan, studierte an der Universität Wuhan chinesische Literatur, tätig fürs Fernsehen der Provinz Hubei, schreibt Romane und Erzählungen. Zwei Tage nach Beginn des Lockdowns von Wuhan startete sie am 25. Januar 2020 im Internet ein Tagebuch (*Wuhan Diary*), in dem sie in 60 Einträgen, der letzte am 24. März, aus Wuhan über die Ereignisse und Schwierigkeiten des Lebens während der Epidemie berichtete. Veröffentlichte ihre Einträge zunächst auf Weibo, wurde dort später gesperrt und nutzte andere Verbreitungswege. Auf Deutsch ist das Tagebuch erschienen als *Wuhan Diary: Tagebuch aus einer gesperrten*

Stadt. Übers. v. Michael Kahn-Ackermann, Hamburg: Hoffmann und Campe, 2020.

Seite 79 bioMérieux gehört mehrheitlich dem 1987 gegründeten Institut Mérieux und ist ein weltweit agierendes börsennotiertes französisches Unternehmen, das u. a. auf Produkte für *in vitro*-Diagnostik in Laboren spezialisiert ist.

Seite 81 Die »Neue Seidenstraße«, englisch »One Belt, One Road« (OBOR, »Ein Gürtel, eine Straße«), auch bekannt als *Belt and Road Initiative* (BRI), wurde 2013 unter Staatspräsident Xi Jinping ins Leben gerufen und versammelt verschiedene ökonomische Projekte im Interesse der VR China sowie den dafür nötigen Ausbau von Infrastruktur in Form von Häfen, Eisenbahnstrecken und Autobahnen in Kooperation mit über 60 Ländern Asiens, Afrikas und Europas. Anfangs als »Seidenstraße – Ökonomischer Gürtel« bezeichnet, nimmt damit Bezug auf die »alte Seidenstraße«, die antike Karawanenstraße von China in den Westen – zentrales Projekt der aktuellen chinesischen Außenpolitik, um den Einfluss Chinas in der Welt zu stärken.

Seite 84 Li Qingzhao (1084–etwa 1155), Lyrikerin der Song-Dynastie (960–1279), eine der bekanntesten chinesischen Dichterinnen. Ihre letzten bekannten Werke stammen aus dem Jahr 1151, genaues Todesjahr unklar.

Seite 85 »Kampagne zur Unterdrückung von Konterrevolutionären« (1950–1953), eingeleitet von der Kommunistischen Partei Chinas unter Mao Zedong, um jegliche Opposition gegen die kommunistische Revolution kurz nach Gründung der VR China (1949) auszuschalten, Millionen Menschen wurden verhaftet, Hunderttausende, möglicherweise über eine Million getötet.

Seite 89 Wuhan ist ein Verbund aus drei ehemals voneinander getrennten Städten: Wuchang, Hankou und Hanyang. Dazu kommt ein großes, eher ländlich geprägtes Umland.

Seite 90 Xu Zhangrun (*1962), chinesischer Jurist und Dissident.

Seite 91 »Gesellschaft mittlerer Einkommen«, ein Ziel im Rahmen der vier Modernisierungen Chinas seit 1979 von Deng Xiaoping bis Xi Jinping: Durch geeignete politische und wirtschaftliche Maßnahmen sollte sich in China eine breite Mittelschicht heranbilden, mit einem der Zeit angemessenen Einkommen für ein gutes Leben. Auf Dauer sollte somit gegen soziale Ungleichheit vorgegangen und gesellschaftliche Stabilität gewährleistet werden.

Seite 94 Der traditionelle chinesische Jahreswechsel richtet sich nach dem Mondkalender und war 2020 am 24. (Silvester) und 25. (Neujahrstag) Januar.

Seite 94 Larvenroller, katzenartige, nachtaktive, kleinere bis mittelgroße Raubtiere, kommen vor allem in Süd- und in Südostasien vor.

Seite 95 Unter anderem als *Buch des Gelben Kaisers zur Inneren Medizin* übersetzter medizinischer Klassiker *Huangdi Neijing*, eines der wichtigsten und bekanntesten Werke zur chinesischen Medizin, in seinen ältesten Teilen vor zwei Jahrtausenden entstanden, genaue Datierung unklar, im Verlauf der Geschichte mehrfach ergänzt und bis heute von grundlegender Bedeutung für die traditionelle chinesische Medizin.

Seite 96 *Tagesschau online* berichtete am 9.2.2021, nach dem Besuch von WHO-Experten in Wuhan: »Nach Ansicht der Experten ist es sehr wahrscheinlich, dass das Coronavirus in Fledermäusen entstanden ist. Weil aber Wuhan keine Stadt sei, in der es große Fledermauspopulationen gebe, sei es unwahrscheinlich, dass das SARS-CoV-2 genannte Coronavirus direkt von den Fledermäusen auf den Menschen übergesprungen sei, sagte Embarek.« www.tagesschau.de/ausland/asien/corona-experten-in-wuhan-101.html (6.6.2021).

Seite 96 *The Lancet*, deutsch »Die Lanzette«, eine der ältesten und renommierte medizinische Fachzeitschrift, erscheint wöchentlich, auch online (www.thelancet.com).

Seite 105 *Nature Medicine*, eine seit 1995 monatlich erscheinende biomedizinische Fachzeitschrift, richtet sich insbesondere an Wissenschaftler und Ärzte, auch online (www.nature.com/nm/).

Seite 108 »50-Cent-Partei«, direkt übersetzt »5-Mao-Partei«, wobei *Mao* eine chinesische Währungseinheit, ein Zehntel von einem *Kuai* bzw. *Yuan*, ist (tatsächlich nur gut ein Cent in Euro), so werden Kommentatoren im Internet bezeichnet, die von der chinesischen Regierung engagiert sind (aber angeblich auch selbst Regierungsmitarbeiter), um national wie international offizielle Propaganda der VR China zu verbreiten und so das Meinungsbild in Foren und sozialen Netzwerken im Sinne der chinesischen Regierung zu manipulieren. Sie sollen 5 Mao pro Beitrag für ihre Tätigkeit erhalten, woraus sich der Name ergibt. Da es sich bei der Übersetzung mit »50-Cent« um eine bereits eingeführte englische Übersetzung handelt, wurde sie hier übernommen.

Seite 117 *Huanglian*, Chinesische Goldfadenwurzel, Medikament der traditionellen chinesischen Medizin, gehört zu den sogenannten »kühlenden Kräutern«, hilft gegen Hitze im Körper, kann unter anderem gegen Völlegefühl, Verstopfung und andere Magen- und Verdauungsbeschwerden eingesetzt werden. Dieselben Schriftzeichen, die in dem angeblichen Mittel gegen Coronaviren, *Shuanghuanglian*, vorkommen.

Seite 121 Die Volkssage von Liang Shanbo und Zhu Yingtai ist eine der bekanntesten chinesischen Liebesgeschichten. Liang, ein junger Mann, und Zhu, eine junge Frau, haben sich ineinander verliebt und ewige Liebe geschworen, dürfen aber nicht heiraten, weil für Zhu ein anderer Mann vorgesehen ist. Liang stirbt darüber aus Kummer, Zhu kommt am Tag ihrer Hochzeit an seinem Grab vorbei, fleht, dass dieses sich für sie öffnen möge, und steigt hinein, als das geschieht. Kurz darauf entfliegen dem Grab zwei Schmetterlinge, die Seelen der Verstorbenen, die nun ihren Schwur erfüllen können und bis heute zu den berühmtesten Schmetterlingen Chinas gehören.

Seite 125 Zhuangzi (etwa 365–290 v. u. Z., auch Zhuang Zi, »Meister Zhuang«), sein eigentlicher Name war Zhuang Zhou, gehört zu den wichtigsten Philosophen der chinesischen Tradition und ist einer der Urväter des Daoismus. Von ihm selbst sollen die Anfangsteile der daoistischen Textsammlung *Zhuangzi* stammen, die übrigen Teile von seinen Schülern und Anhängern ergänzt worden sein. Zhuangzi gilt im Sinne seiner Denkrichtung als unkonventionell und eigenwillig. Ruan Ji (210–263), chinesischer Dichter während der Zeit der Drei Reiche, war ein Anhänger des Daoismus, gilt ebenfalls als eigenwilliger Kopf.

Seite 130 Zeile aus dem Gedicht »Die Gelbe Kranichpagode« des tangzeitlichen Dichters Cui Hao (etwa 704–754). Die vorliegende Übersetzung folgt Günther Debon: »Der Turm zum Gelben Kranich«, in *Lyrik des Ostens*, hg. v. Wilhelm Gundert, Annemarie Schimmel, Walther Schubring, München: Carl Hanser, 1952, S. 304. Die Papageieninsel war offenbar ehemals eine kleine Insel im Yangtse, heute nicht mehr vorhanden.

Seite 131 Li Bai (701–762), auch bekannt in den Umschriften Li Bo, Li Po, Li Taipo u. ä., Verfasser zahlreicher in China wie international in Übersetzungen sehr bekannter Gedichte, einer der berühmtesten chinesischen Dichter, gegen Ende seines Lebens (757–759) aus politischen Gründen verbannt.

Seite 133 Liao Yiwu, »Gao Ma, der Säufer« in *Die Dongdong-Tänzerin und der Sichuan-Koch. Geschichten aus der chinesischen Wirklichkeit*, übersetzt von Hans Peter Hoffmann, Frankfurt am Main: S. Fischer, 2014 (Taschenbuch), S. 369–381, bes. S. 380/81.

Seite 138 Der letzte Satz ist ein abgewandeltes Zitat einer Zeile aus einem Revolutionslied für Mao, im Original etwa: »Weder Vater noch Mutter sind uns lieb wie der Vorsitzende Mao«, eine Parole, mit der Kinder veranlasst wurden, ihre Eltern wegen politisch abweichender Meinungen und Aktivitäten zu denunzieren, die dann als »Rechtsabweichler« und »Konterrevolutionäre« gebrandmarkt, verhaftet, gequält oder auch getötet wurden. Auf allen chinesischen Geldscheinen ist Maos Kopf abgebildet.

Seite 149 Fan Zhongyan (989–1052), Minister der Nördlichen Song-Dynastie (960–1126), Schriftsteller und Verfasser des Essays »Zur Erinnerung an den Yueyang-Turm«, dessen Schluss hier zitiert wird.

Seite 151 Die Zhou-Dynastie (1100–256 v. u. Z.) herrschte noch in einem der mächtigen Reiche während der sogenannten »Frühlings- und Herbstperiode« (770–476 v. u. Z.), jedoch gewannen andere regionale Herrscherhäuser an Macht, und es kam zur sogenannten »Zeit der Streitenden Reiche« (475–221 v. u. Z.).

Seite 152 Anspielung auf den berühmten Affen Sun Wukong in dem klassischen Roman *Die Reise nach Westen* (16. Jh.).

Seite 154 *Han* und *Miao* sind zwei Ethnien des multiethnischen China. Die »Han«, mit über 90 % die mit Abstand größte Bevölkerungsgruppe Chinas, sind »die« Chinesen, auch wenn in sich selbst wieder durchaus heterogen. Dazu kommen 56 verschiedene staatlich anerkannte Minderheiten, zu denen die »Miao« zählen, die verschiedene, ursprünglich aus Südchina stammende Bergvölker umfassen. Trotz offizieller Anerkennung sind Spannungen zwischen ethnischen Minderheiten und der Hauptbevölkerung der Han in China teils aus historischen, teils aus politischen Gründen keine Seltenheit.

Seite 155 Wanli, Regierungsname von Kaiser Zhu Yijun (1563–1620, Regierungszeit: 1572–1620) während der Ming-Dynastie (1368–1644), deren am längsten regierender Kaiser.

Seite 155 Shen Congwen (1902–1988), geboren in Fenghuang (Phönix), einem Kreis im Nordwesten der Provinz Hunan, der zu einem sogenannten »Autonomen Bezirk« u. a. der ethnischen Minderheit der Miao gehört, väterlicherseits über eine Großmutter

Abstammung von den Miao. Neben Lu Xun einer der wichtigsten Vertreter der modernen chinesischen Literatur, in kommunistischen Kampagnen immer wieder vehement attackiert.

Seite 155 Nuo-Oper, chinesische religiöse Volksoper mit Masken, Tanz und Gesang, soll durch ihre Aufführung bösen Geistern, Krankheiten und anderen negativen Einflüssen entgegenwirken.

Seite 155 *Daodejing*, ursprünglich dem Weisen Laozi (Lao Zi) zugeschrieben, dem zweiten großen Daoisten neben Zhuangzi aus der Anfangszeit dieses Denkens, tatsächlich sind aber sowohl die Entstehungsgeschichte des Werks als auch die Existenz seines Autors, der im 6. Jh. v. u. Z. gelebt haben soll, ungeklärt. Übersetzt heißt der Titel etwa: »Klassiker vom *Dao* und von der Tugend (*De*)«, die Schrift beinhaltet heterogene Texte zu Grundfragen des Lebens und des Zusammenlebens der Menschen.

Seite 159 Färberwaidwurzel, weiteres pflanzliches Mittel der traditionellen chinesischen Medizin (TCM) gegen Hitze im Körper, u. a. gegen Rachen- und Kehlkopfentzündungen und Grippe.

Seite 159 Bei der allgemeinen Hysterie wurde ein Kräutersud der TCM (Shuanghuanglian) mit einem gleichlautenden, aber anders geschriebenen Mondkuchen verwechselt, wonach es auch einen Run auf diese Mondkuchen gab.

Seite 167 Su Dongpo (1037–1101), auch Su Shi, Politiker, Dichter, Maler und Kalligraph der Nördlichen Song-Dynastie (960–1126). Zählt mit Li Bai zu den wichtigsten Lyrikern der chinesischen Tradition.

Seite 179 Zitat des amerikanischen Schriftstellers Hal Borland (1900–1978), im Original: »No winter lasts forever, no spring skips its turn.«

Seite 179 Wang Zang (*1985), Schriftsteller und Kritiker der chinesischen Regierungspolitik.

Seite 188 Gedicht des berühmten Tang-Lyrikers Li Shangyin (813–858) mit dem Titel: »Ein Schreiben nach Norden im nächtlichen Regen«.

Seite 194 Baozi-Kaiser Xi, ein weiterer Spitzname Xi Jinpings nach einem in den Medien verbreiteten Besuch Xis bei einem Baozi-Stand am Mondtempel in Peking am 28.12.2013, der Volksnähe dokumentieren sollte.

Seite 194 Jin Shengtan (ca. 1610–1661), 1661 hingerichtet wegen Beteiligung an Protesten gegen einen korrupten Beamten.

Seite 195 Anspielung auf ein Buch Maos desselben Titels (engl.: *On Guerilla Warfare*) aus dem Jahr 1937, in dem er eine neue Form der Kriegsführung aus dem Hinterhalt und mit hochmobilen Kleingruppen entwickelt, um einen zahlenmäßig überlegenen Gegner, im konkreten Fall die japanischen Truppen im Zweiten Chinesisch-Japanischen Krieg (1937–1945), besiegen zu können.

Seite 199 Global Times, internationale chinesische Zeitschrift, publiziert wöchentlich eine englischsprachige Auswahl von Nachrichten der *Chinesischen Volkszeitung*, dem chinesischen Regierungsmedium, auch online.

Seite 207 Geschichte der Drei Reiche von Luo Guanzhong (ca. 1330–1400), weiterer klassischer Roman der chinesischen Literaturgeschichte, spielt zur Zeit der Drei Reiche im 3. Jh. u. Z. Zhuge Liang (181–234) war damals Armeeführer und erster Minister des (guten) Reiches Shu(-Han), positive Hauptfigur des Romans, kluger Kopf und genialer Militärführer. Die drei Reiche sind (das gute) Shu im Westen unter Liu Bei, (das böse) Wei im Norden unter Cao Cao und (das Östliche) Wu, gegründet von Sun Quan (222–252), im Süden. Liu Bei (161–223) war ein Kriegsherr am Ende der Han-Dynastie und Gründer des Königreichs Han von Shu, später der Shu-Han-Dynastie. Cao Cao (155–200) war ebenfalls ein berühmter Reichsführer und General am Ende der Han-Dynastie, Gründer und erster König des Reiches Wei, Vater des späteren Kaisers von Wei, Cao Pi. Cao Cao hat im Roman die Rolle des Bösewichts inne.

Seite 214 »Auf unserem Boden hat alles begonnen« ist ein Zitat des im Exil lebenden ehemaligen Studentenführers Wang Dan (*1969) über die Demonstrationen auf dem Platz des Himmlischen Friedens (Tian'anmen) in Peking im Juni 1989. Zur Bedeutung dieser Demonstrationen für Freiheit und Demokratie, sagte er weiter: »Wir sind die Generation Tian'anmen.«

Seite 216 Online www.nature.com/articles/nm.3985 (6.6.2021), der vorliegende Text ist das vorangestellte Abstract. Am 30. März 2020 wurde folgende Anmerkung ergänzt: »Editors' note, March 2020: We are aware that this article is being used as the basis for unverified theories that the novel coronavirus causing COVID-19 was engineered. There is no evidence that this is true; scientists believe that an animal is the most likely source of the coronavirus.«

Seite 217 Die deutsche Übersetzung folgt der chinesischen Überset-

zung des englischen Originals. Derselbe Abschnitt im englischen Original lautet (www.nature.com/articles/nm.3985, 6.6.2021):
»The emergence of severe acute respiratory syndrome coronavirus (SARS-CoV) and Middle East respiratory syndrome (MERS-CoV) underscores the threat of cross-species transmission events leading to outbreaks in humans. Here we examine the disease potential of a SARS-like virus, SHC014-CoV, which is currently circulating in Chinese horseshoe bat populations. Using the SARS-CoV reverse genetics system, we generated and characterized a chimeric virus expressing the spike of bat coronavirus SHC014 in a mouse-adapted SARS-CoV backbone. The results indicate that group 2b viruses encoding the SHC014 spike in a wild-type backbone can efficiently use multiple orthologs of the SARS receptor human angiotensin converting enzyme II (ACE2), replicate efficiently in primary human airway cells and achieve in vitro titers equivalent to epidemic strains of SARS-CoV. Additionally, in vivo experiments demonstrate replication of the chimeric virus in mouse lung with notable pathogenesis. Evaluation of available SARS-based immune-therapeutic and prophylactic modalities revealed poor efficacy; both monoclonal antibody and vaccine approaches failed to neutralize and protect from infection with CoVs using the novel spike protein. On the basis of these findings, we synthetically re-derived an infectious full-length SHC014 recombinant virus and demonstrate robust viral replication both in vitro and in vivo. Our work suggests a potential risk of SARS-CoV re-emergence from viruses currently circulating in bat populations.«

Seite 220 *Wolf warrior diplomacy* (»Wolfskriegerdiplomatie«) bezeichnet »einen aggressiven Diplomatiestil, dessen sich chinesische Diplomaten im 21. Jahrhundert unter Xi Jinpings Staatsführung bedienen. Der Begriff wurde nach einem *Rambo*-artigen Actionfilm geprägt, *Wolf Warrior 2*. Die *Wolf warrior diplomacy* ist deutlich aggressiver als die frühere diplomatische Praxis Chinas, die eher auf eine Vermeidung von Kontroversen und die Verwendung kooperativer Rhetorik aus war, ihre Anhänger prangern in den sozialen Medien und in Interviews jede Kritik an China lautstark an.« *Wikipedia*, en.wikipedia.org/wiki/Wolf_warrior_diplomacy (6.6.2021).

Seite 224 Die Idee eines »*Unrestricted War*« geht auf ein Buch von zwei Offizieren der Volksbefreiungsarmee, Qiao Liang und Wang Xiangsui, bereits aus dem Jahr 1999, zurück. Ein Artikel der Journalistin Franca Lu in der ZEIT *online* vom 13. April 2020 erläutert das Konzept: »*Unrestricted Warfare* ging aus dem Gefühl einer Dauerbelagerung von außen hervor. China hatte mitverfolgt, wie die UdSSR vor allem in den Siebziger und Achtzigerjahren [sic] einen unmöglich zu gewinnenden Rüstungswettlauf mit den USA eingegangen war und ihn verloren hatte. Als Konsequenz daraus entwickelten Qiao Liang und Wang Xiangsui einen neuen Begriff der Kriegführung. Zwar rüstete China auch damals bereits den eigenen Bestand an konventionellen Waffen auf, aber zusätzlich sollte nun laut den beiden Autoren gelten: ›In der heutigen Welt gibt es nichts, das nicht zur Waffe werden könnte, und deshalb müssen wir unser Verständnis von Waffen mit einem Bewusstsein schärfen, das alle Grenzen sprengt. (...) Ein künstlich herbeigeführter Börsencrash, ein Hackerangriff, ein Gerücht oder Skandal, der den Währungskurs des Feindes zum Absturz bringt oder seine Anführer im Internet bloßstellt, all das gehört nun ins Arsenal der Waffen neuer Art.‹« (www.zeit.de/kultur/2020-04/china-hilfe-coronavirus-pandemie-strategie-uneingeschraenkter-krieg, 6.6.2021).

Seite 226 Mao Zedong, *Über den langwierigen Krieg*. Peking: Renmin-Verlag, 1952.

Seite 230 Die Zahlen entsprechen dem Stand der jeweiligen Erzählzeit des Romans!

Seite 231 Li Hongzhang (1823–1901), General, Politiker und Diplomat der Qing-Dynastie (1644–1911), eine der mächtigsten und einflussreichsten Persönlichkeiten am Ende der letzten chinesischen Kaiser-Dynastie.

Seite 231 Liu He (*1952), chinesischer Politiker, seit 2017 Mitglied des Politbüros der KPCh, seit 2018 Vizeministerpräsident der Volksrepublik China.

Seite 237 Siehe die »Gemeinsame Erklärung der G7-Außenminister zu Hongkong« vom 18.6.2020, z.B. auf der Webseite *Deutsche Vertretungen in China (Startseite > Aktuelles > Presseerklärungen der Botschaft > Gemeinsame Erklärung der G7-Außenminister zu Hongkong)*, china.diplo.de/cn-de/aktuelles/erklaerungen/-/2353900 (6.6.2021).

Seite 243 Laozi, Kap. 73

Seite 252 Wu Zixu (gest. 484 v.u.Z.), Minister, Militärführer und Stratege des Staates Wu, der Legende nach auf der Flucht aus seinem Heimatstaat Chu in einem Versteck über Nacht gealtert.

Seite 256 Qu Yuan (340–278 v. u. Z.), Staatsmann und Dichter, Urheber zahlreicher berühmter Gedichte, an dessen angeblichen Freitod durch Ertrinken als Protest gegen erlittenes Unrecht und seine fehlgeschlagene Rettung durch auslaufende Boote noch heute in China mit dem alljährlichen Drachenbootfest im Juni erinnert wird.

Seite 258 Die Räuber vom Liang-Schan-Moor, ebenfalls einer der klassischen Romane, zusammengestellt aus Volkserzählungen, Herausgabe Shi Nai'an (ca. 1296–1372) und erneut Luo Guanzhong (s. o., ca. 1330–1400) zugeschrieben. Geschichte von Ausgestoßenen, die sich mit den Zuständen der Zeit nicht abfinden und ihr Leben am Liang-Schan-Moor durch Räubereien finanzieren. Der deutsche Titel folgt der bekannten Übersetzung von Franz Kuhn.

Seite 258 Guan Yu (160–219), weiterer chinesischer General am Ende der Han-Dynastie (206–220 n. u. Z.) und zur Zeit der Drei Reiche (ca. 208–280 n. u. Z.) sowie Figur im Roman *Die Geschichte der Drei Reiche*, als Symbol für Tapferkeit, Gerechtigkeit und Loyalität bis heute geehrt.

Seite 265 Lü Zhengcao (1904/05–2009), General der Volksbefreiungsarmee.

Seite 275 Das *Buch der Urkunden* oder auch *Shangshu*, einer der »Fünf Klassiker« der chinesischen Schrifttradition.

Seite 276 Zitiert nach der Bibelübersetzung Martin Luthers.

Seite 290 »Die Leitfähigkeit des Wassers ist eine wichtige Eigenschaft, aus der Rückschlüsse auf die Qualität des Wassers geschlossen werden können. Grundsätzlich ist reines Wasser nicht leitfähig, d. h., es leitet keinen elektrischen Strom. Erst im Wasser gelöste Stoffe wie Chloride, Sulfate oder Carbonate machen das Wasser leitfähig. Durch die Messung dieser Leitfähigkeit kann also auf die Menge der im Wasser gelösten Teilchen geschlossen werden. Je mehr Teilchen im Wasser gelöst sind, desto höher ist die Leitfähigkeit des Wassers. Man könnte auch sagen, je verschmutzter das Wasser ist, desto höher ist der Leitwert.« (www.wassertechnik.pro/wassertest/leitfaehigkeitleitwertmessung-wasser, 6.6.2021)

Seite 293 Francis Fukuyama (2011), *The Origins of Political Order: From prehuman times to the French Revolution*. Nach Fukuyama muss ein Staat sich an seine eigenen Gesetze halten und berechenbar sein, wenn er modern und stark sein will.

Seite 322 Wang Quanzhang (*1976), Bürgerrechtsanwalt, versucht als solcher, politisch verfolgten und benachteiligten Menschen in China zu ihren Bürgerrechten zu verhelfen, 2015 im Rahmen einer umfangreichen Verhaftungsaktion beginnend mit dem 9. Juli insbesondere gegen chinesische Rechtsanwälte und Menschenrechtsaktivisten verhaftet.

Seite 323 »9. Juni« verweist auf den Juni 2019, als in Hongkong beeindruckende Menschenmassen durch die Straßen zogen, um gegen das von der chinesischen Regierung geforderte Gesetz zur Auslieferung von Oppositionellen an die Volksrepublik China zu demonstrieren. In einem Bericht von Axel Dorloff aus dem ARD-Studio Peking auf *Tagesschau.de* heißt es dazu am 9.6.2020: »Es war genau vor einem Jahr, im Juni 2019, als in Hongkong der Protest das Straßenbild bestimmte – gigantische Demonstrationszüge durch die engen Straßenschluchten von Hongkong Island, vom Victoria Park bis zum Regierungssitz. [...] Am 9. Juni fand der erste Millionenmarsch in Hongkong statt. Eine Woche später, am 16. Juni, der zweite Protestmarsch. Fast alle kamen in schwarzen T-Shirts: Schüler, Studenten, Anwälte, Senioren, junge Familien. Noch nie waren so viele Menschen in Hongkong auf der Straße und demonstrierten.« www.tagesschau.de/ausland/hongkong-proteste-327.html (4.6.2021)